# IAN FLEMING

# Desde Rusia con amor

punto de lectura

Título: Desde Rusia con amor
Título original: *From Russia with Love*
© 1957, Glidrose Productions Ltd.
© Traducción: Jaime Piñeiro González
© De esta edición: marzo 2003, Suma de Letras, S.L.
*Barquillo, 21. 28004 Madrid (España)* www.puntodelectura.com


ISBN: 84-663-0931-4
Depósito legal: B-5.849-2003
Impreso en España – Printed in Spain

Fotografía de cubierta: Gregg Adams / Getty Images
Diseño de colección: Ignacio Ballesteros

Impreso por Litografía Rosés, S.A.

IAN FLEMING

# Desde Rusia con amor

Traducción de Jaime Piñeiro González

## NOTA DEL AUTOR

Aunque no tenga mayor importancia, gran cantidad de los antecedentes de esta historia son verídicos.

La SMERSH, abreviatura de *Smiert Spionam* (muerte a los espías), existe y todavía hoy sigue siendo el departamento más secreto del gobierno soviético.

A principios de 1956, cuando se escribió este libro, los efectivos de la SMERSH ascendían a 40.000 y el general Grubozaboyschikov era su jefe. Mi descripción de su aspecto es correcta. Hoy, el cuartel general de la SMERSH está ubicado donde yo lo he situado en el capítulo 4: en el número 13 de Sretenka Ulitsa, en Moscú. La Sala de Conferencias es descrita de manera fidedigna y los responsables de Inteligencia que se reúnen alrededor de la mesa son auténticos oficiales a quienes se les cita frecuentemente en ese cuarto con propósitos similares a los que yo he relatado.

*I. F.*

# PRIMERA PARTE

## *El plan*

# 1

## El país de las rosas

El hombre desnudo que se hallaba tendido boca abajo, junto a la piscina, muy bien podría haber estado muerto.

Asimismo, podría tratarse de un ahogado boca abajo, pescado en aquella misma piscina y puesto a secar sobre la hierba, mientras se avisaba a la policía o a sus parientes. Incluso el pequeño conjunto de objetos que había sobre la hierba, junto a su cabeza, minuciosamente ordenados, podían ser sus efectos personales, expuestos a la vista de todo el mundo, para que nadie pensara que los que lo habían rescatado del agua hubiesen robado algo.

A juzgar por tales objetos, aquél había sido o era un hombre rico. Entre la pila de cosas figuraban las insignias de miembro de un club para millonarios: un clip para dinero fabricado con una moneda de oro mexicana de cincuenta dólares, que sujetaba una sustanciosa cantidad de billetes de banco; un encendedor Dunhill de oro, muy usado; una pitillera de oro repujado con un discreto botón turquesa, de Fabergé, el joyero londinense de moda; y la clase de novela que un hombre rico tomaría de su librería para llevársela al jardín —*The Little Nugget*— un clásico de P. G. Wodehouse. También había un gran reloj de oro con su correa de cocodrilo muy gastada. Era un Girard-Perregaux, modelo diseñado para personas que gustaban de instrumentos complicados, con segundero grande, calendario para días y meses y otra diminuta ventanilla que señalaba las fases de la luna. El reloj marcaba, en aquellos momentos, las 14.30 del día 10 de junio, con la luna llena en sus tres cuartos.

Una libélula azul y verde salió de entre los rosales que estaban al final del jardín y se mantuvo suspendida en el aire a unos pocos centímetros por encima del comienzo de la espina dorsal del hombre. Se sentía atraída por el débil resplandor dorado que la claridad del mes de junio reflejaba en las puntas de los finos pelos rubios que crecían en torno al cóccix. Un soplo de brisa, procedente del mar, hizo que el pequeño campo de pelos se curvara con suavidad. La libélula se desplazó nerviosamente y revoloteó sobre el hombro izquierdo del sujeto, mirando hacia abajo. La hierba temprana que crecía bajo la boca abierta del hombre se agitó. Una gran gota de sudor resbaló por su carnosa nariz y calló, brillando, en el césped. Era suficiente para que la libélula saliera como un relámpago hacia los rosales y cruzara los cristales rotos que protegían el alto muro del jardín. Podía haber sido una buena comida, pero aquello se movió.

El jardín donde se hallaba tendido el hombre mediría aproximadamente media hectárea; estaba formado por un césped bien cuidado y rodeado por tres lados mediante setos de rosas, de los cuales partía un zumbar de abejas. Tras el adormecedor sonido de las abejas se oía el pacífico bramido del mar al pie del acantilado, cortado a pico al final del jardín.

Desde este último no se veía el mar, ni ningún otro panorama, excepto el cielo y las nubes por encima del muro de tres metros y medio de altura. De hecho, solamente se podía divisar el exterior de la finca desde los dos dormitorios superiores, que formaban el cuarto lado de aquel recinto tan aislado. Desde allí se distinguía, enfrente, la formidable extensión del océano y, hacia los lados, las ventanas superiores de las villas vecinas y las copas de los árboles de sus jardines: robles mediterráneos de perenne verdor, pinos rocosos, y alguna ocasional palmera enana.

La villa era moderna, con forma de caja baja y alargada, sin ornamento alguno. Por la parte del jardín, la fachada pintada, o más bien encalada en rosa, estaba perforada por cuatro ventanas con marcos de hierro y por una puerta central de cristal, que conducía a un pequeño cuadrado de baldosines color verde claro. Los baldosines se confundían con el césped. El otro lado de la villa, a pocos metros de distancia de una polvorienta carretera, era casi idéntico. Pero allí, las cuatro ventanas estaban enrejadas y la puerta central era de roble.

La villa disponía de dos dormitorios de tamaño mediano en la planta superior; en los bajos había una sala de estar y una cocina, parte de la cual se había convertido, mediante un tabique, en lavabo. No había cuarto de baño.

El silencio adormecedor de las primeras horas de la tarde se quebró con el ruido de un coche en la carretera. El vehículo se detuvo frente a la villa. Luego se oyó un suave portazo y el coche se alejó. Sonó por dos veces el timbre de la puerta. El hombre desnudo, junto a la piscina, no se movió, pero ante el sonido del timbre y el del coche que partía se abrieron sus ojos durante un instante. Era como si los párpados se alzasen igual que las orejas de un animal. El hombre recordó inmediatamente dónde se encontraba, el día de la semana y la hora que era. Conocía bien aquellos ruidos. Los párpados, con su ribete de pestañas color claro, se cerraron nuevamente sobre unos ojos color azul claro, opacos, que parecían mirar hacia su interior. Los labios, pequeños y de perfil cruel, se abrieron en un gran bostezo que llevó saliva a la boca. El hombre escupió sobre la hierba y esperó.

Una joven que llevaba en una mano un pequeño bolso de malla, vestida con camisa de algodón blanco y falda azul marino, empujó la puerta de cristal y caminó con aire varonil sobre los verdes baldosines y luego sobre la breve extensión de césped que la separaba del hombre desnudo. Dejó el bolso de malla sobre la hierba, a pocos pasos de distancia del hombre, se sentó y se quitó sus zapatos baratos y un tanto polvorientos. Luego se incorporó y se desabrochó la camisa, que se quitó igualmente para dejarla, con cuidado, doblada junto al bolso.

La muchacha no llevaba nada bajo la blusa. Su piel aparecía tostada por el sol y los hombros y la espalda parecían brillar de salud. Cuando movió los brazos para desabrochar los botones laterales de la falda, mostró el vello rubio de las axilas. La impresión que daba la joven de ser una campesina saludable, un animal lleno de vigor, quedó más puesta de relieve al descubrir sus rellenas caderas, cubiertas por un breve traje de baño, y al exhibir unas piernas de muslos algo cortos.

La joven colocó la falda junto a la camisa, abrió el bolso de malla y extrajo una vieja botella de agua mineral que contenía un líquido pesado e incoloro. Se acercó al hombre y se arrodilló a su lado. Vertió parte del líquido, aceite de oliva refinado y perfumado con esencia de rosas —como casi todo en aquella parte del mundo— entre los omoplatos del hombre y, después de flexionar los dedos como una pianista, comenzó a masajearle los músculos posteriores del cuello.

Se trataba de un trabajo duro. El hombre era inmensamente fuerte y los abultados músculos de la base del cuello apenas cedían bajo los pulgares de la joven, aun cuando sobre ellos caía todo el peso de sus hombros al trabajar. Cuando terminara con él, estaría empapada en sudor y tan exhausta, que se dejaría caer en la piscina para, más tarde, dormir un rato a la sombra mientras esperaba que el coche viniera a recogerla. Pero nada de aquello le importaba mientras sus manos trabajaban automáticamente sobre la espalda del hombre. Sentía un instintivo horror hacia el cuerpo más bello que había visto en su vida.

Nada de ese horror se reflejaba en el chato e impasible rostro de la masajista, y sus negros ojos, sesgados hacia arriba bajo el borde de un tosco pelo oscuro, estaban claramente vacíos, pero en su interior el animal se acobardaba y sollozaba y, si se le hubiera ocurrido tomarse el pulso, se habría dado cuenta de que latía muy rápido.

Una vez más, al igual que había sucedido en los dos últimos años, la joven se preguntó por qué odiaba tanto aquel espléndido cuerpo, y una vez más, también, intentó analizar su repulsión. Quizá ahora pudiera desembarazarse de sentimientos que, estaba segura, eran mucho menos profesionales que el deseo sexual que algunos de sus pacientes despertaban en ella.

Primero un examen de las cosas mínimas: su cabello. La joven observó la cabeza redonda y pequeña sobre el cuello robusto. Estaba cubierta por apretados rizos dorados, tirando a rojos, que hubieran debido recordarle con agrado el cabello que tantas veces había visto en las fotografías de las estatuas clásicas. Pero los rizos del hombre aparecían extrañamente apretados, prensados unos contra otros y contra el cráneo. La joven pensó que algunas veces le producían hasta dentera. Los rojizos cabellos descendían sobre la parte inferior del cuello... casi, pensando en términos profesionales, hasta la quinta vértebra cervical. Y allí se detenían bruscamente en línea recta. La muchacha se detuvo para dar descanso a sus manos. Tomó asiento sobre los talones. La hermosa parte superior de su cuerpo ya estaba cubierta de sudor. Se pasó un antebrazo por la frente y luego tomó de nuevo la botella de aceite. Vertió aproximadamente una cucharada sobre la pequeña meseta de vello rubio situada en la base de la columna vertebral del hombre, flexionó los dedos y se inclinó sobre él.

Aquel conato de vello dorado tenía, en aquel hombre, algo de bestial. De reptil. Pero las serpientes no tienen pelo. Bueno, ella no podía remediarlo. Le parecía propio de un reptil. Movió las manos hacia abajo, hacia los dos montículos que constituían los glúteos. Ahora era cuando muchos de sus pacientes, sobre todo los más jóvenes del equipo de fútbol, comenzaban a bromear con ella. Entonces, si no tenía cuidado, venían las insinuaciones. A veces conseguía silenciarlas presionando con fuerza el nervio isquiático. En otras ocasiones, y particularmente si encontraba atractivo al hombre, se producían argumentaciones entre risitas, un breve forcejeo y una rápida y deliciosa rendición.

Con este hombre todo era diferente, enormemente diferente. Desde el principio había sido como un pedazo de carne inanimada. En dos años jamás había cruzado con ella una sola palabra. Cuando terminaba con su espalda y él se daba media vuelta, ni sus ojos ni su cuerpo exteriorizaban el menor interés hacia ella. Mientras masajeaba sus hombros, él entornaba los ojos y miraba hacia el cielo, bostezando con fuerza de vez en cuando, única señal de que reaccionaba como un ser humano.

La joven cambió de posición y lentamente trabajó la pierna derecha hacia el tendón de Aquiles. Cuando llegó a él, alzó los ojos para contemplar brevemente el hermoso cuerpo. ¿Era su repulsión solamente física? ¿O quizá aquel matiz rojizo que producía el sol sobre la piel lechosa era lo que la hacía parecer desagradable carne asada? ¿O acaso era la propia textura de la piel, los poros ampliamente espaciados sobre la satinada superficie? ¿Las abundantes pecas de los hombros? ¿O la sexualidad del hombre? ¿O la indiferencia de aquellos espléndidos músculos? ¿O se trataba quizá de una repulsión espiritual, de un instinto puramente animal que le advertía de que en el interior de aquel cuerpo residía una mala persona?

La masajista se puso en pie, moviendo la cabeza de un lado a otro y flexionando los hombros. Estiró los brazos en todas las direcciones y luego los mantuvo levantados un rato para que la sangre bajara por ellos. Se acercó a su bolso de malla, sacó una toalla y se secó el sudor de la cara y del cuerpo.

Cuando se volvió hacia el hombre, éste había dado media vuelta y, en aquel instante yacía con la cabeza sobre la palma de una mano, mirando hacia el cielo. El otro brazo descansaba sobre la hierba, esperándola. La muchacha se acercó y se puso de rodillas detrás de su cabeza. Vertió otro poco de aceite en ambas manos y tomó el brazo del hombre para iniciar el trabajo por los cortos y gruesos dedos.

La joven miraba nerviosamente de reojo el rostro rojizo que se destacaba bajo la corona de dorados rizos. A primera vista estaba bien: una belleza un tanto juvenil, con sus mejillas rellenas y sonrosadas, nariz respingona y redondo mentón. Pero si se le observaba con más detalle, había algo cruel en la boca, un tanto abultada y de labios finos, y las anchas ventanillas de la nariz le daban un aspecto porcino. Además, la negrura que velaba el acentuado azul claro de sus ojos, y que se comunicaba a todo el rostro, le hacía parecer el cadáver de un ahogado en el depósito. La muchacha pensó que era como si alguien hubiese tomado una muñeca china y pintado su rostro para que diera miedo.

La masajista trabajó el brazo hasta los abultados bíceps. ¿Cómo había adquirido el hombre aquellos fantásticos músculos? ¿Era boxeador? ¿Qué hacía con su formidable cuerpo? Se rumoreaba que la casa pertenecía a la policía. Los dos criados, sin duda, eran una especie de guardianes, aunque hacían la comida y todas las labores domésticas. Con absoluta regularidad, el hombre se ausentaba cada mes durante unos días y a ella la avisaban para que no acudiese a la casa. Y asimismo, de vez en cuando, recibía un aviso para que no apareciera por allí en una o dos semanas, o en un mes.

En cierta ocasión, después de una de estas ausencias, el hombre había regresado con el cuello y el tronco cubiertos de moratones. En otra ocasión, la masajista se había fijado en una herida a medio curar cubierta por un vendaje, sobre las costillas; jamás se había atrevido a preguntar por él ni en el hospital ni en la ciudad. Cuando le enviaron a la casa por vez primera, uno de los criados le había advertido de que si decía algo sobre lo que veía, la encerrarían en la cárcel. En el hospital, el superintendente jefe, que siempre la había ignorado, la llamó y le dijo lo mismo. Que iría a prisión. Los fuertes dedos de la joven trabajaron nerviosamente el gran músculo deltoides hasta el extremo del hombro.

Siempre había sospechado que se trataba de un asunto relacionado con la Seguridad del Estado. Quizá era precisamente aquella circunstancia la que provocaba en ella repugnancia hacia tan espléndido cuerpo. Quizá era temor a la organización que poseía en custodia aquel cuerpo. La joven cerró los ojos con fuerza al pensar quién sería aquel hombre y qué podría ordenar que le hiciesen a ella. Rápidamente los abrió otra vez. Él podría haberse dado cuenta. Pero los ojos del hombre continuaban mirando al cielo, sin que en ellos se reflejara la menor expresión.

La masajista tomó la botella de aceite para trabajar el rostro. Apenas había tocado las sienes del hombre, que en aquel instante cerraba los ojos, cuando comenzó a sonar el teléfono en la casa. El sonido llegó, impaciente, hasta el jardín en calma. En un segundo, el hombre se incorporó sobre una rodilla como un corredor que esperase el disparo de salida. Pero no se movió. El teléfono dejó de sonar. Se oyó una voz remota. La joven no podía escuchar lo que se decía, pero, al cabo de un momento, la voz se detuvo y uno de los criados apareció en la puerta, hizo una seña y regresó al interior de la casa. Aún no había terminado el criado de esbozar su señal cuando ya el hombre desnudo corría sobre el césped. La joven vio cómo la morena espalda desaparecía tras la puerta de cristal.

Sería mucho mejor que el hombre no la encontrara al regresar. No hacía nada, pero hubiera podido oír algo. Se puso en pie, avanzó dos pasos hasta el borde de cemento de la piscina y saltó graciosamente al agua.

Aunque sus impresiones se hubiesen podido explicar al saber quién era el hombre a cuyo cuerpo aplicaba minuciosos masajes, era mucho mejor para la paz de su espíritu ignorarlo.

Su verdadero nombre era Donovan Grant, o Grant *el Rojo*. Pero durante los últimos diez años había sido Krassno Granitski, con el nombre codificado de Granit.

Era el primer verdugo de la SMERSH, el *funcionario* asesino de la MGB quienes, en aquel preciso momento, directamente desde Moscú, estaban dándole instrucciones.

# 2

## El matarife

Grant colgó el teléfono con calma y permaneció sentado contemplándolo en silencio.

El guardián de cabeza apepinada, que se hallaba en pie a su lado, dijo:

—Mejor será que comiences a moverte.

—¿Te han dado alguna idea sobre la tarea?

Grant hablaba ruso muy bien, pero con acento duro. Podría haber pasado por nativo de cualquiera de las provincias soviéticas bálticas. La voz era fuerte pero monótona, como si estuviera recitando alguna cosa aburrida leída en un libro.

—No. Solamente que te necesitan en Moscú. El avión está en camino. Llegará dentro de una hora. Media hora para repostar, y luego tres o cuatro horas más... depende de si bajas en Jarkov. Estarás en Moscú a medianoche. Será mejor que prepares tus cosas. Avisaré al coche.

Grant se puso en pie nerviosamente.

—Sí. Tienes razón. Pero, ¿ni siquiera te han dicho si se trataba de una operación? A uno le agrada saber estas cosas. La comunicación era segura. Bien podrían haber insinuado algo. Siempre lo hacen.

—Esta vez no lo han hecho.

Grant abrió lentamente la puerta de cristal que daba paso al césped. Si vio a la joven sentada en el extremo más alejado de la piscina no dio muestras de ello. Se inclinó y recogió los dorados trofeos de su profesión y el libro; empujó la puerta de entrada y subió a su cuarto.

Éste presentaba un aspecto yermo y triste. El mobiliario consistía únicamente en una vulgar cama de hierro, de la que colgaban las sábanas hasta el suelo; una silla de mimbre; un armario ropero sin barnizar y un lavabo barato con un lavamanos de estaño. En el suelo, numerosas revistas americanas e inglesas. Contra la pared, bajo la ventana, libros de bolsillo con chillonas portadas y algunas novelas encuadernadas.

Grant se inclinó y tomó de debajo de la cama una maleta de fibra italiana. Depositó en su interior alguna ropa de mala calidad, aunque bien lavada y planchada; se lavó con agua fría empleando el jabón de inevitable olor a rosas y se secó con una de las sábanas del lecho.

Hasta él llegó el ruido de un coche en el exterior. A toda prisa se puso una indumentaria tan mediocre como la que acababa de guardar, sujetó el reloj a su muñeca, llenó los bolsillos con las demás pertenencias y, tras coger la maleta, bajó apresuradamente la escalera.

La puerta principal de la casa estaba abierta. Vio cómo sus dos guardianes hablaban en voz baja con el conductor de un maltratado coche Zis.

«¡Estúpidos! —pensó (Grant aún seguía pensando en inglés)—, le estarán diciendo que se asegure de que tomo el avión y no me quedo en tierra. Son incapaces de imaginar que un extranjero desee vivir en su maldito país.»

Cuando dejó la maleta en el umbral de la puerta, le observaron unos ojos fríos con expresión de sarcasmo. Buscó entre las prendas que colgaban en las perchas de la puerta de la cocina y cogió su *uniforme*: un grisáceo impermeable y una gorra de paño negra, la indumentaria característica de los funcionarios soviéticos.

Se puso las dos piezas, cogió de nuevo la maleta y, al subir al coche para sentarse junto al chófer, apartó brutalmente a uno de los guardianes.

Los dos hombres retrocedieron sin decir nada, pero le miraron con dureza. Finalmente arrancó el coche y aceleró por la polvorienta carretera.

La villa estaba en la costa sureste de la península de Crimea, a medio camino entre Feodosiya y Yalta. Era una de las *datchas* de vacaciones de muchos oficiales que se extendían a lo largo de la privilegiada y montañosa costa de la Riviera rusa. Red Grant sabía que era afortunado por haber sido alojado allí, en vez de en alguna sombría villa de las afueras de Moscú. Mientras el coche subía entre las montañas, pensó que realmente le habían tratado tan bien como eran capaces, incluso aunque el interés por su bienestar tuviera dos caras.

Los sesenta kilómetros de camino hasta el aeropuerto de Simferopol se hicieron en una hora. No había más vehículos en la carretera que algún ocasional carro procedente de los viñedos que, en cuanto oía la bocina, rápidamente se apartaba al arcén.

En toda Rusia, un coche equivalía a un oficial, y un oficial sólo podía significar peligro.

A lo largo de todo el recorrido se veían rosas. Había campos enteros de rosales alternando con los viñedos, setos de las mismas flores a lo largo de la carretera y, al aproximarse al aeropuerto, había un enorme parterre con variedades rojas y blancas formando una estrella roja sobre fondo blanco. Grant estaba harto de tantas rosas y ansiaba llegar cuanto antes a Moscú para sentirse lejos de su empalagoso aroma.

Entraron en el aeropuerto civil y, luego, el vehículo continuó avanzando a lo largo de un alto muro durante poco más de un kilómetro, hasta alcanzar el sector militar del aeródromo. Ante una alta puerta enrejada, el chófer mostró su pase a los dos centinelas, armados con metralletas. El coche avanzó entonces hasta la pista.

Había en ella varios aviones. Grandes aparatos de transporte militar perfectamente camuflados, pequeños bimotores de entrenamiento y dos helicópteros de la Armada. El conductor se detuvo para preguntar a un hombre ataviado con mono de faena dónde se hallaba el avión de Grant. Desde la torre de control llegó hasta ellos un sonido metálico y, acto seguido, la orden: «Al final a la izquierda. Número V-BO».

El chófer condujo obedientemente a través de la pista hasta que la voz metálica ordenó: «Deténgase». Mientras éste frenaba, sonó sobre sus cabezas un ruido ensordecedor. Los dos hombres se agacharon instintivamente mientras cuatro MIG 17 aparecían desde el sol poniente y planeaban sobre ellos, con sus frenos de aire desplegados para el aterrizaje. Los aviones tomaron tierra uno tras otro, expulsando bocanadas de humo azul por sus ruedas delanteras y con los motores aullando, rodaron por el suelo hasta la línea que marcaba el límite de la pista. Allí dieron la vuelta y regresaron hacia la torre de control y a los hangares. «Prosiga.»

Cien metros más adelante encontraron un avión con el registro V-BO. Era un bimotor Ilyushin 12. Desde la portezuela de la cabina colgaba una escalerilla de aluminio y el coche se detuvo junto a ella. Un hombre de la tripulación apareció en la puerta, bajó por la escalerilla y examinó minuciosamente el pase del conductor y los documentos de Grant; luego despidió al primero haciendo un gesto con la mano. Hizo una señal a Grant para que le siguiera escalerilla arriba. No le ayudó con su maleta, pero Grant cargó con ella con tanta facilidad como si se tratara de un libro. El tripulante alzó la escalerilla tras él, cerró con fuerza la portezuela y se encaminó hacia la cabina de mando.

Había veinte asientos vacíos donde elegir. Grant se acomodó en el que se hallaba más cerca de la salida y se ciñó el cinturón de seguridad. A través de la puerta abierta de la cabina llegó hasta él una breve charla con la torre de control. Se encendieron los dos motores y el avión giró rápidamente, como si fuera un coche, para salir por la pista norte-sur; sin más preliminares, el aparato inició el vuelo.

Grant se desabrochó el cinturón de seguridad, encendió un cigarrillo Troika de boquilla dorada y, buscando en el asiento una posición más cómoda, reflexionó sobre su pasada carrera y sobre el inmediato futuro.

Donovan Grant era el resultado del encuentro a medianoche entre un levantador de pesas alemán y una camarera del sur de Irlanda. La unión duró un cuarto de hora sobre la húmeda hierba, tras la tienda de un circo montado en las afueras de Belfast. Después, el padre entregó a la madre media corona, y la madre se retiró felizmente a su cama, en la cocina de un café, cerca de la estación del ferrocarril. Mientras estaba esperando el bebé, se fue a vivir con una tía en el pequeño pueblo de Aughmacloy, en la misma frontera, y allí, seis meses más tarde, falleció de fiebre puerperal después de haber dado a luz un niño que pesaba cinco kilos y medio. Antes de morir, dijo que el muchacho debía llamarse Donovan (el levantador de pesas se hacía llamar «El poderoso Donovan») y Grant, que era su apellido.

El chico quedó al cuidado de la tía. Creció saludable y extraordinariamente fuerte. Pero era muy introvertido. No tenía amigos. Se negaba a comunicarse con los demás niños y cuando deseaba alguna cosa de ellos la tomaba a puñetazos. En la escuela local era temido por todos. Finalmente, logró hacerse un nombre boxeando y luchando en las ferias de la localidad, donde la sanguinaria furia de su ataque, en combinación con su astucia, le proporcionaba la victoria sobre muchachos mayores y más corpulentos que él.

Mediante estos combates, llegó a su conocimiento la existencia de los Sinn-Feiners, que utilizaban Aughmacloy como vía principal para sus idas y venidas hacia el norte, y también de los contrabandistas locales, que se servían del pueblo con el mismo propósito. Cuando dejó la escuela, se convirtió en el brazo fuerte de ambas organizaciones. Le pagaban bien por su trabajo, pero procuraban verle lo menos posible.

Por aquel entonces, su cuerpo comenzó a experimentar extrañas y violentas convulsiones cuando había luna llena. Al cumplir los dieciséis años, en el mes de octubre, sufrió por vez primera «las sensaciones», como él mismo las denominaba. Salió de casa y estranguló a un gato. Durante todo un mes, aquella faena le hizo «sentirse mejor». En noviembre le tocó el turno a un perro pastor, y en Navidad le cortó el cuello a una vaca, a medianoche, en un cercano cobertizo. Todos estos actos le hacían «sentirse bien». Sin embargo, tenía suficiente sentido común para darse cuenta de que en el pueblo muy pronto se harían preguntas sobre las misteriosas muertes. En consecuencia, se compró una bicicleta. Una noche al mes salía al campo. A menudo se veía obligado a ir lejos para encontrar lo que ansiaba y, después de dos meses de haberse satisfecho con gallinas y gansos, se arriesgó a cortarle la garganta a un vagabundo que dormía.

Eran tan pocas las personas que salían por la noche, que muy pronto inició sus excursiones más temprano. Entonces pedaleaba hasta llegar a pueblos distantes, en pleno crepúsculo, cuando algún solitario campesino regresaba del campo a casa, o las muchachas acudían a sus citas de amor.

Al tropezar por primera vez con una joven solitaria, no pensó en otra cosa más que en asesinarla. Sin duda, había oído hablar de las cosas del amor, pero para él resultaban incomprensibles. Únicamente el maravilloso acto de matar le tranquilizaba.

Al final de sus diecisiete años empezaron a extenderse horripilantes rumores por todo Fermanagh, Tyrone y Armagh. Apareció una mujer asesinada en pleno día y arrojada descuidadamente en un pajar. Estrangulada. Los rumores desembocaron en auténtico pánico. Se organizaron en el pueblo patrullas de vigilantes, llegaron refuerzos policiales con sus perros y, finalmente, los relatos que circulaban sobre «el asesino de la luna llena» llevaron periodistas a la zona.

Varias veces detuvieron a Grant cuando iba en bicicleta y le hicieron preguntas, pero él disfrutaba de una poderosa protección en el pueblo, y así, su explicación sobre los entrenamientos para estar en mejor forma en sus combates de boxeo quedó plenamente justificada. Por otra parte, Grant era el orgullo de Aughmacloy al ser su aspirante al campeonato de pesos medios del norte de Irlanda.

Una vez más, antes de que fuera demasiado tarde, el instinto le salvó de que le descubriesen. Abandonó Aughmacloy y se fue a Belfast para ponerse en manos de un promotor de boxeo que deseaba convertirlo en profesional. La disciplina en el gimnasio, casi una especie de prisión, era rígida. En una ocasión, a Grant le hirvió de nuevo la sangre en las venas y casi mató a golpes a uno de sus entrenadores. Después de que tuvieran que separarle en otras dos ocasiones de su contrincante en el ring, sólo su victoria en el campeonato le salvó de que el promotor lo despidiese.

Grant ganó su combate en 1945, el mismo día que cumplía los dieciocho años. Entonces le llamaron a filas y le destinaron como chófer al Cuerpo de Comunicaciones. El periodo de entrenamiento en Inglaterra le tranquilizó o, por lo menos, le convirtió en una persona más cuidadosa cuando se apoderaban de él «las sensaciones». Cuando había luna llena, bebía copiosamente. Se llevaba una botella de whisky a los bosques de Aldershot y se la bebía entera, a la vez que vigilaba sus sensaciones, fríamente, hasta perder el conocimiento. Después, de madrugada, regresaba al campamento, satisfecho a medias, pero sin que el ansia de sangre aflorase a su piel. Si a su regreso le sorprendía algún centinela, el castigo se reducía a un día de calabozo, ya que su comandante quería tenerle contento de cara a los campeonatos de boxeo del Ejército.

Pero la Sección de Transportes de Grant fue destinada de improviso a Berlín, con ocasión del incidente con los rusos a causa del «Corredor», y por tal motivo perdió los campeonatos. En Berlín, el constante olor a peligro le hizo ser más cuidadoso y astuto. Todavía seguía emborrachándose con la luna llena, pero el resto del tiempo se mantenía alerta, rumiando nuevas hazañas. Le agradaba todo cuanto oía decir sobre los rusos: su brutalidad, su desprecio hacia la vida humana y su insidia. Decidió irse con ellos. Pero, ¿cómo? ¿Qué podría llevarles él como presente? ¿Qué era lo que más deseaban?

Decidió desertar finalmente con ocasión de los campeonatos del BAOR. Por casualidad, tuvieron lugar en una noche de luna llena. Grant, peleando por el Royal Corps, recibió una primera amonestación del árbitro por pegar bajo y, en el tercer *round*, le descalificaron por continuar peleando suciamente. Todo el estadio le silbó y abucheó al bajar del ring..., partiendo las mayores protestas de su propio regimiento, y, a la mañana siguiente, el comandante le llamó y le comunicó fríamente que era una verdadera deshonra para el Royal Corps y que, en consecuencia, le enviarían a casa en el siguiente licenciamiento. Los demás conductores le volvieron la espalda y, como ninguno de ellos le deseaba a su lado, tuvo que ser destinado al Servicio de Enlaces Motoristas.

Con el cambio no pudieron beneficiar más a Grant. Esperó unos días y luego, una noche, cuando había recogido el correo de salida del Cuartel General de Información, en la Reichskanzlerplatz, fue directamente al sector soviético, esperó con el motor en marcha hasta que se abrió la puerta del control británico para dar paso a un taxi, y entonces aceleró cruzando la entrada a toda velocidad hasta frenar al lado de la garita del puesto fronterizo ruso.

Le hicieron entrar en el cuerpo de guardia a empujones. Un oficial con cara de palo, sentado tras una mesa de despacho, le preguntó qué deseaba.

—Hablar con el Servicio Secreto —respondió Grant impasible—. Con el jefe.

El oficial le observó fríamente. Dijo algo en ruso. Los soldados que habían acompañado a Grant comenzaron a sacarle de la habitación con cierta violencia. Él, con toda facilidad, se liberó de sus manos. Uno de los soldados alzó la metralleta.

Grant dijo, hablando con toda paciencia y claridad:

—Poseo muchos documentos secretos. Ahí fuera. Están en las bolsas de la moto. —En aquel preciso instante tuvo otra idea y añadió—: Habrá serias dificultades si esos documentos no llegan a su Servicio Secreto.

El oficial indicó algo a los soldados y éstos retrocedieron.

—No tenemos Servicio Secreto —dijo el oficial en ampuloso inglés—. Siéntese y rellene este impreso.

Grant tomó asiento ante la mesa y rellenó un extenso impreso en el que se hacían preguntas a todo el que deseaba visitar la zona oriental... nombre, dirección, naturaleza del asunto que le llevaba allí, etc. Mientras tanto, el oficial habló brevemente y en voz baja por teléfono.

Cuando Grant terminó, ya se hallaban en la habitación dos suboficiales tocados con gorras verdes de la policía, que mostraban en sus uniformes caqui las insignias, también verdes, de su jerarquía. El oficial de la frontera entregó el impreso a uno de ellos, sin molestarse siquiera en echarle un vistazo. Los dos hombres hicieron subir a Grant y a su motocicleta a una furgoneta cuya portezuela sonó con fuerza a su espalda. Tras un rápido viaje, que duró un cuarto de hora, Grant se apeó del vehículo y se encontró en un patio sobre el que se alzaba un edificio nuevo y grande. Le hicieron entrar, subió en el ascensor y, finalmente, le dejaron solo en una celda sin ventanas. La estancia no contenía más que un banco de hierro.

Después de una hora, durante la cual Grant supuso que estarían examinando los documentos secretos, le llevaron a una cómoda oficina en la que un jefe, que lucía tres filas de condecoraciones en el pecho y, además, las insignias de coronel, se hallaba sentado tras una mesa. Ésta estaba completamente vacía, excepto por la presencia de un jarrón de rosas.

Diez años más tarde, Grant, contemplando por la ventanilla del avión un gran conjunto de luces que brillaba unos seis kilómetros más abajo, y que supuso que era Jarkov, sonrió tristemente al ver reflejada su imagen en el cristal.

Rosas. Desde aquel momento, su vida no había sido más que rosas. Rosas, rosas, constantemente...

# 3

## Un curso de perfeccionamiento

—¿De manera que le gustaría trabajar en la Unión Soviética, señor Grant?

Había transcurrido media hora y el coronel de la MGB estaba ya harto de la entrevista. Suponía haber obtenido de aquel desagradable soldado británico todo posible detalle militar de interés. Unas cuantas frases corteses para recompensar la riqueza de los documentos secretos que contenían las bolsas de la moto y, acto seguido, el hombre podía ir a parar a las celdas de abajo, y, a su debido tiempo, ser enviado a Vorkuta o a cualquier otro campo de trabajo.

—Sí, me agradaría trabajar para ustedes.

—¿Y qué clase de trabajo podría usted hacer, señor Grant? Disponemos de muchos obreros sin cualificar, de peonaje. No necesitamos conductores de camión... —El coronel sonrió ligeramente, añadiendo—: Y si es preciso boxear, también disponemos de infinidad de boxeadores. Entre ellos, y dicho sea de paso, dos posibles campeones olímpicos.

—Soy un especialista en el arte de matar. Lo hago bien. Me gusta.

El coronel vio la llama roja que, durante un instante, brilló tras los ojos azul claro, bajo las pestañas casi grises. Pensó: «Este individuo habla en serio». Guardó silencio durante unos segundos y pensó de nuevo: «Y, además de desagradable, está loco». Miró fríamente a Grant, preguntándose si valía la pena desperdiciar la comida de Vorkuta con aquel tipo. Quizá fuese mejor fusilarlo o devolverlo al sector británico y que sus propios compatriotas se ocuparan de él.

—Usted no me cree —dijo Grant con impaciencia, pensando en que aquél no era el hombre ni el departamento que le convenían—. ¿Quién hace para ustedes el trabajo duro? —Estaba seguro de que los rusos tenían un escuadrón de asesinos. Todo el mundo lo aseguraba. Añadió—: Permítame que hable con ellos. Mataré a alguien en su nombre. A quien ellos gusten. Ahora mismo puedo hacerlo.

El coronel le miró con dureza. Quizá sería mucho mejor informar sobre aquel extraño caso.

—Espere aquí.

Salió de la estancia dejando la puerta abierta. Un centinela se situó en el umbral vigilando la espalda de Grant y apoyando una mano sobre su pistola.

El coronel entró en el cuarto contiguo. Estaba vacío. Había tres teléfonos sobre una mesa de trabajo. Tomó el auricular de la línea directa de la MGB en Moscú. Cuando le respondió el operador, el coronel dijo simplemente: «SMERSH». Tras responderle con la misma palabra, preguntó por el jefe de operaciones.

Diez minutos mas tardé colgaba el teléfono. ¡Qué suerte! Una solución sencilla y constructiva. Ocurriera lo que ocurriese, el resultado siempre sería favorable. Si el inglés tenía éxito, sería espléndido. Si fracasaba, también causaría dificultades en el sector occidental: dificultades para los británicos porque Grant era su hombre, para los alemanes porque el intento atemorizaría a muchos de sus espías, y para los americanos porque estaban suministrando la mayor parte de los fondos de la organización fundada por Baumgarten, y pensarían que la seguridad de éste era deficiente. Complacido consigo mismo, el coronel regresó a su despacho y tomó asiento frente a Grant.

—¿Habla usted en serio? —interrogó.

—Por supuesto que sí.

—¿Tiene buena memoria?

—Sí.

—En el sector británico hay un alemán llamado doctor Baumgarten. Vive en Kurfürstendam número 22, quinto piso. ¿Sabe usted dónde está eso?

—Sí.

—Esta noche, con su motocicleta, regresará usted al sector británico. Se cambiará la matrícula de la moto. Allí le estarán buscando, sin duda. Llevará un sobre al doctor Baumgarten. En el mismo se indicará que su entrega al destinatario se hará personalmente, en mano, ¿comprende? Con su uniforme y este sobre no tendrá dificultades de ninguna clase. Dirá que el mensaje es tan confidencial que tiene que ver al doctor a solas. Entonces le matará.

—El coronel se detuvo. Alzó ambas cejas y preguntó—: ¿Entendido?

—Sí —respondió Grant impasible—. Y si lo hago, ¿me dará usted más trabajos de esa clase?

—Es posible —respondió el coronel con indiferencia—. Primero debe demostrar lo que sabe hacer. Cuando haya terminado la tarea, podrá regresar al sector soviético y preguntar por el coronel Boris. —El ruso hizo sonar un timbre y entró en el despacho un hombre vestido de paisano. El coronel le señaló con un gesto de la mano—. Este hombre le dará comida. Más tarde le entregará el sobre y un afilado cuchillo de fabricación americana. Es un arma excelente. Buena suerte.

El coronel extendió una mano y tomó una rosa del jarrón para aspirar su aroma con deleite.

Grant se puso en pie.

—Gracias, señor —dijo calurosamente.

El coronel no respondió ni alzó los ojos, que tenía clavados en la rosa. Grant siguió al hombre de paisano fuera del despacho.

El avión volaba sobre el corazón de Rusia. Habían dejado atrás los altos hornos situados al este de Stalino y, hacia el oeste, la cinta de plata del Dnieper, que se dividía en Dnepropetrovsk. El halo de luz que rodeaba Jarkov había señalado la frontera de Ucrania, y las luces de Kursk, ciudad del fosfato, habían aparecido y desaparecido en un abrir y cerrar de ojos. En aquel momento, Grant sabía que la espesa oscuridad que se extendía bajo el avión ocultaba la gran estepa central, donde miles de millones de toneladas de cereales rusos maduraban en la oscuridad. No habría más oasis de luz hasta que, al cabo de otra hora, hubiesen recorrido los casi quinientos kilómetros que le separaban de Moscú.

Por entonces, Grant conocía ya muchas cosas sobre Rusia. Tras el sensacional y rápido asesinato de un importante espía alemán occidental, Grant había cruzado de nuevo la frontera para llegar, como había podido, hasta el coronel Boris. Después le vistieron de paisano a toda prisa, cubrieron su cabeza con un casco de aviador para esconder sus rojizos cabellos y le metieron en un avión vacío de la MGB en el que voló directamente a Moscú.

Entonces comenzó un año de semiprisión, que Grant dedicó a mantenerse en buena forma física y a aprender ruso mientras le visitaba un conjunto de personas muy dispares: interrogadores, confidentes, médicos... Por otra parte, los espías soviéticos que trabajaban en Inglaterra e Irlanda del Norte investigaban minuciosamente su pasado.

Al final del año se le entregó a Grant un certificado de buena salud política, tan bueno como podía lograrlo cualquier extranjero en Rusia. Los espías confirmaron esta historia. Sus soplones ingleses y americanos informaron de que no sentía el menor interés por las costumbres sociales o políticas de ningún país del mundo, y los médicos y psicólogos estuvieron de acuerdo en que se trataba de un avanzado maníaco depresivo cuyos periodos más graves coincidían con la luna llena. Añadieron que Grant era narcisista y asexual, con enorme resistencia al dolor. Aparte de estas peculiaridades, su salud era soberbia y, aun cuando su nivel cultural era muy bajo, era tan astuto como un zorro. En general, todo el mundo estuvo de acuerdo en que Grant era socialmente un tipo peligroso y se hacía preciso mantenerlo alejado.

Cuando el expediente llegó a manos del jefe de personal de la MGB, estuvo a punto de anotar en un margen del mismo: «Liquidarle». Sin embargo, en el último segundo se lo pensó dos veces.

En Rusia era necesario llevar a cabo muchas ejecuciones. No porque los rusos fueran hombres crueles, aun cuando algunas de sus razas figuran como los pueblos más sanguinarios del mundo, sino como instrumento de tipo político. La gente que actúa contra el Estado es enemiga del Estado, y el Estado no consiente que haya enemigos. Hay demasiadas cosas que hacer para perder el tiempo con tales individuos, y, si llegan a constituir una persistente molestia, se liquidan. En un país donde hay una población de doscientos millones de personas, se puede asesinar a muchos miles al año sin que se note. Y, si como sucedió con las dos purgas más grandes llevadas a cabo en el país, matar a un millón de ciudadanos en un solo año tampoco constituye una pérdida demasiado grave. El problema más serio estriba en la escasez de verdugos. Éstos tienen una vida *corta*. Se cansan de su trabajo. El alma enferma con semejante labor. Después de diez, veinte o cien asesinatos, el ser humano, por muy infrahumano que sea, adquiere, quizá mediante un proceso de ósmosis con la misma muerte, un virus que corroe su cuerpo y le devora poco a poco, como un cáncer. La melancolía y la bebida se apoderan de él, aparte de sufrir una tremenda lasitud que vela sus ojos, destroza sus reflejos y termina destruyendo toda eficacia. Cuando el jefe ve todas estas señales, no tiene más remedio que ejecutar al verdugo y buscar otro.

El jefe de personal de la MGB conocía muy bien el problema de la constante búsqueda, no sólo del refinado asesino, sino también del vulgar carnicero. Por fin, allí estaba un hombre que parecía un experto en ambas formas de matar; un tipo, sin duda, amante de su oficio y, si había que creer a los médicos, predestinado a ello.

El jefe de personal escribió una nota breve e incisiva en los documentos de Grant, catalogándolos como «SMERSH Otdyel II», y, a continuación, arrojó los papeles en la bandeja del correo de salida.

El departamento 2 de SMERSH, destinado a las Operaciones y Ejecuciones, se hizo cargo de Grant, cambió su nombre por el de Granitsky y lo inscribió en sus libros.

Los dos años siguientes fueron muy duros para Grant. Tuvo que volver a la escuela, a una escuela que le hizo sentir nostalgia de aquella otra, con pupitres desvencijados, bajo un techado de zinc ondulado, llena de malos olores a causa de los chicos poco aseados, y del zumbar de las moscas, único recuerdo que tenía de sus años de estudio. Ahora, en la Escuela de Inteligencia para Extranjeros, en las afueras de Leningrado, apiñado entre alemanes, checos, polacos, chinos y negros, todos con rostros serios, atentos, con sus lápices trabajando sobre los cuadernos, luchaba Grant con temas que para él eran un verdadero jeroglífico.

Había también un curso de "Cultura Política General" que incluía la historia de los movimientos obreros, del Partido Comunista, y de las grandes fuerzas industriales del mundo; así como las enseñanzas de Marx, Lenin y Stalin, todo ello cuajado de nombres extranjeros que Grant apenas sabía pronunciar. También hubo lecciones sobre "El enemigo de clase contra el que luchamos", con lecturas y conferencias sobre capitalismo y fascismo; semanas dedicadas a los problemas de "Táctica, Agitación y Propaganda", y otras destinadas a estudiar detenidamente los "problemas de los pueblos minoritarios, razas colonizadas, negros y judíos". Cada mes se celebraban exámenes durante los cuales Grant no hacía más que escribir estupideces de analfabeto mezcladas con retazos de historia inglesa medio olvidada y esloganes comunistas con faltas de ortografía, hasta el punto de que, en más de una ocasión, hubo que romper sus papeles delante de toda la clase.

Pero Grant resistió todos los embates. Al llegar a los "Temas Técnicos" lo hizo mejor. Entendía rápidamente los rudimentos de códigos y cifras porque quería comprenderlos. Era bastante bueno en el terreno de las comunicaciones, e inmediatamente asimiló todo el laberinto de los contactos, circuitos, enlaces y buzones del correo, hasta el punto de obtener una extraordinaria calificación para el "Trabajo de Campaña" en el que cada estudiante había de planear y ejecutar simulacros de operaciones en los suburbios y campos que rodeaban a Leningrado. Finalmente, cuando llegó a las pruebas de "Vigilancia, Discreción, Prudencia ante todo, Serenidad, Valor y Sangre Fría", obtuvo la mejor puntuación de toda la escuela.

Al final del año, el informe enviado a la SMERSH concluía: «Valor político: nulo. Valor operacional: excelente». Precisamente lo que deseaba y esperaba Otdyel II.

El año siguiente lo pasó en la Escuela de Terrorismo y Subversión de Kuchino, en compañía de otros dos estudiantes extranjeros y varios centenares de rusos. Allí Grant superó notablemente los cursos de judo, boxeo, atletismo, fotografía y radio, bajo la supervisión general del famoso coronel Arkadi Fotoyev, padre del espionaje soviético moderno, y completó su instrucción sobre armas cortas con el teniente coronel Nikolai Godlovsky, el campeón soviético de tiro con rifle.

Durante aquel año, por dos veces, y sin avisarle con antelación, un coche de la MGB llegó a recogerle en noches de luna llena para llevarle a una de las cárceles de Moscú. Allí, cubierta la cabeza con una capucha negra, se le permitió llevar a cabo ejecuciones con varias armas... la soga, el hacha y la metralleta. Antes, durante y después de estas ocasiones, se le hicieron electrocardiogramas, se le tomó la tensión arterial, y pasó por otras pruebas de tipo médico cuyos propósitos y resultados no se le comunicaron.

Fue un buen año y Grant creía, sin equivocarse, que todo marchaba satisfactoriamente.

Durante 1949 y 1950 se le permitió llevar a cabo operaciones pequeñas con los Grupos Móviles, o *Avanposts*, en los países satélites. Tales trabajos consistían en palizas, o simples asesinatos de espías rusos o colaboradores sospechosos de traición u otras desviaciones.

Grant ejecutó su labor con limpieza y exactitud, sin llamar la atención. Y aun cuando se hallaba constantemente vigilado, nunca llegó a mostrar la más pequeña desviación de cuanto se le exigía, ni tampoco dio muestras de debilidad de carácter o falta de habilidad técnica. La cosa hubiera sido diferente si le hubiesen pedido que matara a solas en periodo de luna llena, pero sus superiores sabían muy bien que en tales fechas perdía el dominio de sí mismo y así elegían días seguros para sus operaciones. El periodo de luna llena quedaba reservado para las ejecuciones, o más bien carnicerías, en las prisiones y, de vez en cuando, le otorgaban una noche de matanza en las cárceles como recompensa a alguna operación llevada a cabo a sangre fría.

En 1951 y 1952, Grant logró que su utilidad se reconociese más abierta y oficialmente. Como resultado de un excelente trabajo hecho, principalmente en el sector oriental de Berlín, se le concedió la ciudadanía soviética y un aumento de paga, que en 1953 alcanzaba la suma de cinco mil rublos mensuales. También en ese mismo año le otorgaron la jerarquía de comandante, derechos de pensión con carácter retroactivo desde el día en que entró en contacto por primera vez con el coronel Boris, y la villa de Crimea.

Destinaron a su servicio dos escoltas, en parte para protegerle y en parte para impedir que «obrase por cuenta propia», como se denominaba en la MGB a la deserción. Una vez al mes, era llevado a la prisión más cercana, donde se le permitían tantas ejecuciones como candidatos hubiera disponibles.

Por supuesto, Grant no tenía amigos. Era odiado, temido, o envidiado por todos los que, de una u otra forma, entraban en contacto con él. Ni siquiera contaba con alguna relación profesional que pudiera considerarse como auténtica amistad en el cuidadoso y discreto mundo de la burocracia soviética. Si él se daba cuenta de tal circunstancia, tampoco parecía importarle demasiado. Lo único que le interesaba eran sus víctimas. El resto de su vida era interior, rica y emocionante, llena de pensamientos estimulantes.

Por supuesto, Grant tenía a la SMERSH. Nadie en toda la Unión Soviética que contara con la SMERSH debía inquietarse por tener o no amigos; no tenía que preocuparse por nada ni por nadie, excepto en mantener sobre su cabeza bien extendidas las negras alas de la SMERSH.

Grant todavía pensaba muy vagamente en la posición que ocupaba respecto a sus superiores, cuando el avión comenzó a perder altura al captar el radar las señales del aeropuerto de Tushino, al sur de las rojas luces de Moscú.

Se encontraba en la cima. Era el jefe ejecutor de la SMERSH y, por lo tanto, de toda la Unión Soviética. ¿Qué más podía desear? ¿Ascender todavía más? ¿Mayor cantidad de dinero? ¿Más emblemas de oro? ¿Víctimas más importantes? ¿Mejores técnicas?

En realidad, no parecía existir un objetivo superior. ¿O quizá existía en otro país algún hombre del que jamás había oído hablar y que debía ser liquidado para que así la total supremacía fuera realmente suya?

# 4

# Los mongoles de la muerte

La SMERSH es la organización oficial de asesinatos del Gobierno soviético. Opera en el interior del país y en el extranjero, y en el año 1955 contaba con un total de cuarenta mil hombres y mujeres. La palabra SMERSH es la abreviatura de *Smiert Spionam*, que significa «muerte a los espías». Es un nombre que solamente usan sus funcionarios y los oficiales soviéticos. Ninguna persona con sentido común se atrevería a pronunciar esta palabra.

El cuartel general de la SMERSH es un edificio moderno, grande y feo, situado en la Sretenka Ulitsa. Es el número 13 de esta calle ancha y monótona; los peatones clavan sus ojos en el suelo cuando pasan por delante de los dos centinelas armados con metralletas situados a ambos lados de los anchos escalones que conducen hasta la enorme puerta doble de hierro. Si se dan cuenta a tiempo, o si pueden hacerlo disimuladamente, cruzan la calle y pasan por la otra acera.

La dirección de la SMERSH se encuentra en la segunda planta. La estancia más importante del segundo piso es muy grande, clara, pintada en verde oliva, denominador común de las oficinas del Gobierno de todo el mundo. Frente a la puerta, a prueba de ruidos exteriores, dos amplias ventanas dan al patio posterior del edificio. El suelo está completamente cubierto por una bonita alfombra del Cáucaso, de calidad excelente. Al fondo, y a mano izquierda, hay una gran mesa de roble. La superficie de la mesa está cubierta por terciopelo rojo bajo un grueso cristal.

A la izquierda de la mesa hay cestillas para el correo de entrada y salida y a la derecha cuatro teléfonos.

Partiendo del centro de esta gran mesa de despacho, formando con ella una T, se extiende diagonalmente por la estancia una larga mesa de conferencias. Hay ocho sillas tapizadas en cuero, de altos respaldos. Esta mesa también está cubierta con terciopelo rojo, pero sin cristal protector. Encima de ella hay ceniceros y dos grandes jarras de cristal con agua y vasos.

En las paredes cuelgan cuatro grandes cuadros con marcos dorados. En el año 1955 estos eran: un retrato de Stalin sobre la puerta, uno de Lenin entre las dos ventanas y frente a ellos, en las otras dos paredes, retratos de Bulganin. En el mismo lugar en el que hasta el 13 de enero de 1954 colgó un retrato de Beria, hay ahora uno del general del Ejército Ivan Aleksandrovich Serov, jefe del Comité de Seguridad del Estado.

En la pared de la izquierda, bajo el retrato de Bulganin, hay un gran aparato de televisión sobre una caja de roble muy pulido. Esta caja oculta una grabadora que puede accionarse desde la mesa de despacho. El micro de la grabadora se extiende por debajo y a lo largo de la mesa, y sus hilos quedan ocultos por las patas de ésta. Cerca del televisor hay una pequeña puerta que da a los lavabos y a un pequeño cuarto de proyección de películas secretas.

Bajo el retrato del general Serov hay una librería con obras de Marx, Engels, Lenin y Stalin, y, más al alcance del observador, libros en todos los idiomas sobre espionaje, contraespionaje, métodos policiales y criminología.

Cerca de esta librería, y arrimada a la pared, hay una mesa estrecha y larga sobre la cual descansa una docena de gruesos álbumes, encuadernados en piel, con fechas en oro estampadas en las cubiertas. Contienen fotografías de ciudadanos soviéticos y extranjeros asesinados por la SMERSH.

A la hora en que Grant estaba aterrizando en el aeropuerto Tushino, poco antes de las 11.30 de la noche, un hombre de aspecto duro, fornido, de unos cincuenta años de edad, se hallaba en pie ante esta mesa hojeando el álbum de 1954.

El jefe de la SMERSH, coronel general Grubozaboyschikov, conocido en el edificio como G, vestía impecable guerrera caqui de cuello alto y pantalones de caballería color azul, con dos estrechas tiras rojas a los lados. Los pantalones terminaban en unas botas de montar de piel fina, negra, muy brillante. En la guerrera, sobre el pecho, había tres hileras de condecoraciones... dos Órdenes de Lenin, la Orden de Suvorov, la de Alexander Nevsky, la de la Bandera Roja, dos Órdenes de la

Estrella Roja, la medalla de Veinte Años de Servicio, y medallas de la Defensa de Moscú y de la Captura de Berlín. Tras esta última, venía la cinta rosa y gris de la CBE británica, y la cinta blanca y violeta de la Medalla Americana al Mérito. Sobre las cintas colgaba la estrella de oro de Héroe de la Unión Soviética.

Del alto cuello de la guerrera sobresalía un rostro anguloso, estrecho y ascético. Bajo los ojos castaños y redondos, había unas abultadas ojeras. El cráneo aparecía afeitado y la piel del mismo brillaba bajo la luz de la lámpara central. La boca era ancha, sobre un mentón dividido por una profunda hendidura. En conjunto, era un rostro duro e inflexible que evidenciaba una formidable autoridad.

Sonó suavemente uno de los teléfonos que estaban sobre la mesa. El hombre caminó con pasos precisos y rígidos hacia su alta silla, tras la mesa de despacho. Tomó asiento y levantó el auricular del teléfono blanco con las letras Vh, que correspondían a la palabra *vysokochastoty*, o alta frecuencia. Solamente unos cincuenta oficiales superiores tenían acceso a esa línea. Casi todos ellos eran ministros o jefes de departamento. El teléfono especial funcionaba mediante una reducida centralita en el Kremlin, operada por oficiales profesionales de seguridad. Ni siquiera ellos podían escuchar las conversaciones, aun cuando cada palabra que se pronunciaba quedaba automáticamente grabada.

—¿Sí...?

—Habla Serov. ¿Qué medidas se han tomado desde el encuentro del Presidium, esta mañana?

—Dentro de unos minutos celebraré aquí una reunión, camarada general... la RUMID, la GRU y, por supuesto, la MGB. Después, y si hay acuerdo sobre la acción, tendré otra reunión con mi jefe de Operaciones y Proyectos. En caso de que opte por la eliminación, he tomado medidas para traer a Moscú al hombre idóneo. Esta vez yo mismo vigilaré todos los detalles. No deseamos otro asunto como el de Joklov.

—Bien sabe el diablo que no. Telefonéeme después de la primera reunión. Deseo informar mañana por la mañana al Presidium.

—Así lo haré, camarada general.

El general G colgó y, después, oprimió el timbre que había bajo la mesa. Al mismo tiempo, puso en marcha la cinta grabadora. Entró su capitán de la MGB y ayudante.

— ¿Han llegado?

—Sí, camarada general.

—Tráigalos aquí.

Al cabo de unos minutos, entraron en el despacho cinco individuos uniformados y, apenas sin dirigir una mirada al hombre que se hallaba tras la mesa de despacho, ocuparon sus respectivos asientos en la mesa de conferencias. Todos eran oficiales superiores y jefes de departamento. Cada uno llegaba acompañado de un ayudante. En la Unión Soviética ningún funcionario acude solo a una conferencia. Por su propia protección, y para más seguridad de su departamento, siempre le acompaña un testigo; así, su departamento puede disponer de versiones independientes sobre lo que se ha trata-

50

do en la conferencia y sobre lo que se ha dicho en su nombre. Esto es importante en el caso de que haya una subsiguiente investigación. No se toman notas en la conferencia y las decisiones se trasmiten de palabra a los departamentos.

En el lado más alejado de la mesa se sentó el teniente general Slavin, jefe de la GRU, Departamento de Inteligencia del Estado Mayor del Ejército, sentándose a su lado un coronel. Al final de la mesa tomó asiento el teniente general Vozdvishensky, de la RUMID, Departamento de Inteligencia del Ministerio de Asuntos Exteriores, y a su lado se sentó un hombre de mediana edad, vestido de paisano. Dando la espalda a la puerta, se hallaba el coronel Nikitin, de la Seguridad del Estado, jefe de Inteligencia de la MGB, Servicio Secreto Soviético, con un comandante a su lado.

—Buenas noches, camaradas.

Los tres jefes murmuraron una cortés respuesta. Todos sabían que la estancia estaba «intervenida» y cada uno de ellos suponía que sólo él conocía de tal circunstancia; sin decir nada a sus respectivos ayudantes, habían decidido de antemano hablar poco, pero siempre en consonancia con la disciplina y las necesidades del Estado.

—Podemos fumar —advirtió el general G cogiendo un paquete de cigarrillos Moskva-Vólga y encendiendo uno con un mechero americano Zippo.

Sonaron más encendedores alrededor de la mesa. El general G aplastó la larga boquilla de su cigarrillo hasta convertirla en ovalada y luego la colocó entre los dientes, junto a la comisura derecha de la boca. Inmediatamente comenzó a hablar con frases cortas que salían, sibilantes, por entre los dientes:

—Camaradas, nos reunimos aquí siguiendo instrucciones del camarada general Serov. El general Serov, en nombre del Presidium, me ha ordenado comunicaros ciertas orientaciones de la política de Estado. Tenemos que deliberar y recomendar una línea de conducta que esté de acuerdo con esta política, aparte, naturalmente, de fomentarla. Hemos de llegar rápidamente a una decisión. Pero ésta será de suprema importancia para el Estado. En consecuencia, ha de ser una decisión correcta.

El general G se detuvo para que sus palabras calasen bien en el auditorio. Calmadamente estudió, uno por uno, los rostros de los tres jerarcas sentados junto a la mesa. Los ojos de los tres jefes le miraban impasibles. Pero en su interior, aquellos hombres tan importantes se sentían turbados. Estaban a punto de enterarse de un secreto de Estado, cuyo conocimiento algún día podría tener para ellos peligrosas consecuencias. Sentados en aquella tranquila estancia se sentían abrumados por la temible incandescencia que emanaba del centro de todo el poder en la Unión Soviética: el Presidium Supremo.

El último resto de ceniza del cigarrillo del general cayó sobre su guerrera. Se la sacudió con un rápido movimiento de la mano y luego arrojó la colilla en la cesta donde iban a parar los restos de tantos documentos secretos. Encendió otro cigarrillo y continuó:

—Nuestra recomendación se refiere a un acto de terrorismo muy importante que ha de llevarse a cabo en territorio enemigo dentro de tres meses. —Seis pares de inexpresivos ojos miraron al jefe de la SMERSH, esperando—. Camaradas —el general G se recostó sobre el respaldo de su asiento y su voz adquirió un tono explicativo—, la política exterior de la URSS ha entrado en una nueva fase. Antes era una política dura, una política de acero (el general se permitió un fácil juego de palabras con el nombre de Stalin)*. Aun cuando esta política fue eficaz, produjo tensiones en Occidente, sobre todo en América, lo que estaba resultando realmente peligroso. Los americanos son gente de reacciones imprevisibles, más bien histéricas. Los informes de nuestros servicios comenzaron a indicar que estábamos empujando a los Estados Unidos hacia el borde de un ataque atómico contra la URSS sin previo aviso. Habéis leído estos informes y sabéis que lo que digo es cierto. No deseamos tal guerra. Y si ha de haber guerra, seremos nosotros los que escojamos el momento. Algunos poderosos americanos, particularmente el grupo del Pentágono dirigido por el almirante Radford, se valieron del éxito de nuestra política dura para sembrar la discordia. Por tal motivo, se decidió que había llegado el momento de cambiar nuestros métodos, aun cuando los objetivos sean los mismos. Se ha creado una nueva política que podría calificarse de dura-flexible. Se inició en Ginebra; fuimos blandos. Cuando China ame-

* En ruso, *stal* significa acero. (*N. del T.*)

naza a Quemoy y Matsu, somos duros. Abrimos nuestras fronteras a muchos periodistas, actores y artistas, aun cuando sabemos que muchos de ellos son espías. Nuestros dirigentes ríen y gastan bromas en las recepciones de Moscú. Y, en medio de estas bromas, hacemos estallar la bomba experimental más potente que se haya conocido. Los camaradas Bulganin y Kruschev y el camarada general Serov (el general mencionó estos nombres pensando en la grabadora) visitan la India y Oriente e insultan a los ingleses. Cuando regresan, sostienen amables discusiones con el embajador británico sobre su inminente visita a Londres. Y se sigue actuando... el palo y luego la caricia, la sonrisa y, a continuación, el ceño fruncido. Occidente se desorienta. Las tensiones se relajan antes de que tengan tiempo de endurecerse. Las reacciones de nuestros enemigos son torpes y se desorganiza su estrategia. Mientras tanto, la gente de la calle ríe nuestros chistes, vitorea a nuestros equipos de fútbol y se alegra cuando dejamos en libertad a unos pocos prisioneros de guerra a quienes no deseamos alimentar por más tiempo.

Hubo sonrisas de placer y orgullo alrededor de la mesa. ¡Qué brillante política! Evidentemente, Occidente estaba haciendo el ridículo.

—Al mismo tiempo —continuó el general G, sonriendo ante el placer que había causado—, nosotros seguimos barajando nuestras cartas en todas partes, revolución en Marruecos, armas para Egipto, amistad con Yugoslavia, dificultades en Chipre, subversión en Turquía, huelgas en Inglaterra, enormes ganancias políticas en Francia... No existe un solo frente en el mundo donde no avancemos pacíficamente.

El general G vio cómo todos los ojos brillaban ávidamente. Los ánimos se habían relajado. En aquel instante era preciso mostrarse duro. Había llegado el momento en que debían sentir sobre sí el peso de la nueva política. Los servicios de inteligencia también tendrían que poner todas sus fuerzas en aquella gran partida que se jugaba. El general G se inclinó ligeramente hacia adelante. Apoyó su codo derecho sobre la mesa y alzó el puño en el aire.

—Pero, camaradas —añadió con voz tranquila—, ¿dónde se ha fracasado en llevar a buen término la política estatal de la URSS? ¿Quién o quiénes se han mostrado blandos cuando necesitaban ser duros? ¿Quién ha sufrido derrotas cuando las victorias iban a parar a los otros departamentos? ¿Quién o quiénes, con su estúpida ceguera, han hecho que la Unión Soviética apareciese ante el mundo como un país débil e, incluso, ridículo? ¿QUIÉN?

La voz se había elevado de tono hasta convertirse en un grito. El general G pensó en lo bien que estaba exponiendo la acusación ordenada por el Presidium. ¡Qué espléndidas sonarían sus palabras cuando Serov las escuchara en la grabadora!

El general miró penetrantemente a los rostros pálidos y expectantes. Luego dejó caer un puño con terrible fuerza sobre la mesa.

—¡Todo el dispositivo de Inteligencia de la Unión Soviética! —bramó—. ¡Somos precisamente nosotros los gandules, los saboteadores, los traidores! ¡Somos nosotros los que le estamos fallando a la Unión Soviética en su magnífica y gloriosa lucha! ¡Nosotros! —El brazo del general trazó un círculo abarcando toda la sala, y añadió—: ¡Todos nosotros! —A continuación, la voz adquirió nuevamente su tono normal y sonó en la sala más serena—: Camaradas, mirad los resultados. *Sukin syn!* —el general se permitió soltar una obscenidad campesina—, hijos de perra, ¡mirad los resultados! Primero perdemos Gouzenko y todo el dispositivo canadiense, al científico Fuchs, después el *apparat* americano y, más tarde, a hombres como Tokaev. A continuación llega el escandaloso asunto Joklov, que produjo tanto daño a nuestro país, luego Petrov y su esposa en Australia... ¡disparate como jamás hubo otro! La lista es interminable... derrota tras derrota, y bien sabe el diablo que no he mencionado ni la mitad...

El general G se detuvo. Luego continuó con un tono de voz más suave:

—Camaradas, debo deciros que, a menos que esta noche formulemos una recomendación con vistas a una gran victoria para nuestro Servicio de Inteligencia, y a menos que actuemos correctamente con arreglo a tal recomendación, habrá serias dificultades. —El general G buscó una frase final para sugerir la amenaza sin llegar a definirla. Finalmente la encontró—. Habrá... —Se detuvo otra vez para mirar hacia la mesa y añadió—: Disgustos.

# 5

## «Konspiratsia»

Los *mujiks* acababan de recibir el latigazo. El general G les concedió unos minutos de tiempo para que lamiesen sus heridas y se recuperasen del *shock* producido por el golpe oficial que acababan de sufrir.

Nadie pronunció una sola palabra de defensa. Nadie habló en nombre de su departamento, ni mencionó las innumerables victorias de la Inteligencia soviética, que oscurecían unos pocos errores. Y nadie puso en duda el derecho del jefe de la SMERSH, que compartía con ellos la culpabilidad, a formular la terrible acusación. La palabra procedía del Trono, y se había elegido al general G para que fuese el portavoz de este último. Era un gran cumplido para el general G haber sido elegido, señal de gracia, señal de un futuro ascenso, y todos los presentes tomaron cuidadosa nota del hecho de que en la jerarquía de la Inteligencia, el general G, con la SMERSH tras él, hubiese llegado a la cima.

En un extremo de la mesa, el representante del Ministerio de Asuntos Exteriores, teniente general Vozdvishensky, de la RUMID, contempló impasible cómo ascendía hacia el techo el azulado humo de su largo cigarrillo Kazbek, y recordó cómo Molotov le había dicho en privado, cuando ya Beria había muerto, que el general G llegaría muy lejos.

Sin duda, en aquella predicción no había nada de extraordinario, pensó Vozdvishensky. A Beria nunca le había gustado G, y constantemente ponía dificultades a su ascenso; le alejaba de la principal escala del poder destinándole a uno de los departamentos menores del entonces Ministerio de Seguridad del Estado, que, a la muerte de Stalin, Beria había suprimido como ministerio. Hasta el año 1952, G había sido adjunto de uno de los jefes de este ministerio. Cuando se suprimió el cargo, dedicó todas sus energías a conspirar para la caída de Beria, trabajando bajo instrucciones secretas del formidable general Serov, cuya hoja de servicios le ponía incluso fuera del alcance de Beria.

Serov, héroe de la Unión Soviética y veterano de las famosas organizaciones predecesoras de la MGB —la CHEKA, la OGPU, la NKVD y la MVD— era, en todos los terrenos, hombre muy superior a Beria. Se alzaba su sombra tras las ejecuciones en masa de los años treinta, cuando murieron un millón de personas. Había sido *metteur en scéne* de la mayor parte de los procesos de Moscú, había organizado el sangriento genocidio del Cáucaso central, en febrero de 1944, y era el inspirador de las deportaciones en masa de los estados bálticos, del rapto de científicos alemanes y de otros científicos que habían permitido a Rusia dar un gran salto hacia adelante, un enorme avance técnico, después de la guerra.

Y Beria y toda su corte habían caminado al patíbulo, mientras el general G recibía la SMERSH como recompensa. En lo se refería al general del Ejército Ivan Serov, tanto él como Bulganin y Kruschev gobernaban en Rusia. Quizá un día Serov podría situarse en la cima, solo. Pero, el general Vozdvishensky pensó, alzando los ojos para mirar directamente al cráneo que brillaba como una bola de billar, con el general G no muy lejos de él.

El afeitado cráneo ascendió y los ojos castaños miraron fijamente a los del general Vozdvishensky. Y éste se las arregló para sostener la mirada e incluso reflejar en ella cierta expresión de aprobación.

«Éste es un listo —pensó el general G—; pongámosle en evidencia y veremos cómo suena luego en la grabadora.»

—Camaradas —el oro brilló a ambos lados de la boca cuando el general G distendió los labios con una sonrisa presidencial—. No perdamos el ánimo. Incluso el árbol más alto tiene un hacha a su pie. Nunca hemos pensado que nuestros departamentos consiguieran tanto éxito que estuviesen al margen de toda crítica. Todo cuanto me han encargado que os dijera no es una sorpresa para ninguno de nosotros. Así que aceptemos el desafío con buen ánimo y pongámonos a trabajar.

Alrededor de la mesa no hubo sonrisas de respuesta a las últimas palabras del general. Éste tampoco las esperaba. Encendió un nuevo cigarrillo y continuó:

—Dije antes que teníamos que recomendar un acto de terrorismo en el campo de la Inteligencia, y uno de nuestros departamentos, sin duda el mío, lo ejecutará.

Un inaudible suspiro de alivio recorrió toda la mesa. ¡Al menos la SMERSH sería la responsable en aquel caso! Ya era algo.

—Pero la elección del objetivo no será fácil y, sin duda, nuestra responsabilidad colectiva, en cuanto se refiere a una elección idónea, será una pesada carga. —Flexible-duro, duro-flexible. La pelota iba de un lado a otro en la conferencia—. No se trata simplemente de volar un edificio o de asesinar a un primer ministro. No pensemos en esas imbecilidades burguesas. Nuestra operación debe ser delicada, refinada y dirigida contra el corazón de los Servicios de Inteligencia de Occidente. Debe provocar graves daños en el dispositivo del enemigo, un daño oculto del que quizá no tenga noticia el público, pero que será tema de conversaciones secretas en círculos gubernamentales. Pero, a la vez, debe provocar un escándalo tan grave que el mundo llegue a mofarse de la vergüenza y estupidez de nuestros enemigos. Naturalmente los gobiernos sabrán que se trata de una *konspiratsia* soviética. Y eso será bueno. Una muestra de política dura. Y también lo sabrán los agentes y espías de Occidente, y se maravillarán y temblarán a la vez ante nuestra imaginación e ingenio. Los traidores y posibles desertores cambiarán de opinión. Será un estímulo para nuestros propios agentes. Intentarán hacer mayores esfuerzos ante esta exhibición de astucia y genio. Pero, por supuesto, negaremos todo conocimiento de los hechos, sean éstos cuales fueren, y es deseable que el pueblo de la Unión Soviética igno-re nuestra complicidad.

El general G se detuvo y miró otra vez al re-presentante de la RUMID, quien, al igual que en la vez anterior, sostuvo la mirada imperturbable.

—Y ahora, a elegir la organización que atacare-mos, para luego decidir la víctima específica dentro de esa organización. Camarada teniente general Vozdvishensky, puesto que tú contemplas el esce-nario de la Inteligencia extranjera desde un punto de vista neutral... —El general G hizo una estudia-da pausa. Sus últimas palabras eran una irónica re-ferencia a los inevitables celos existentes entre la In-teligencia militar del GRU y el Servicio Secreto de la MGB. Luego añadió—: Quizá te agradaría hacer un estudio de campo para nosotros. Deseamos co-nocer tu opinión sobre la relativa importancia de los Servicios de Inteligencia occidentales. Enton-ces elegiremos el que sea más peligroso y al que de-seemos perjudicar más.

El general G se recostó en su alto sillón. Apo-yó los codos sobre los brazos de éste y el mentón sobre los entrelazados dedos de ambas manos, co-mo un profesor que se prepara a escuchar un largo informe.

El general Vozdvishensky no desfalleció ante la tarea que se le exigía. Pertenecía a los Servicios de Inteligencia desde hacía treinta años, casi siempre en el extranjero.

Había trabajado como *portero* en la Embajada soviética en Londres, bajo las órdenes de Litvinoff; en la Agencia Tass, en Nueva York y después, regresado a Londres, a Amtorg, Organización Soviética de Comercio. Durante cinco años había sido agregado militar bajo las órdenes de la brillante madame Kollontai en la Embajada de Estocolmo. Asimismo, había ayudado a formar a Sorge, el maestro del espionaje soviético, antes de que éste partiera para Tokio. Durante la guerra, había desempeñado el cargo, por una temporada, de Director Residente en Suiza, o *Schmidtland*, como se conocía en la jerga del espionaje, y allí había ayudado a sembrar la semilla de la red de espionaje Lucy, de gran éxito, pero trágicamente extinta. Incluso había ido a Alemania varias veces como correo de Capilla Roja, habiendo escapado de verdadero milagro de ser liquidado con aquella organización. Y después de la guerra, destinado al Ministerio de Asuntos Exteriores, había tomado parte en la operación de Burgess y Maclean, así como en otras innumerables conspiraciones para infiltrarse en los ministerios de Asuntos Exteriores occidentales. Era un verdadero espía profesional y estaba perfectamente preparado para emitir opiniones sobre los rivales con los que había luchado toda su vida.

El ayudante que se sentaba a su lado se sentía menos cómodo. Estaba nervioso por el hecho de que la RUMID quedara atrapada de aquella forma tan estúpida y sin haber recibido instrucciones detalladas para responder a las preguntas. Era preciso hacer un esfuerzo para aclarar el cerebro y aguzar el oído; no debía perderse una sola palabra.

—En este asunto —dijo el general Vozdvishensky con sumo cuidado—, uno no debe confundir al hombre con su función. Todos los países tienen buenos espías y no siempre son los países más grandes los que cuentan con los mejores o con una mayor cantidad. Pero los Servicios Secretos son costosos y los países pequeños no pueden permitirse el lujo de disfrutar del esfuerzo coordinado que produce una buena Inteligencia: Departamento de Falsificación, red de radio, Departamento de Informes, y un dispositivo de análisis que evalúa y compara los informes de los agentes. Hay agentes individuales que trabajan para Noruega, Holanda, Bélgica e incluso Portugal, que sin duda serían para nosotros un verdadero fastidio si estos países conociesen el valor de sus informes o supiesen hacer buen uso de ellos. Pero no es así. En lugar de pasar su información a las grandes potencias, prefieren guardársela para sentirse así más importantes. En consecuencia, no necesitamos preocuparnos por estas naciones más pequeñas... —El general hizo una pausa y añadió—: Hasta que llegamos a Suecia. Allí nos espían desde hace siglos. Siempre han dispuesto de mejor información sobre el Báltico que, incluso, Finlandia o Alemania. Son peligrosos. Me agradaría poner fin a sus actividades.

El general G interrumpió:

—Camarada, en Suecia siempre están sufriendo escándalos a causa del espionaje. Uno más no haría estremecerse al mundo. Por favor, continúa.

—Podemos pasar por alto a Italia —siguió diciendo el general Vozdvishensky ignorando la interrupción—. Los italianos son gente lista y activa, pero inofensivos para nosotros. Solamente se interesan por el patio de su casa, el Mediterráneo. Lo mismo se puede decir de España, excepto por el hecho de que su servicio de contraespionaje es un gran impedimento para el partido. Hemos perdido muchos hombres buenos por culpa de esos fascistas. Pero montar una operación contra ellos nos costaría probablemente más vidas. Y poco se podría ganar. Realmente, estos países pequeños aún no están preparados para la revolución. En Francia, aunque estamos infiltrados en la mayor parte de sus servicios, aún queda el Deuxième Bureau, inteligente y poderoso. Lo dirige un hombre llamado Mathis, nombrado por Mendés-France. Sería un tentador objetivo y no nos costaría mucho operar en Francia.

—Francia sabe cuidar de sí misma —comentó el general G.

—Inglaterra ya es otra cosa. Creo que todos sentimos cierto respeto hacia su Intelligence Service. —El general Vozdvishensky miró al resto de sus compañeros y éstos asintieron con lentos movimientos de cabeza, incluso el general G. Luego añadió—: Su Servicio de Seguridad es excelente. Inglaterra, al ser una isla, disfruta de grandes ventajas en el campo de la seguridad, y los hombres del MI5 están bien formados y tienen gran capacidad. El Servicio Secreto aún es mejor. Logran notables éxitos. En cierto tipo de operaciones, constantemente descubrimos que han estado allí antes que nosotros. Sus agentes son muy buenos. Les pagan poco, sólo mil o dos mil rublos por mes, pero, aun así, sirven con devoción. Por otra parte, estos agentes no gozan en Inglaterra de privilegios especiales, nada de supresión o rebaja de impuestos, ni tampoco establecimientos especiales, como tenemos nosotros, donde puedan comprar productos a buen precio. Su posición social en el extranjero no es alta y sus mujeres pasan por esposas de secretarios. Muy rara vez se les concede una condecoración en su retiro. Sin embargo, estos hombres y mujeres continúan haciendo su trabajo, un trabajo, como todos sabemos, peligroso. Resulta verdaderamente curioso. Quizá sea la tradición de las llamadas escuelas públicas, que allí son privadas, destinadas a las clases más pudientes, o probablemente se deba a la influencia de la Universidad o, ¿por qué no?, a su amor por la aventura. Pero es extraña su habilidad y capacidad en este juego, ya que los ingleses nunca han sido ni son conspiradores por naturaleza. —El general Vozdvishensky creyó que sus observaciones podían considerarse como laudatorias y se apresuró a añadir—: Por supuesto, la mayor parte de su fuerza se basa en un mito, en el de Scotland Yard, Sherlock Holmes y el Servicio Secreto. Nada tenemos que temer de estos caballeros. Pero dicho mito también constituye un obstáculo que se podría suprimir.

—¿Y los americanos? —quiso saber el general G para detener los intentos del general Vozdvishensky de quitar importancia a la Inteligencia británica. Quizá algún día aquello de las escuelas privadas y la tradición universitaria sonara bien ante un tribunal. El general G esperaba que, a continuación, Vozdvishensky dijese que el Pentágono era más fuerte que el Kremlin.

—Los americanos poseen el Servicio más potente y más rico de nuestros enemigos. Técnicamente, en terrenos tales como la radio, son los mejores. Pero carecen de sentido profesional. Se entusiasman con mucha facilidad por cualquier espía balcánico que afirme poseer un Ejército secreto en Ucrania. Le cargan de billetes de banco para que compre botas a tal Ejército. Y, por supuesto, ni que decir tiene que el hombre se va inmediatamente a París a gastarse el dinero con mujeres. Los americanos tratan de solucionarlo todo con dólares. Los buenos espías no trabajan sólo por dinero, pero sí los malos, de los que en América hay varias divisiones.

—Pero logran éxitos, camarada —adujo el general G—. Quizá les menosprecias.

El general Vozdvishensky se encogió de hombros.

—Es natural que tengan éxitos, camarada general. No se puede sembrar un millón de semillas sin que se recoja, al menos, una patata. Personalmente, no creo que los americanos merezcan el interés de esta conferencia.

El jefe de la RUMID se recostó en su asiento y, con toda calma, extrajo una pitillera del bolsillo.

—Una exposición muy interesante —comentó el general G fríamente—. ¿Camarada general Slavin?

El general Slavin, de la GRU, no tenía la menor intención de comprometerse en beneficio del representante del Estado Mayor del Ejército.

—Escuché con interés las palabras del general Vozdvishensky. No tengo nada que añadir.

El coronel de la Seguridad del Estado, Nikitin, de la MGB, consideró que no estaría nada mal poner en evidencia a la GRU por ser demasiado estúpida como para aportar ideas y, a la vez, haría una modesta recomendación, que muy probablemente coincidiría con el pensamiento de todos los presentes. Algo que, sin duda, tenía en la punta de la lengua el general G. Por otra parte, el coronel Nikitin también sabía que, dada la propuesta presentada por el Presidium, el Servicio Secreto soviético le aprobaría.

—Recomiendo el Servicio Secreto inglés como objetivo de una acción terrorista —dijo—. Sabe muy bien el mismísimo diablo que mi departamento no les considera dignos adversarios, pero sí son los mejores entre un conjunto mediocre.

El general G se sentía molesto por la autoridad que emanaba de las palabras de Nikitin y porque también él había pensado favorecer una operación contra los ingleses. Golpeó ligeramente con el encendedor la superficie de la mesa para imponer de nuevo la autoridad presidencial. Luego preguntó:

—Entonces, ¿estamos de acuerdo, camaradas? ¿Acto de terrorismo contra el Servicio Secreto británico?

Los presentes asintieron con sendos movimientos de cabeza.

—Yo también estoy de acuerdo, camaradas. Y ahora, es preciso elegir a la víctima dentro de la organización. Me parece recordar que el camarada general Vozdvishensky dijo algo sobre un mito del que dependía, en gran parte, la fuerza de este Servicio

Secreto. ¿Cómo podemos destruir este mito y liquidar así de un solo golpe la potencia operativa de la organización? ¿Dónde reside tal mito? No podemos destruir de una sola vez a todo el personal. ¿Acaso se trata de su jefe? ¿Quién es el jefe del Servicio Secreto?

El ayudante del coronel Nikitin musitó unas palabras al oído de su superior. El coronel Nikitin decidió que aquélla era una pregunta que podía, y quizá debía, contestar.

—Es un almirante. Se le conoce por la letra M. Tenemos una *zapiska* sobre él, pero contiene pocos detalles. No bebe mucho. Es demasiado viejo para las mujeres. El público ignora su existencia. Sería muy improbable que hubiese un escándalo como consecuencia de su muerte. Y, por otra parte, su asesinato sería muy difícil. Muy rara vez viaja al extranjero. Y no parecería muy sutil acribillarle a tiros en una calle de Londres.

—Hay mucho de verdad en lo que dices, camarada —comentó el general G—. Pero estamos aquí para buscar una víctima que colme todas nuestras necesidades, una víctima que responda bien a nuestros requisitos. ¿Acaso no disponen de algún héroe dentro de su organización? ¿Alguien que sea muy admirado y que provoque consternación al ser eliminado? Los mitos se edifican sobre actos y personas heroicas. ¿No tiene el Servicio Secreto británico ninguno de estos hombres o mujeres?

Alrededor de la mesa reinó el silencio mientras todos reflexionaban. Era preciso recordar muchos nombres, muchos expedientes y muchas operaciones realizadas a diario en todo el mundo. ¿Quién era la persona destacada en el Servicio Secreto inglés? ¿Quién era el hombre que...?

Fue el coronel Nikitin, de la MGB, quien quebró el embarazoso silencio. Declaró con indecisión:

—Hay un hombre que se llama Bond.

# 6

## Sentencia de muerte

El general G bramó una de sus maldiciones favoritas y dejó caer la mano con fuerza sobre la mesa.

—Camarada, evidentemente hay un hombre llamado Bond, como bien dices —exclamó con tono de sarcasmo—. James Bond —el general G pronunciaba *Shems*—. Y nadie, ni siquiera yo, pensó en ese nombre antes de ahora. No es extraño que se critique tanto a nuestro dispositivo de Inteligencia.

El general Vozdvishensky entendió que en aquel momento debía defenderse a sí mismo y a su departamento.

—La Unión Soviética tiene innumerables enemigos, camarada general —protestó—. Si necesito sus nombres los pido al Índice Central. Por supuesto que conozco el nombre de ese Bond. Nos ha causado muchas dificultades en diferentes ocasiones. Pero hoy tengo el cerebro lleno de otros nombres, nombres de personas que, en la actualidad, nos perjudican. Me interesa mucho el fútbol, pero no puedo recordar el nombre de cada jugador extranjero que haya marcado goles al Dynamo.

—Te agrada bromear, camarada —respondió el general G para evidenciar que el comentario estaba fuera de lugar—. Éste es un asunto grave. Por mi parte, no tengo inconveniente en confesar que no recordaba el nombre de ese agente. El camarada coronel Nikitin nos refrescará la memoria más ampliamente; pero sí recuerdo que, por lo menos dos veces, ese agente frustró operaciones de la SMERSH. Es decir, antes de que yo me hiciese cargo del departamento. Hubo aquel asunto en Francia, en una población con casino. Y el hombre era Le Chiffre, excelente dirigente del Partido en Francia. Estúpidamente se metió en complicaciones de dinero. Pero habría salido de ellas de no haber intervenido ese Bond. Recuerdo que el departamento tuvo que actuar rápidamente y liquidar al francés. El ejecutor debía haberse preocupado también del inglés, pero no lo hizo. Luego ocurrió lo de aquel negro de Harlem. Un gran hombre, uno de los mejores agentes extranjeros que hayamos podido emplear y con una amplia red a sus espaldas. Nuestros negocios estaban relacionados con un tesoro en el Caribe. Olvidé los detalles. Ese inglés fue enviado allá por el Servicio Secreto, aplastó a toda la organización y liquidó a nuestro hombre. Fue un revés de gran importancia. Y repito una vez más que mi predecesor debía haber actuado entonces contra él.

El coronel Nikitin interrumpió al general G:

—Sufrimos una experiencia similar en el caso del alemán Drax y su proyectil. Recordarás los hechos, camarada general. Fue una *konspiratsia* muy importante. Estaba implicado en ello el Estado Ma-

71

yor. Era un asunto de alta política que debía haber producido buenos frutos. Pero, una vez más, entró en escena ese Bond para frustrar la operación. El alemán murió. Hubo serias consecuencias para el Estado. Y, más tarde, siguió un periodo de gran confusión que se resolvió con grandes dificultades.

El general Slavin, de la GRU, creyó que debía decir algo. El proyectil había sido una operación del Ejército y su fracaso se achacaba a la GRU. Nikitin sabía muy bien aquello. Como de costumbre, la MGB intentaba poner en un aprieto a la GRU, sacando a colación viejas historias.

—Solicitamos que su departamento, coronel, se encargara de ese hombre —dijo seca y fríamente—. No recuerdo que se hubiese atendido nuestra solicitud, porque, de haberlo hecho, no tendríamos que preocuparnos en este momento por el tal Bond.

Las sienes del coronel Nikitin latieron de cólera. Hizo un terrible esfuerzo para dominarse y respondió con voz cargada de sarcasmo:

—Con el debido respeto, camarada general, aquella solicitud de la GRU no fue confirmada por las autoridades superiores. No se deseaban más problemas con Inglaterra. Es posible que tal detalle escape a su memoria. En todo caso, y si tal solicitud hubiera llegado a la MGB, se habría enviado a la SMERSH para que ésta actuase.

—Mi departamento no recibió tal solicitud —intervino el general G—. Porque, en caso contrario, se habría llevado a cabo inmediatamente la ejecución de ese individuo. Sin embargo, creo que éste no es el momento más apropiado para indagaciones históricas. El asunto del proyectil tuvo lugar hace tres años. Quizá la MGB pueda informarnos de las actividades más recientes de ese hombre.

El coronel habló apresuradamente en voz baja con su ayudante. Luego se volvió hacia la mesa.

—Poseemos poca información adicional, camarada —dijo para justificarse—. Creemos que el año pasado estuvo trabajando en un asunto relacionado con el tráfico de diamantes entre África y América. El caso no tenía ninguna relación con nosotros ni nos interesaba. Desde entonces, no hemos tenido noticias de ese individuo. Quizá haya más datos sobre él en su ficha.

El general G asintió con un movimiento de cabeza. Tomó el auricular del teléfono más próximo a él. Era el llamado *Kommandant Telefon* de la MGB. Todas las líneas eran directas y no había centralita. El general marcó un número.

—¿Índice Central...? Aquí el general Grubozaboyschikov. El *zapiska* de Bond, espía inglés. Es urgente.

Luego escuchó un apremiante: «Enseguida, camarada general», y colgó. Acto seguido, miró hacia la mesa con autoridad.

—Camaradas, desde muchos puntos de vista este espía parece ser la víctima más adecuada. Sin duda es un peligroso enemigo para el Estado. Su eliminación beneficiará a todos los departamentos de nuestro dispositivo de Inteligencia. ¿Es así? —Alrededor de la mesa sonaron gruñidos de aprobación—. Su pérdida también se dejará sentir en el Servicio Secreto. Pero, ¿hará algo más? ¿Les perjudicará seriamente? ¿Ayudará a destruir ese mito del que antes hemos hablado? ¿Es ese hombre un héroe para la organización de su país?

El general Vozdvishensky creyó que debía responder a aquella última pregunta:

—A los ingleses no les interesan los héroes, a no ser que se trate de futbolistas, jugadores de criquet o jockeys. Si un hombre escala una montaña o corre con mucha rapidez es un héroe para algunas personas, pero no para las masas. También la reina de Inglaterra y Churchill son héroes. Pero a los ingleses no les interesan los héroes militares. Ese hombre llamado Bond es desconocido para el público. Y si le conocieran, aún no sería un héroe. En Inglaterra ni la guerra abierta ni la secreta son temas heroicos. No les gusta pensar en la guerra; después de un conflicto armado se olvidan los nombres de los héroes tan rápidamente como es posible. Dentro del Servicio Secreto puede que ese hombre sea un héroe local o no. Depende de su aspecto y características personales. De eso no sé nada. Puede ser grueso, grasiento y desagradable. Y nadie convierte en héroe a un tipo semejante por mucho éxito que tenga.

Nikitin interrumpió:

—Los espías ingleses que hemos capturado hablan muy bien de ese hombre. Ciertamente, se le admira mucho en el Servicio. Se asegura que es un lobo solitario, pero con muy buena presencia.

Sonó el teléfono interior suavemente. El general G descolgó el auricular, escuchó unos segundos y dijo lacónicamente:

—Tráiganlo.

Alguien llamó a la puerta. Entró el ayudante cargado con una voluminosa carpeta con cubiertas de cartón. Cruzó la estancia y la colocó sobre la mesa, delante del general. Luego se retiró cerrando la puerta con cuidado a su espalda.

La carpeta mostraba una cubierta negra y brillante. Una ancha faja blanca se extendía en diagonal sobre ella desde la esquina superior derecha hasta la inferior izquierda. En el espacio superior de la derecha aparecían, en blanco, las letras SS y, bajo ellas, *Sovershennoe Sekretno*, equivalente a Alto Secreto. En el centro, y también en letras blancas, aparecía el nombre de James Bond y, más abajo, *Angliski Spion*.

El general G abrió la carpeta y extrajo un gran sobre que contenía fotografías. Lo vació sobre la pulida superficie de la mesa. Luego las fue tomando una por una. Las estudió con calma, algunas veces usando una gran lupa que cogió de un cajón, y luego las fue pasando a Nikitin, quien, tras lanzarles una breve ojeada, las entregó a sus camaradas.

La primera tenía fecha del año 1946. En ella aparecía un joven moreno sentado ante una mesa, en la terraza de un café bañado por el sol. A su lado, sobre la mesa, había un vaso alto y un sifón. El antebrazo derecho descansaba sobre el borde de la mesa. Tenía un cigarrillo sujeto entre los dedos de la mano, que colgaba negligentemente junto al mismo borde de la mesa. Cruzaba las piernas como sólo los ingleses sabían hacerlo, con el tobillo derecho descansando sobre la rodilla izquierda y la mano izquierda asiendo el tobillo. Era una pose descuidada. El hombre ignoraba que le estuvieran fotografiando desde una distancia aproximada de seis metros.

La siguiente fotografía estaba hecha en el año 1950. Era un primer plano del mismo hombre. Bond miraba con ojos casi entornados hacia algo, probablemente al rostro del fotógrafo, por encima de la lente de la cámara. El general G sospechó que la foto estaba hecha por una cámara en miniatura, de las que se llevaban en el ojal de la chaqueta.

La tercera se remontaba al año 1951. Tomada por el costado izquierdo, casi en primer plano, mostraba al mismo individuo vestido con traje oscuro, sin sombrero, bajando por una calle ancha y desierta. Pasaba por delante de una tienda cuyo rótulo decía: «*Charcuterie*». Parecía que el hombre se dirigía con urgencia a alguna parte. Su perfil era elegante, caminaba en línea recta y la posición del codo derecho sugería que llevaba la mano derecha en el bolsillo de la chaqueta.

El general G pensó que aquella foto estaba tomada desde un coche. Creyó que la decidida pose del hombre y su paso enérgico indicaban peligro, como si se dirigiese rápidamente a un punto de la calle donde le esperara alguna situación desagradable.

La cuarta y última fotografía estaba marcada con *Passe 1953*, un ángulo del sello real y las palabras «REIGN OFFICE» en el segmento de un círculo que aparecía en el ángulo inferior, a la derecha. La fotografía, que estaba ampliada, seguramente se había hecho en la frontera o, quizá, por el conserje de un hotel cuando Bond entregaba su pasaporte. El general G estudió minuciosamente el rostro valiéndose de la lupa.

Era una cara morena, con facciones bien dibujadas, sobre la que se destacaba una cicatriz blancuzca de unos centímetros de longitud. Los ojos eran grandes y bien nivelados bajo unas cejas negras, rectas, más bien grandes. Pelo negro peinado con raya a la izquierda, un tanto descuidado. Un pequeño mechón en forma de coma caía sobre la ceja derecha. La nariz, recta y larga, parecía unirse a un labio superior corto que, a su vez, formaba parte de una boca ancha y bien dibujada, pero cruel. La línea de la mandíbula era recta y firme. Parte de un traje oscuro, camisa blanca y corbata negra completaban la fotografía.

El general G extendió el brazo y contempló la foto a distancia. Decisión, autoridad, rudeza... eran las cualidades que él observaba en aquel busto. No le importaba lo que el hombre albergase en su interior. Pasó la fotografía al resto de la mesa y luego centró su atención en la carpeta; hojeó rápidamente sus páginas, pasando bruscamente de una a otra.

Las fotografías volvieron a sus manos. El general G marcó con un dedo el punto donde leía y alzó los ojos.

—Me parece un cliente poco agradable —declaró sonriendo—. Su historial así lo confirma. Os leeré, camaradas, algunos extractos en voz alta. Luego decidiremos. Se está haciendo tarde. —Retrocedió a la primera página y comenzó a leer aquellos párrafos que le parecían interesantes—: «Nombre:

James. Estatura: 1,83 metros. Peso: 76 kilos. Ojos azules. Cabello negro. Cicatrices en la mejilla derecha y en hombro izquierdo. Huellas de cirugía plástica en el dorso de la mano derecha (Ver Apéndice A). Atleta completo. Experto en tiro con pistola. Boxeador. Lanzador de cuchillos. No usa disfraces. Idiomas: francés y alemán. Fuma mucho. (Nota: cigarrillos especiales con tres bandas doradas.) Vicios: bebe, pero no con exceso, y mujeres. Jamás se dejó sobornar». —El general volvió la página y continuó—: «Este hombre va invariablemente armado con una Beretta automática, que lleva en una sobaquera bajo el brazo izquierdo. A veces usa zapatos con punta de acero. Conoce todas las llaves básicas del judo. En general, lucha con tenacidad y es muy resistente al dolor (Ver Apéndice B)».

El general G continuó hojeando más páginas y entresacando extractos de los informes de diferentes agentes con los que se había formado el *dossier*. Llegó a la última página antes de los apéndices, que detallaban los casos en que había tomado parte Bond. El general recorrió la hoja con rapidez y leyó en voz alta: «Conclusión: Este hombre es un peligroso terrorista profesional y espía. Trabaja para el Servicio Secreto desde el año 1938 y, en la actualidad (ver la ficha Highsmith de diciembre del año 1950), ostenta el número 007 en aquel Servicio. El doble cero significa "agente que ha matado y que posee licencia para matar cuando esté de servicio". Se supone que hay uno o dos agentes más, también británicos, con esta licencia. El hecho de que este agente fuese condecorado con la CMG en

78

el año 1953, recompensa que usualmente se concede al retirarse del Servicio, presupone su valor. Si se le encuentra en algún campo de operaciones, debe informarse con todo detalle al Cuartel General (ver SMERSH y GRU, Órdenes Permanentes, 1951, y siguientes)».

El general G cerró la carpeta y golpeó sobre ella con la palma de una mano.

—Bien, camaradas, ¿estamos de acuerdo?

—Sí —replicó el coronel Nikitin en voz alta.

—Sí —declaró el general Slavin con tono de aburrimiento.

El general Vozdvishensky se contemplaba pensativamente las uñas. Estaba harto de matanzas. Lo había pasado bien en Inglaterra.

—Sí —murmuró—, supongo que sí.

La mano del general G se dirigió hacia el teléfono interior. Habló con su ayudante.

—Sentencia de muerte —dijo con aspereza—. A nombre de James Bond. —A continuación, deletreó lentamente nombre y apellido, y añadió—: Descripción: *angliski spion*. Delito: enemigo del Estado. —Colgó el auricular y se inclinó hacia delante—. Y ahora será cosa de concebir una conspiración apropiada. ¡Algo que no pueda fallar! —exclamó—. No queremos más fracasos como el asunto de Joklov.

Se abrió la puerta y entró el ayudante con una hoja de papel amarilla, gruesa y brillante. La dejó delante del general y volvió a salir. El general G la leyó y luego escribió las palabras: «Matarlo. Grubozaboyschikov». Pasó la hoja al hombre de la MGB que, a su vez, la leyó y escribió: «Matarlo: Nikitin»;

este último entregó la hoja al jefe de la GRU, que asimismo anotó: «Matarlo: Slavin». Uno de los ayudantes pasó la hoja al hombre de paisano sentado al lado del representante de la RUMID. Éste dejó el papel delante del general Vozdvishensky y, al mismo tiempo, le entregó una pluma.

El general Vozdvishensky leyó la hoja cuidadosamente. Luego alzó los ojos con enorme calma para observar al general G, que le contemplaba, y sin mirar el papel, garrapateó: «Matarlo», más o menos bajo las demás rúbricas, y firmó a continuación. Luego retiró sus manos del papel y se puso en pie.

—¿Es esto todo, camarada general? —preguntó al mismo tiempo que retiraba su silla de la mesa.

El general G se sintió muy complacido. Sus intuiciones acerca de Vozdvishnsky eran acertadas. Sería preciso vigilarle y comunicar sus sospechas al general Serov.

—Un momento, camarada general —dijo—. Tengo que añadir algo a la sentencia. —La hoja de papel volvió a sus manos. Extrajo una estilográfica del bolsillo y tachó lo que antes había escrito. Continuó escribiendo y pronunció las palabras con claridad—: «Matarlo. Con ignominia. Grubozaboyschikov». —Alzó la cabeza y miró a los demás sonriendo alegremente—. Gracias, camaradas. Esto es todo. Os avisaré sobre la decisión del Presidium en lo que se refiere a esta recomendación. Buenas noches.

Cuando los asistentes a la conferencia se retiraron, el general G se puso en pie, se estiró y bostezó.

Una vez más tomó asiento ante la mesa, conectó la grabadora y llamó a su ayudante. El hombre entró y permaneció inmóvil, junto a la mesa de despacho.

El general G le entregó la hoja amarilla.

—Envía esto enseguida al general Serov. Averigua dónde se encuentra Kronsteen y ve a buscarle con un coche. No me importa que esté en la cama. Tendrá que venir. Otdyel II sabrá dónde hallarle. Yo veré al coronel Klebb dentro de diez minutos.

—Sí, camarada general.

El hombre abandonó la estancia.

El general G cogió el receptor Vch y preguntó por el general Serov. Luego habló durante cinco minutos. Al final concluyó:

—Y ahora voy a confiar la tarea al coronel Klebb y al planificador Kronsteen. Discutiremos las líneas generales de una *konspiratsia* conveniente y mañana me presentarán sus propuestas. ¿De acuerdo, camarada general?

—Sí —respondió la reposada voz del general Serov—. Que le maten, pero que se haga de forma realmente definitiva y limpia. El Presidium ratificará la decisión mañana por la mañana.

Se interrumpió la comunicación. Sonó el teléfono interior y el general G preguntó:

—¿Sí...?

Colgó nuevamente y esperó.

Un momento después, el ayudante abrió la puerta y anunció desde la entrada:

—Camarada coronel Klebb.

Una figura en forma de sapo con uniforme verde oliva, sobre el que lucía la Orden de Lenin, entró en la sala y caminó hacia la mesa con pasos cortos y rápidos.

El general G alzó los ojos y señaló hacia la silla más cercana en la mesa de conferencias.

—Buenas noches, camarada general.

—Buenas noches, camarada.

La jefe de Otdyel II, departamento de la SMERSH a cargo de las Operaciones y Ejecuciones, se recogió un poco la falda de su casaca y tomó asiento.

# 7

# El Mago de Hielo

Las dos esferas del doble reloj en la brillante caja miraban el tablero de ajedrez como si fueran los ojos de algún enorme monstruo marino que atisbase por encima de la mesa para contemplar la partida.

Las dos esferas del reloj cronómetro marcaban horas diferentes. El de Kronsteen señalaba la una menos veinte minutos. El largo péndulo rojo que marcaba los segundos se movía rítmicamente en la parte inferior de su reloj, mientras que el del adversario permanecía silencioso con el péndulo inmóvil bajo la esfera. Pero el reloj de Makharov marcaba la una menos cinco minutos. Había perdido tiempo durante la partida y solamente le quedaban cinco minutos. Se encontraba en apuros, a menos que Kronsteen cometiese una equivocación tremenda, cosa que resultaba impensable.

Kronsteen se hallaba sentado, erecto e inmóvil, con todo el malévolo e inescrutable aspecto de un papagayo. Apoyaba ambos codos sobre la mesa y su cabeza descansaba sobre los cerrados puños que, a la vez, se hundían en las mejillas, haciendo que los labios se adelantaran con expresión de orgullo y menosprecio. Bajo las abultadas cejas, los ojos negros, un tanto rasgados, miraban fijamente, con mortal calma, su victorioso juego. Pero detrás de aquella máscara, la sangre penetraba velozmente en la dinamo del cerebro, y una vena gruesa como un gusano, en la sien derecha, latía a más de noventa pulsaciones por minuto. En dos horas y diez minutos había perdido, sudando, cerca de medio kilo de peso. El espectro de un posible falso movimiento todavía le tenía asido por la garganta. Pero para Makharov y para los espectadores seguía siendo «El Mago de Hielo», cuyo juego se comparaba al tranquilo comportamiento de un hombre comiendo pescado. Primero apartaba la piel, luego las espinas y, acto seguido, engullía la carne. Kronsteen había sido campeón de Moscú dos años seguidos, y en aquel preciso instante jugaba la final por tercera vez. Si la ganaba, sería aspirante al título de Gran Maestro.

En la zona de silencio que rodeaba la mesa no se oía más que el reloj de Kronsteen. Los dos inmóviles árbitros contemplaban la partida desde sus altas sillas. Sabían, al igual que Makharov, que aquella jugada era mortal por necesidad. Kronsteen había introducido una brillante versión en la variante de Meran, Gambito rechazado de Reina. Hasta el movimiento veintiocho, Makharov se había defendido bien. Perdió tiempo en aquel movimiento. También eran probables sendos errores en los movimientos treinta y uno y treinta y tres. ¿Quién podría asegurarlo? Por supuesto, aquella partida sería tema de discusión en toda Rusia durante algunas semanas.

Desde los abarrotados bancos situados frente a la mesa donde se celebraba la partida del Campeonato, partió un audible suspiro. Kronsteen acababa de separar de su rostro la mano derecha para extenderla sobre el tablero. Como si fueran las pinzas de un enorme cangrejo, se abrieron el pulgar y el índice y descendieron. La mano, sosteniendo una pieza, se desvió hacia un lado para depositarla en uno de los cuadros. Después volvió lentamente hacia su rostro.

Los espectadores comentaron apresuradamente en voz baja lo que estaban viendo en el gran tablero mural, el movimiento cuarenta y uno: R45xg4. ¡Debía ser el golpe de gracia!

Kronsteen se inclinó para extender un brazo y presionar sobre la palanca, al pie de su reloj. Se inmovilizó el rojo péndulo. El reloj marcaba la una menos cuarto. En el mismo instante, cobró vida el péndulo de Makharov e inició su inexorable y fuerte tic-tac. Kronsteen se recostó en la silla. Apoyó ambas manos sobre la mesa para mirar fríamente al rostro abatido y sudoroso del adversario. Conocía muy bien aquella angustia interior que se clavaba en el alma como un cuchillo, ya que él también había sufrido derrotas en otra época. Makharov, campeón de Georgia. Bien, el camarada Makharov podía irse al día siguiente a Georgia y quedarse allí. Seguro que aquel año no volvería a desplazarse con su familia hasta Moscú.

Un hombre, vestido de paisano, se deslizó por debajo de las cuerdas que separaban la mesa del público y habló al oído de uno de los árbitros. Le entregó un sobre blanco. El árbitro hizo un movimiento con la cabeza señalando al reloj de Makharov, que en aquel instante marcaba la una menos tres minutos. El hombre de paisano pronunció una frase corta que obligó al árbitro a bajar la cabeza, malhumorado. Hizo sonar una campanilla.

—Hay un mensaje urgente y personal para el camarada Kronsteen —anunció el árbitro por el micrófono—. Habrá una pausa de tres minutos.

Un fuerte murmullo recorrió toda la sala. Aun cuando Makharov alzó la cabeza y se mantuvo inmóvil mirando hacia el techo, los espectadores sabían que la posición de la partida estaba bien grabada en su mente. Tres minutos de pausa significaban tres minutos de ventaja para él.

Kronsteen también se enojó, pero en su rostro no se reflejó la menor expresión cuando el árbitro descendió de su alta silla para entregarle un sobre blanco, cerrado y sin dirección. Lo abrió con el dedo pulgar y extrajo una hoja de papel. Decía, con las mayúsculas escritas a máquina que él conocía tan bien: «SE TE NECESITA EN ESTE MISMO INSTANTE». No había firma ni dirección.

Kronsteen dobló la hoja de papel cuidadosamente y la guardó en el bolsillo interior de la chaqueta. Más tarde la entregaría para ser destruida. Miró al rostro del hombre vestido de paisano, que se hallaba en pie junto al árbitro. Los ojos le contemplaban impacientemente, casi con autoridad. «¡Al diablo con estos tipos!», pensó Kronsteen. No iba a abandonar la partida cuando solamente faltaban tres minutos para terminar. ¡Era un insulto al

Deporte del Pueblo! Pero cuando hizo una seña al árbitro indicando que la partida continuaba, tembló por dentro, y evitó los ojos del hombre de paisano, que permanecía inmóvil como una estatua.

Sonó la campanilla.

—Continúa la partida.

Makharov inclinó la cabeza lentamente. La manecilla de su reloj pasaba ya de la hora y todavía vivía.

Kronsteen siguió temblando interiormente. Lo que acababa de hacer resultaba sencillamente inconcebible en un empleado de la SMERSH o en cualquier otro funcionario de una agencia del Estado. Por supuesto, le denunciarían. Deliberada desobediencia. Negligencia en el deber. ¿Qué consecuencias podrían derivarse? Si todo iba bien, una fuerte reprimenda por parte del general G y una marca negra en su *zapiska*. ¿Y si todo salía mal? Kronsteen no podía imaginarlo. No le agradaba pensarlo. Cualesquiera que fuesen las consecuencias, la verdad era que el dulce sabor de la victoria se había vuelto en su boca repentinamente amargo.

Pero allí estaba el final de la partida. Con cinco segundos de tiempo en su reloj, Makharov alzó sus castigados ojos a medias e inclinó la cabeza con un breve asentimiento de rendición. Ante el doble sonar de la campanilla del árbitro, el abarrotado salón se puso en pie con atronadores aplausos.

Kronsteen se levantó y se inclinó ante su adversario, saludó de la misma manera a los dos árbitros y después más profundamente a los espectadores. Luego, seguido por el hombre vestido de paisano, se abrió paso con dificultad por entre la masa de sus vociferantes admiradores hacia la salida principal.

Fuera de la sala de torneos, en medio de la Pushkin Ulitza, estaba el usual y anónimo coche Zik con el motor en marcha. Kronsteen subió al asiento posterior y cerró la portezuela. Cuando el hombre vestido de paisano saltó al asiento delantero, el conductor puso en marcha el vehículo.

Kronsteen sabía que sería una pérdida de tiempo disculparse ante el guardia de paisano. También sería contrario a la disciplina. De todo, él era el jefe del Departamento de Planificación de la SMERSH, con el rango honorario de coronel. Por otra parte, su cerebro era una especie de diamante en bruto para la organización. Quizá podría salir de aquel mal paso. Miró por la ventanilla hacia las oscuras calles ya mojadas por el servicio nocturno de limpieza, y comenzó a reflexionar sobre su defensa. Finalmente llegaron a una calle recta, al final de la cual la luna se deslizaba rápida entre las cúpulas del Kremlin. Era el término del viaje.

Cuando el guardia dejó a Kronsteen en manos del ayudante, también le entregó una hoja de papel. El ayudante la leyó y después miró fríamente a Kronsteen alzando a medias las cejas. Kronsteen le devolvió la mirada calmadamente, sin pronunciar una sola palabra. El ayudante se encogió de hombros, descolgó el teléfono y anunció la visita.

Entraron en la gran sala. Ante un gesto del general G, Kronsteen ocupó una silla y saludó con un movimiento de cabeza a la coronel Klebb. El ayudante se acercó al general G y le entregó la hoja de papel. El general G la leyó y miró a Kronsteen con dureza. Mientras el ayudante se dirigía a la puerta para retirarse, el general continuó mirando a Kronsteen, y cuando la puerta se cerró, abrió la boca y preguntó suavemente:

—¿Bien, camarada...?

Kronsteen mantuvo la calma. Se sabía de memoria lo que debía explicar. Habló serenamente y con tono de autoridad:

—Para el público, camarada general, soy un jugador profesional de ajedrez. Esta noche he vuelto a ser campeón de Moscú, por tercera vez consecutiva. Si restándome solamente tres minutos de tiempo, hubiese recibido un mensaje comunicándome que estaban asesinando a mi esposa en la puerta de la Sala de Torneos, no hubiese movido un dedo para salvarla. Mi público lo sabe. Se consagra al juego como yo mismo. Esta noche, si hubiera abandonado la partida al recibir este mensaje, cinco mil personas habrían sabido inmediatamente que yo sólo podía hacer tal cosa obedeciendo inmediatas órdenes de este departamento. Consecuencia: una auténtica tormenta de rumores. Mis futuras idas y venidas se vigilarían para saber algo. Posiblemente sería el fin de, digamos, mi enmascaramiento. Por lo tanto, y en favor de los intereses del Estado, esperé durante tres minutos antes de obedecer la orden. Aun así, estoy seguro de que mi apresurada retirada será objeto de comentarios. Tendré que decir que uno de mis hijos cayó gravemente enfermo. Y, naturalmente, habrá que ingresar a uno de ellos en el hospital por una semana con objeto de corroborar mis palabras.

Presento mis más sentidas disculpas por la demora. Pero la decisión era difícil. Hice lo que creí mejor en beneficio del departamento.

El general G estudió pensativamente la expresión que se reflejaba en los rasgados y negros ojos. El hombre era culpable, pero la defensa buena. Leyó de nuevo la hoja de papel como si intentara sopesar la medida del delito cometido. Luego extrajo del bolsillo un encendedor y prendió fuego al papel. Dejó caer la última esquina de la ardiente hoja sobre el grueso cristal que cubría la mesa y sopló las cenizas hacía el suelo. No dijo nada que revelara sus pensamientos, pero el hecho de quemar la nota era todo cuanto importaba a Kronsteen. Ahora nada figuraría en su *zapiska*. Se sentía profundamente aliviado y agradecido. Dedicaría todo su genio a la tarea inminente. El general acababa de mostrar gran clemencia con él y Kronsteen le pagaría con sus mejores recursos.

—Veamos las fotografías, camarada coronel —dijo el general G como si el breve consejo de guerra no hubiese tenido lugar—. El asunto es como sigue...

«De manera que se trata de otra muerte», pensó Kronsteen mientras el general hablaba y estudiaba el rostro moreno y cruel que, a su vez, le contemplaba desde la ampliada fotografía de pasaporte. Al mismo tiempo que Kronsteen escuchaba a medias lo que estaba diciendo el general, captaba los hechos más importantes: espía inglés, se deseaba un gran escándalo, sin que se implicara en el asunto a la Unión Soviética. Experto asesino. Debilidad por las mujeres (por lo tanto no era homosexual, pensó Kronsteen). Bebe (pero nada se decía sobre drogas). Insobornable. (¿Quién podía asegurarlo? Kronsteen estaba seguro de que cada hombre tenía su precio.) No se repararía en gastos. Todo el equipo y personal disponible por parte de todos los departamentos de Inteligencia. Era preciso alcanzar el éxito en tres meses. Se necesitaban grandes ideas. Los detalles se elaborarían más tarde. El general G fijó sus ojos en la coronel Klebb.

—¿Cuál es tu primera impresión, camarada coronel?

Los cuadrados cristales de sus gafas sin montura brillaron bajo la luz de la lámpara cuando la mujer abandonó su posición inclinada y miró al general. Los pálidos y húmedos labios, bajo el ligero vello teñido por la nicotina que la mujer mostraba sobre la boca, se abrieron y comenzaron a moverse rápidamente mientras exponía sus puntos de vista. Para Kronsteen, contemplar aquel rostro cuadrado y sin expresión al otro lado de la mesa, abriendo y cerrando los labios mecánicamente, fue como el recuerdo de una marioneta manejada por un ventrílocuo.

La voz era monótona y ronca, sin emoción.

—... Se parece en algunos aspectos al caso de Stolzenberg. Si lo recuerdas, camarada general, en aquella ocasión también destruimos una reputación, además de una vida. Pero ese asunto fue sencillo. El espía era también un pervertido. Si recuerdas...

Kronsteen dejó de escuchar. Conocía todos aquellos casos. Había planificado de la mayor parte de ellos y estaban archivados en su memoria como tantos gambitos de ajedrez. Cerrando herméticamente sus oídos a toda palabra, examinó el rostro de aquella terrible mujer preguntándose, fortuitamente, cuánto duraría en su trabajo, y durante cuánto tiempo más tendría que seguir trabajando con ella.

¿Temible? A Kronsteen no le interesaban lo más mínimo los seres humanos, ni siquiera sus propios hijos. Ni tampoco cabían en su vocabulario las definiciones de «bueno» y «malo». Para él, todas las personas eran piezas de ajedrez. Solamente le interesaban sus reacciones ante los movimientos de otras piezas. Para predecir sus reacciones, lo que constituía la mayor parte de su trabajo, uno tenía que comprender sus características individuales. Sus instintos básicos eran inmutables. Instinto de conservación, sexo y gregarismo, éste era el orden. Sus temperamentos podían ser sanguíneos, flemáticos, coléricos o melancólicos. El temperamento de un individuo decidiría, en gran parte, la fuerza de sus emociones y de sus sentimientos. El carácter dependería mucho de la educación y, dijeran lo que dijeran Pavlov y los nuevos psicólogos conductistas, del carácter de los padres, aunque sólo en cierta medida. La vida de las personas y el comportamiento estarían condicionados parcialmente por la fuerza o la debilidad física.

Así era, sujetándose a estas clasificaciones básicas, como el frío cerebro de Kronsteen analizaba a la mujer que se sentaba al otro lado de la mesa. Probablemente era la centésima vez que lo hacía; pero ahora se presentaban por delante semanas de trabajo conjunto y no estaba nada mal refrescar la memoria con el exclusivo objeto de que no constituyera una sorpresa la súbita intrusión del elemento humano.

Por supuesto, Rosa Klebb poseía fuertes deseos de sobrevivir. De otra manera no se habría convertido en una de las mujeres más poderosas del Estado y, sin duda alguna, la más temida. Kronsteen recordaba que su ascenso se había iniciado durante la guerra civil española. Entonces, como agente doble del POUM* —es decir, trabajando para la OGPU de Moscú y para la Inteligencia Comunista en España—, había sido la mano derecha, y se decía que la querida, de su jefe, el famoso Andrés Nin. Trabajó con él desde 1935 hasta 1937. Después, obedeciendo órdenes de Moscú, fue asesinado y, según se rumoreaba, ella cometió el crimen. Fuera esto cierto o no, desde entonces Klebb había progresado lentamente, pero con total seguridad, ascendiendo por los peldaños del poder, superando contratiempos, sobreviviendo a guerras y depuraciones, porque no se unía a nadie ni formaba parte de facciones, hasta que, en el año 1953, con la muerte de Beria, sus ensangrentadas manos alcanzaron uno de los últimos peldaños, muy próximo a la cima: la jefatura del Departamento de Operaciones de la SMERSH.

Kronsteen aún pensaba que gran parte de su éxito obedecía a la naturaleza especial de lo que él consideraba el segundo instinto en orden de importancia: el sexual. Porque, indudablemente, Rosa

* Partido Obrero de Unificación Marxista (trotskista). *(N. del T.)*

Klebb pertenecía al tipo sexual más raro de todos. Era neutra. Kronsteen estaba seguro de ello. Las versiones de algunos hombres, y también de algunas mujeres, eran prueba evidente sobre la que no cabía la menor duda. Podía disfrutar del acto físicamente, pero el instrumento carecía de importancia. Para ella el sexo no era más que una picazón, una comezón, un prurito. Y esta neutralidad fisiológica y psicológica la liberaba de muchos sentimientos y deseos humanos. La neutralidad sexual era la esencia de la frialdad en un individuo. Era algo grande y maravilloso nacer con ella.

El instinto gregario también estaba muerto en ella. Su ansia de poder le exigía ser un lobo y no un cordero. Era un agente solitario, pero no le atormentaba la soledad, ya que para ella no era un sufrimiento la falta de compañía. Tenía un temperamento flemático, imperturbable, resistente al dolor, indolente. Seguramente la pereza era en ella un vicio habitual. Probablemente resultaba muy difícil arrancarla de la cama por las mañanas. Sus hábitos íntimos debían de ser descuidados, e incluso sucios. No debía de ser nada agradable, pensó Kronsteen, contemplarla cuando descansara, sin su uniforme.

Kronsteen esbozó con los labios un gesto de menosprecio, intentando alejar de su mente aquellos pensamientos. Dejando a un lado el carácter de la mujer, que sin duda era astuto y fuerte, dedicó unos momentos al estudio de su aspecto físico.

Rosa Klebb debía tener cincuenta años, suponía Kronsteen. Era de baja estatura, metro cincuenta y ocho, robusta, brazos gruesos y cuello corto. Las pantorrillas de las anchas piernas, enfundadas en las descoloridas medias caqui, eran excesivamente fuertes para una mujer. Sólo el diablo sabía, pensó Kronsteen, cómo debía ser, pero, a juzgar por el uniforme, parecía un saco de arena mal formado y, en general, su figura, con las caderas en forma de pera, recordaba a un violoncello.

«Las *tricoteuses* de la Revolución francesa debían de tener un rostro como el suyo», pensó Kronsteen recostándose en su silla e inclinando la cabeza hacia un lado. Los cabellos, un tanto anaranjados, estaban peinados hacia atrás formando un moño sobre la nuca. Los ojos castaño-amarillentos miraban fríamente al general G a través de los cristales de sus gafas sin montura. La nariz, larga y porosa, aparecía excesivamente empolvada. La boca, más parecida a una húmeda trampilla, se abría y cerraba como si funcionase mediante unos alambres bajo la barbilla. Aquellas mujeres francesas que hacían punto sentadas y charlaban sin cesar mientras la guillotina caía, debían de tener la misma gruesa piel de pollo, que colgaba en pequeños pliegues bajo los ojos, en las comisuras de la boca y bajo las mandíbulas; las mismas orejas grandes, de campesina; los mismos puños, duros y crispados que en aquel instante descansaban sobre el terciopelo rojo que cubría la mesa a ambos lados de su abultado pecho. Y los rostros de todas aquellas mujeres, concluyó Kronsteen, debían de provocar la misma impresión de frialdad, crueldad y fuerza; en consecuencia, a Kronsteen no le quedaba más remedio que calificarla como una temible mujer de la SMERSH.

—Gracias, camarada coronel. Es muy valioso tu examen de la situación. Y ahora, camarada Kronsteen, ¿tienes algo que añadir? Por favor, sé breve. Son las dos en punto y tenemos un día muy ocupado.

Los ojos del general G, inyectados en sangre y cargados de sueño, se clavaban con fijeza en las pupilas insondables de Kronsteen. No había necesidad de decirle que fuese breve porque nunca tenía mucho que decir, pero cada una de sus palabras valía por discursos enteros del resto del personal.

Kronsteen ya se había decidido, pues, de no ser así, no se hubiera permitido el lujo de concentrar tanto su atención sobre la mujer.

Volvió lentamente la cabeza y miró hacia el techo, con expresión de suma indiferencia. Su voz era extremadamente suave, pero, aun así, estaba impregnada de una autoridad que exigía atención:

—Camarada general, fue un francés, en ciertos aspectos predecesor tuyo, Fouché, quien afirmó que no valía la pena matar a un hombre si, a la vez, no se destruía también su reputación. Por supuesto, será fácil matar a ese Bond. Cualquier asesino búlgaro al que se pagara e instruyese bien lo haría. La segunda parte de la operación, la destrucción de la fama de ese hombre, es más importante y más difícil. En la fase actual, opino que la operación debe realizarse lejos de Inglaterra, en un país sobre cuya prensa y radio tengamos influencia. Y si me preguntas cómo ha de ir Bond hasta allí, diré que lo hará si el cebo es lo suficientemente atractivo y está a su alcance. Siendo así, acudirá esté donde esté. Para evitar que parezca una trampa, tendremos que dotarlo de un toque excéntrico, de algo poco corriente. Los ingleses se enorgullecen de sus excentricidades. Las consideran como un desafío, cuando se las proponen. Yo confiaría en esta faceta de su psicología. Enviarán a ese agente tan importante allí donde haya un buen cebo. —Kronsteen se detuvo y miró, tras bajar la cabeza, más allá del general G, añadiendo—: Organizaré inmediatamente la trampa. De momento sólo puedo decir que si logramos atraer a la presa, necesitaremos un asesino que domine perfectamente el inglés. —Los ojos de Kronsteen se clavaron, pensativamente, en el terciopelo rojo que cubría la mesa como si allí estuviese la clave del problema y añadió—: También necesitaremos una muchacha de confianza y de gran belleza.

# 8

# El hermoso reclamo

Sentada junto a la ventana de su apartamento, que constaba de una sola habitación, Tatiana Romanova, cabo de la Seguridad del Estado, contemplaba la serena tarde de junio, el primer tono rosado de la puesta de sol que se reflejaba en las ventanas, al otro lado de la calle, y la distante cúpula, en forma de cebolla, de una iglesia, que flameaba como una antorcha sobre el irregular horizonte de los tejados de Moscú; Tatiana Romanova creía que era más feliz que nunca.

Su felicidad no era romántica. No tenía nada que ver con el éxtasis de un amor que comenzaba... aquellos días y semanas, antes de que apareciesen en el horizonte las primeras nubes cargadas de lágrimas. Era la felicidad tranquila y estable que proporciona poder contemplar el futuro con confianza, felicidad que, a la vez, aumentaba mediante los pequeños detalles que la rodeaban, como por ejemplo, las palabras de elogio que le había dirigido el profesor Denikin, el aroma de una buena cena en el fogón eléctrico, su preludio favorito de Boris Goudunov, que sonaba en la radio interpretado por la

Orquesta Estatal de Moscú y, sobre todo, el hecho de que el largo invierno y la corta primavera habían pasado y había llegado el mes de junio.

La habitación era como una caja pequeña dentro del enorme edificio de apartamentos de la Sadovaya-Chernogriazskay Ulitza, especie de acuartelamientos o alojamientos para las mujeres de la Seguridad del Estado. Construido por prisioneros condenados a trabajos forzados, se terminó en 1939 y tenía ocho plantas y dos mil habitaciones; algunas, como ésta del tercer piso, eran una simple caja cuadrada con teléfono, agua fría y caliente, una sola bombilla, cuarto de baño y lavabos comunitarios. Había otras en las dos plantas superiores con dos y tres habitaciones, pero éstas estaban reservadas para mujeres de rango más alto. La cabo Romanova tendría que ascender a sargento, teniente, capitán, comandante y teniente coronel antes de alcanzar el paraíso del octavo piso, que denominaban la planta de los coroneles.

Pero el cielo sabía muy bien que estaba contenta con su destino: un salario de mil doscientos rublos al mes (treinta por ciento más de lo que hubiera ganado en cualquier otro ministerio), una habitación para ella sola, comida barata y ropas de los «almacenes reservados», situados en la planta baja del edificio. Cada mes, por lo menos, dos entradas para el ballet o la ópera, y dos semanas de vacaciones pagadas cada año. Y, sobre todo, un trabajo seguro con buenas perspectivas en Moscú, y no en una de aquellas capitales tétricas de provincias donde nada sucedía durante meses y meses, y las únicas cosas que impedían a sus ciudadanos irse a la cama temprano eran una nueva película o la rápida visita de un circo.

Por supuesto, había que pagar el hecho de pertenecer a la MGB. El uniforme separaba del resto del mundo. La gente les temía y esto no se amoldaba a la naturaleza de muchas jóvenes que tenían que limitarse a alternar con hombres y mujeres de la organización. Uno de ellos, llegado el momento, se casaría con una de sus compañeras, con el objeto de seguir perteneciendo al Ministerio. Trabajaban además como el mismo diablo, de ocho a seis, cinco días y medio cada semana, y solamente disponían de cuarenta minutos para tomar algo en la cantina. Pero la comida era excelente y por las noches se podía pasar con una cena muy ligera, y así ahorrar algún dinero para comprar el abrigo de marta que algún día reemplazaría al viejo, confeccionado con pieles de zorro siberiano.

Ante el recuerdo de la cena, la cabo Romanova dejó la silla que ocupaba junto a la ventana y se acercó a examinar la olla de sopa con carne y setas que tomaría más tarde. Estaba casi hecha y su aroma era delicioso. Desenchufó la cocina y dejó que la olla continuara hirviendo un poco más mientras ella se lavaba y aseaba, como años atrás le habían enseñado a hacer antes de las comidas.

Al secarse las manos, se miró en el gran espejo oval que colgaba sobre el lavabo.

Uno de sus primeros novios le había dicho en cierta ocasión que se parecía a Greta Garbo. ¡Qué tontería! Sin embargo, aquella noche se encontraba muy hermosa. Sus cabellos eran castaños, sedosos, peinados hacia atrás, dejando al descubierto una frente elevada, para caer luego sobre los hombros y espalda, ligeramente rizados en los extremos (la Garbo se había peinado de aquella forma una vez y la cabo Romanova se confesó a sí misma que la había copiado). La piel era sana, suave, con marfileño brillo en los pómulos, los ojos bien separados, nivelados, de un azul profundo bajo unas cejas naturalmente rectas (la joven cerró un ojo y luego el otro). Sí, sus pestañas eran suficientemente largas y la nariz recta y un tanto arrogante, imperiosa. Y la boca. ¿Qué decir de la boca? ¿Acaso era demasiado grande? Debía parecer terriblemente ancha al sonreír. La joven sonrió ante el espejo. Sí, era grande, pero también lo era la de la Garbo. Al menos los labios estaban llenos y bien dibujados. Incluso en las comisuras había una sugerencia de eterna sonrisa. ¡Nadie podía decir que fuese una boca fría! Y el óvalo de su rostro. ¿Era excesivamente largo? ¿Acaso el mentón aparecía un poco puntiagudo? Giró la cabeza hacia un lado para observarse de perfil. La masa de cabellos cayó hacia delante sobre el ojo derecho y tuvo que apartarlos con un nervioso gesto de la mano. Bueno, la barbilla era un tanto puntiaguda, pero no mucho. Una vez más miró de frente al espejo y, tomando un cepillo, comenzó a peinar los largos cabellos. ¡Greta Garbo! No cabía duda de que aquella mujer era hermosa porque, de no ser así, los hombres no se lo repetirían continuamente, sin contar con las muchachas que la visitaban para pedirle consejo sobre sus propios rostros. ¡Pero una estrella de cine... y tan famosa! La cabo Romanova hizo una mueca mirándose en el espejo y se dispuso a tomarse la cena.

De hecho, la cabo Tatiana Romanova era, sin duda alguna, una mujer muy bella. Aparte de su rostro, poseía un cuerpo firme y alto, dotado de un grácil movimiento. Había estado durante un año en la escuela de ballet de Leningrado, que abandonó al sobrepasar la estatura prescrita para ser bailarina: un metro sesenta y siete centímetros. En la escuela le habían enseñado a mantener el cuerpo erecto y a caminar bien. Su aspecto era saludable gracias a su pasión por el patinaje artístico, que practicaba durante todo el año en el estadio Dynamo, donde había conseguido uno de los primeros puestos en el equipo femenino. Sus brazos y sus senos eran perfectos. Probablemente un purista hubiese desaprobado su parte posterior. Los músculos se habían endurecido tanto con el ejercicio que le habían hecho perder la suave curva tan femenina y, en aquellos momentos, la joven mostraba cierta redondez por detrás y sus costados eran y lisos, sobresalientes como los de un hombre.

La cabo Romanova era admirada mucho más allá de los confines de la sección de traducción inglesa del Índice Central de la MGB. Todo el mundo estaba de acuerdo en que no pasaría mucho tiempo sin que uno de los jerarcas se tropezara con ella y la convirtiera en su amante, apartándola de aquel empleo modesto, e incluso, si era absolutamente necesario, en su esposa.

La joven vertió la espesa sopa en un pequeño cuenco de porcelana decorado con lobos dando caza a un trineo, partió un poco de pan negro y, acto seguido, se acercó hasta la ventana donde ocupó una silla, para comer lentamente con una bonita y brillante cuchara que había deslizado en su bolso no hacía muchas semanas, tras haber pasado una divertida noche en el hotel Moskva.

Cuando terminó, lavó los platos y regresó a su silla para encender el primer cigarrillo del día (ninguna chica respetable en Rusia fuma en público, excepto en un restaurante, y la despedirían inmediatamente si lo hiciera durante su trabajo) y escuchar impacientemente los disonantes acordes de una orquesta de Turkmenistán. ¡Espantosa música que siempre se emitía para tener contentos a los *kulaks* de aquellos bárbaros estados periféricos! ¿Por qué no podían tocar algo *kulturny**? ¿Algo de *jazz* moderno o quizá clásico? Era odiosa aquella música; aún peor, estaba pasada de moda.

El teléfono sonó ásperamente. La joven redujo el volumen de la radio y tomó el auricular.

—¿Cabo Romanova?

Era la voz de su querido profesor Denikin. Pero fuera de las horas de oficina siempre la llamaba Tatiana, e incluso Tania. ¿Qué significaba aquella novedad?

La joven, nerviosa y tensa, respondió:

—Sí, camarada profesor.

La voz, al otro extremo del hilo, sonaba extraña y fría.

* Civilizado *(N. del T.)*

—Dentro de un cuarto de hora, a las 20.30, te esperan para una entrevista con la camarada coronel Klebb, de Otdyel. La visitarás en su apartamento, n° 1.875, en la octava planta de tu edificio. ¿Está claro?

—Pero, camarada, ¿para qué...? ¿De qué se trata...?

La voz extraña y forzada de su estimado profesor la interrumpió:

—Eso es todo, camarada cabo.

La joven se apartó el auricular de la cara y lo miró con ojos terriblemente ansiosos, como si pudiera extraer más palabras de los diminutos orificios abiertos en la negra baquelita.

—¡Aló! ¡Aló...!

Durante un momento permaneció como congelada, sin apartar los ojos del teléfono. ¿Llamaría ella a su estimado profesor? No, ni siquiera se podía soñar. El profesor había hablado de aquella manera porque sabía, y ella también, que toda llamada telefónica en y fuera del edificio estaba intervenida. Por esa razón, el profesor había sido breve y seco. Era un asunto de Estado. Quien comunicaba un mensaje de aquella clase lo hacía rápidamente y luego se lavaba las manos. Se había soltado una mala carta. Se había pasado la *patata caliente* a otra persona. Las manos quedaban limpias nuevamente.

La joven se mordió los nudillos de una mano, todavía mirando al teléfono. ¿Para qué la querían? ¿Había hecho algo malo? Desesperadamente repasó los días, meses y años anteriores. ¿Se habría equivocado en su trabajo y ahora lo descubrirían? ¿Había hecho quizá alguna observación o chiste contra el Estado y la habían denunciado? Tal cosa era siempre posible. Pero, ¿qué observación? ¿Cuándo? Si hubiera sido algún comentario malévolo, ella hubiese sentido la punzada de culpabilidad o temor en aquel mismo momento. Tenía la conciencia tranquila. ¿Sí o no? De repente, recordó la cuchara que había robado. ¿Se trataba de aquello? ¡Propiedad del Gobierno! La arrojaría por la ventana, lo más lejos posible. Pero no, no podía ser por ese detalle. Era una cosa demasiado pequeña. Se encogió de hombros resignadamente y su mano cayó sobre un costado. Al acercarse al armario para sacar su mejor uniforme, había en sus ojos lágrimas de miedo, del mismo temor que podría sentir una niña. No podía ser ninguna de aquellas cosas. La SMERSH no llamaba a nadie por motivos tan nimios. Tenía que ser algo mucho más grande y peor.

La muchacha consultó su barato reloj de pulsera a través de las lágrimas. ¡Sólo faltaban siete minutos! Un nuevo pánico se apoderó de ella. Se enjugó los ojos con un antebrazo y cogió el uniforme. ¡Además llegaría tarde! Se desabrochó velozmente la blusa de algodón blanco.

Aparte de su posible culpabilidad, la muchacha sentía invencible terror ante el contacto con cualquier tentáculo de la SMERSH. Incluso el nombre de la organización era detestable. SMERSH. *Smiert Spionam*, «muerte a los espías». Era una palabra temible, relacionada con la tumba, el mismo suspiro de la muerte, una palabra que ni siquiera se mencionaba en los cuchicheos de las oficinas, entre amigos. Y lo peor de todo dentro de aquella terrible organización era el Otdyel II, el departamento de Tortura y Muerte: el horror llevado al máximo.

Y su jefa, aquella mujer: ¡Rosa Klebb! Se rumoreaban cosas increíbles sobre ella, con las que Tatiana había soñado durante sus pesadillas nocturnas y que al despertar se esfumaban; pero ahora, en aquellos momentos, volvía a recordarlas.

Se decía que Rosa Klebb no permitía que se llevara a cabo tortura alguna sin estar ella presente. En su despacho había una especie de túnica o guardapolvo salpicado de sangre y un asiento plegable; decían que cuando se deslizaba por los pasillos del sótano, vestida con su guardapolvo y el taburete en la mano, se extendía la noticia por todo el edificio e incluso los empleados de la SMERSH hablaban en voz baja y se inclinaban sobre sus papeles, posiblemente cruzando los dedos dentro de los bolsillos, hasta que se sabía que había regresado a su despacho.

Asimismo, se murmuraba que Rosa Klebb situaba su taburete frente a los rostros de los hombres y mujeres que colgaban de la mesa de interrogatorios; y entonces, miraba la cara de su víctima y decía suavemente: «número 1» o «número 25». Los inquisidores sabían lo que quería decir con estas palabras y comenzaban su trabajo. Rosa Klebb se acercaba más al rostro que tenía enfrente y aspiraba los gritos de dolor como si fueran perfume. Observando los ojos de la víctima, tranquilamente cambiaba la tortura y decía: «Ahora el número 36» o «ahora el número 64» y los inquisidores hacían otra cosa diferente.

Cuando el valor y la resistencia se esfumaban de los ojos que tenía frente a ella, y las víctimas comenzaban a flaquear y suplicar, empezaba a arrullarles suavemente: «¡Vaya, vaya, paloma mía, habla conmigo, cariño, y todo esto parará! Duele, ya sé que duele mucho. ¡Ah, sí, cariño, duele mucho! ¿Lo ves? Todo el mundo se cansa de aguantar el dolor. A uno le gustaría que cesara el dolor para dormir un rato tranquilamente. Y que después se alejara para siempre. Pero tu madre, tu querida mamá, está aquí, esperando a que cese el dolor. Tu madre tiene una magnífica cama para ti, dispuesta para que duermas y olvides, para que lo olvides todo, todo... habla. No tienes más que hablar y todo cesará».

Si los ojos aún resistían, Rosa Klebb comenzaba de nuevo con sus cariñosas frases: «¡No seas bobo, pequeño mío! Este dolor no es nada, nada. ¿No me crees, pichón mío? Bueno, entonces tu mamaíta tendrá que probar un poco..., nada más que un poco, del número 87».

Y los verdugos, escuchando atentos, cambiaban sus instrumentos y su objetivo, mientras Rosa Klebb contemplaba cómo la vida abandonaba los ojos del condenado; entonces se veía obligada a hablarle con fuerza al oído porque, de lo contrario, las palabras no llegarían al cerebro.

Pero también se decía que muy pocas víctimas resistían lo suficiente como para viajar más allá del límite de dolor de la SMERSH, y muchísimo menos llegar hasta el fin de aquel terrible camino. Generalmente, cuando la suave voz prometía paz, casi siempre vencía; de alguna manera Rosa Klebb sabía, por los ojos que observaba, cuándo el hombre o la mujer se derrumbaba lanzando un infantil grito llamando a su madre. Y entonces era ella la que proporcionaba la imagen de la madre acompañada de palabras dulces, convincentes.

Después de que otro sospechoso hubiese sido vencido, Rosa Klebb recorría de nuevo los pasillos subterráneos con su taburete y su bata manchada de sangre, para volver a su trabajo. Se extendía con rapidez la noticia de que todo había terminado y las actividades normales se iniciaban de nuevo en la planta baja del edificio.

Tatiana, congelada de pánico por estos pensamientos, consultó de nuevo su reloj de pulsera. Aún le quedaban cuatro minutos. Con ambas manos alisó el uniforme y se contempló una vez más en el espejo. Se volvió y mentalmente se despidió del pequeño cuarto. ¿Volvería a verlo otra vez?

Caminó con firmeza por el largo pasillo y llamó al ascensor. Cuando llegó, cuadró los hombros, alzó la barbilla y entró en él como si fuera la plataforma de una guillotina.

—Octavo —dijo lacónicamente a la ascensorista.

De cara hacia la puerta recordó unas palabras que nunca había vuelto a pronunciar desde niña:

—Dios mío... Dios mío... Dios mío...

# 9

# Un trabajo de amor

Antes de que llegara a abrirse la anónima puerta pintada en color crema, ya percibía el olor de la habitación. Cuando le ordenaron cortésmente que entrara, y ella abrió la puerta, fue precisamente este olor el que ocupó toda su mente mientras permanecía inmóvil en el umbral, mirando a los ojos de la mujer que se hallaba sentada tras una mesa redonda bajo la luz central.

Era el olor del Metro en una noche calurosa, el perfume barato que ocultaba olores animales. La gente, en Rusia, se empapa de perfume, incluso si se ha bañado, aunque generalmente lo hacen cuando no ha sido así. Y las muchachas saludables, sanas y limpias como Tatiana, siempre regresan a casa a pie desde la oficina, a menos que llueva o nieve mucho, para evitar los nauseabundos olores de los trenes y del Metro.

En aquel momento, Tatiana soportaba tales olores. Las aletas de su nariz se agitaron con disgusto.

Fue su disgusto y desprecio hacia una persona que podía vivir en medio de tal olor los que la ayudaron a mirar los amarillentos ojos que, a su vez, la contemplaban a través de los cuadrados cristales de unas gafas. En ellos nada se podía leer. Eran ojos que recibían sin dar nada. Lentamente la estudiaron de arriba a abajo, como las lentes de una cámara.

La coronel Klebb habló:

—Eres una joven con muy buen aspecto, camarada cabo. Por favor, da un par de vueltas por la habitación.

¿Qué significaban aquellas palabras melosas? Tensa ante un nuevo temor, con miedo por los famosos hábitos personales de la mujer, Tatiana obedeció.

—Quítate la guerrera. Déjala en la silla. Alza las manos por encima de la cabeza..., más, así. Ahora, inclínate y tócate las puntas de los pies. ¡Arriba! Muy bien. Siéntate.

La mujer hablaba como un doctor. Hizo un gesto indicando la silla que se hallaba junto a la mesa. Luego los ojos de Rosa Klebb se posaron en la carpeta que tenía ante sí.

«Debe de ser mi *zapiska*», pensó Tatiana. Resultaba interesante ver el verdadero instrumento que gobernaba la vida de una. La carpeta era gruesa, casi cincuenta milímetros. ¿Qué habría escrito en todas aquellas páginas? Tatiana miró la carpeta con ojos muy abiertos, fascinados.

La coronel Klebb hojeó las últimas páginas y luego cerró la carpeta de golpe. La cubierta era de color naranja, atravesada por una estrecha faja negra, en diagonal. ¿Qué significarían aquellos colores?

La mujer alzó los ojos. Tatiana hizo un terrible esfuerzo por sostener su mirada.

—Camarada cabo Romanova —dijo la coronel Klebb con tono de suma autoridad—. Poseo muy buenos informes sobre tu trabajo. Tu expediente es excelente, tanto en lo que concierne a tus obligaciones, como en el campo de los deportes. El Estado está satisfecho contigo.

Tatiana no acababa de creer lo que estaba escuchando. Tuvo la impresión de que, en cualquier momento, iba a perder el conocimiento. Enrojeció hasta la raíz del cabello y después palideció. Apoyó una mano sobre el borde de la mesa y tartamudeó con voz débil:

—Estoy... muy agradecida, camarada coronel.

—A causa de tus excelentes servicios has sido elegida para un destino muy importante. Es un gran honor para ti. ¿Lo comprendes?

Fuera lo que fuese, siempre sería mejor que lo que podría haber sido.

—Por supuesto, camarada coronel.

—Esta tarea implica enorme responsabilidad y precisa una jerarquía superior. Te felicito por tu ascenso. Camarada cabo, una vez terminada la misión serás capitán de la Seguridad del Estado.

¡Aquello resultaba increíble para una joven de veinticuatro años! Tatiana presintió el peligro. Se tensó como el animal que ve las mandíbulas de acero bajo la carne.

—Me siento muy honrada, camarada coronel.

En aquel momento no pudo evitar cierto temblor en su voz.

Rosa Klebb gruñó algo ininteligible. Sabía exactamente lo que la joven había pensado cuando

111

la llamaron. El efecto de su amable acogida, su sensación de alivio ante las buenas noticias y el inicio de sus nuevos temores..., todo ello era absolutamente transparente. Aquélla era una joven bella, inocente y poco o nada astuta. Justamente lo que necesitaba la *konspiratsia*. Ahora era preciso reducir la tensión.

—Querida —dijo Rosa Klebb suavemente—, perdona el olvido. Este ascenso habrá que celebrarlo con una copa. No debes pensar que los jefes somos inhumanos. Beberemos juntas. Será una buena excusa para abrir una botella de champaña francés.

Rosa Klebb se puso en pie para acercarse hasta el aparador, donde su ordenanza había preparado la bebida.

—Prueba uno de estos bombones mientras descorcho la botella. Nunca es fácil descorchar champaña. Las chicas, generalmente, necesitamos que un hombre nos ayude en tal tarea, ¿verdad? —Rosa Klebb continuó hablando al mismo tiempo que colocaba ante Tatiana una espectacular caja de bombones. Luego regresó al aparador diciendo—: Son suizos. Los mejores. Los blandos son los del centro y los duros tienen forma cuadrada.

Tatiana musitó su agradecimiento. Eligió un bombón blando. Sería más fácil de tragar. Tenía la boca reseca pensando en el momento en que se cerrase el cepo sobre su cuello. Debía de tratarse de algo terrible para ocultarlo bajo tanta comedia. El bombón se adhirió al paladar como si fuera goma de mascar. Afortunadamente, Rosa Klebb le ofreció una copa de champaña.

No la perdía de vista. Alzó su copa alegremente.

—*Za vashe zdarovie*, camarada Tatiana. ¡Y mi más cordial felicitación!

Tatiana esbozó una fantasmal sonrisa. Recogió su copa y se inclinó ligeramente.

—*Za vashe zdarovie*, camarada coronel.

Bebió de un solo trago, como es costumbre en Rusia, y dejó la copa ante ella.

Rosa Klebb volvió a llenarla enseguida, vertiendo un poco de champaña sobre la mesa.

—Y ahora, a la salud de tu nuevo departamento, camarada. —Alzó la copa y su almibarada sonrisa se congeló observando las reacciones de la muchacha—. ¡Por la SMERSH!

Como en sueños, Tatiana se puso en pie. Una vez más tomó la copa llena.

—Por la SMERSH.

Apenas se oyeron sus palabras. Se ahogó y tuvo que beberse la copa de dos tragos. Luego tomó asiento de nuevo.

Rosa Klebb no le dio tiempo a reflexionar. Se sentó frente a ella y apoyó ambas manos sobre la mesa.

—Y ahora, hablemos de negocios, camarada... —El tono de autoridad se destacaba nuevamente en su voz—. Hay mucho trabajo que hacer... —Nueva pausa de Rosa Klebb que se inclinó hacia adelante—. Dime, camarada, ¿alguna vez has deseado vivir en el extranjero? ¿En algún país en particular?

El champaña estaba haciendo efecto en Tatiana. Probablemente lo peor llegaría en aquellos momentos, pero era preferible que llegase cuanto antes.

—No, camarada. Me siento feliz viviendo en Moscú.

—¿Y nunca has pensado en lo que podría ser vivir en Occidente..., magníficos vestidos, jazz, y demás cosas modernas?

—No, camarada —respondió Tatiana con sinceridad.

—¿Y si el Estado te pidiese que vivieras en Occidente?

—Obedecería.

—¿Con agrado?

Tatiana se encogió de hombros impacientemente.

—Una siempre hace lo que le ordenan.

La mujer se detuvo. Formuló la siguiente pregunta con un aire de confidencia femenina.

—¿Eres virgen, camarada?

«¡Cielos!», pensó Tatiana.

—No, camarada coronel.

Los húmedos labios brillaron bajo la luz.

—¿Cuántos hombres?

Tatiana enrojeció violentamente. Las muchachas rusas son muy pudorosas y reservadas en todo cuanto se refiere a las cuestiones sexuales. En Rusia, el clima sexual es todavía victoriano. Aquellas preguntas de Rosa Klebb eran aún más repugnantes porque se formulaban con un tono inquisitivo y por un funcionario del Estado al que jamás había visto antes. Tatiana se armó de valor. Miró directamente a los amarillentos ojos y preguntó a su vez:

—Por favor, camarada coronel, ¿cuál es el propósito de estas preguntas de carácter íntimo?

Rosa Klebb se envaró repentinamente. Su voz cortó el aire como un látigo.

—Camarada, no estás aquí para hacer preguntas. ¿Olvidas con quién estás hablando? ¡Responde!

Tatiana retrocedió.

—Tres hombres, camarada coronel.

—¿Cuándo? ¿Qué edad tenías?

Los amarillentos ojos se clavaban en Tatiana, reflejándose en ellos la autoridad de la mujer. La joven estaba a punto de romper a llorar.

—En la escuela. Cuando tenía diecisiete años. Luego en el Instituto de Lenguas Extranjeras, a los veintidós años. Y el pasado año. Tenía veintitrés. Fue un amigo al que conocí patinando.

—Sus nombres, por favor, camarada.

Rosa Klebb tomó un lápiz y arrastró hacia sí un bloc de notas.

Tatiana se cubrió el rostro con ambas manos y, finalmente, rompió a llorar.

—¡No! —exclamó entre sollozos—. No, nunca... hagas lo que hagas. No tienes derecho.

—Deja de decir tonterías —interrumpió Rosa Klebb irónicamente—. En cuestión de cinco minutos podría arrancarte esos nombres o cualquier otra cosa que yo deseara. Estás jugando conmigo peligrosamente, camarada. Mi paciencia tiene un límite. —Rosa Klebb se detuvo. Quizá estaba mostrándose un tanto ruda. Luego añadió—: Bien, por el momento, dejemos esto así. Mañana me darás esos nombres. A tales hombres no les ocurrirá nada. Solamente se les harán unas preguntas sobre ti..., simples preguntas técnicas. Eso es todo. Y ahora, seca esas lágrimas. No podemos perder el tiempo en estupideces.

La coronel Klebb se puso en pie y caminó alrededor de la mesa hasta situarse junto a Tatiana. Su tono de voz se hizo nuevamente dulce y suave:

—Querida, has de tener confianza en mí. Todos tus pequeños secretos estarán seguros conmigo. Vamos a ver, bebe un poco más de champaña y olvida ese momento desagradable. Tenemos que ser buenas amigas porque hemos de trabajar juntas. Tienes que aprender, querida Tatiana, a tratarme como si yo fuera tu madre. A ver... toma, bebe esto.

Tatiana extrajo un pañuelo de la cinturilla de su falda y se enjugó los ojos. Luego extendió una mano temblorosa para coger la copa de champaña. Con la cabeza inclinada sorbió un poco.

—Bébelo todo —ordenó Rosa Klebb.

Obedientemente, Tatiana vació la copa. De su organismo había huido toda posible resistencia y se sentía fatigada; deseaba hacer cualquier cosa para que terminara aquella entrevista e irse a alguna parte a dormir. Pensó: «Así pues, esto es lo que ocurre en la mesa de los interrogatorios y ésta es la voz que usa la Klebb». Estaba dando resultado. En aquel momento, Tatiana era tan dócil como una niña. Sin duda alguna, cooperaría.

Rosa Klebb se sentó. Observó a la joven pensativamente tras su máscara maternal.

—Y ahora, querida, una pregunta más de carácter íntimo. Entre tú y yo. ¿Te gusta hacer el amor? ¿Sientes placer? ¿Mucho placer?

116

Tatiana se cubrió la cara con las manos de nuevo. Desde detrás de ellas, con una voz sorda, dijo:

—Bueno, sí, camarada coronel. Naturalmente, cuando una se enamora... —Arrastraba la voz. «¿Qué más podía decir?» «¿Qué tipo de respuestas quería esta mujer?»

—Y, suponiendo, querida, que no estuvieras enamorada, ¿seguiría dándote placer hacer el amor con un hombre?

Tatiana movió la cabeza con dudas. Apartó las manos de su rostro e inclinó la cabeza. Los cabellos cayeron sobre ambos lados de su cara como una pesada cortina. Estaba intentando pensar, ayudar, pero no podía imaginar semejante situación. Ella suponía...

—Supongo que dependería del hombre, camarada coronel.

—Ésa es una respuesta muy sensata, querida. —Rosa Klebb abrió un cajón de la mesa, extrajo una fotografía y la empujó suavemente hacia la muchacha—. Por ejemplo —murmuró—, ¿qué te parece éste?

Tatiana atrajo la fotografía cuidadosamente hacia sí como si abrasara. La observó con indiferencia. Luego se fijó en un rostro apuesto, cruel. Tatiana intentó pensar, imaginar...

—No puedo decir nada, camarada coronel. Es un hombre de agradable aspecto. Quizá, si fuera gentil...

Tatiana, tras sus últimas palabras, apartó a un lado la fotografía, con ademán ansioso.

—No, querida, quédatela. Colócala al lado de tu cama y piensa en este hombre. Aprenderás muchas cosas sobre él, más tarde, en tu trabajo. Y ahora, amiga mía —los ojos brillaron tras los cuadrados cristales de las gafas—, ¿te gustaría saber cuál va a ser tu nuevo trabajo? ¿Te agradaría conocer la tarea para la que has sido elegida entre todas las muchachas de Rusia?

—Por supuesto, camarada coronel.

Tatiana miró obedientemente a los ojos de Rosa Klebb, que parecían apuñalarla en aquel instante. Los labios húmedos, carnosos, se abrieron seductoramente:

—Fuiste elegida para un deber delicioso, sencillo, camarada cabo..., un auténtico trabajo de amor, podríamos decir. Es cosa de enamorarse. Eso es todo. Nada más que eso. Enamorarse de este hombre.

—Pero, ¿quién es él? Ni siquiera le conozco.

La boca de Rosa Klebb trató de esbozar una sonrisa.

—Es un espía inglés.

—*Bogou moiou*! ¡Dios mío!

Tatiana se cubrió la boca con una mano, tanto por ahogar el nombre de Dios, como por el terror que acababa de experimentar. Permaneció sentada inmóvil, tensa, mirando a Rosa Klebb con ojos muy abiertos y ligeramente velados por los efectos del champaña.

—Sí —añadió Rosa Klebb, muy complacida por el efecto de sus palabras—. Es un espía inglés. Quizá el más famoso de todos. Y, de ahora en adelante, estás enamorada de él. De manera que debes acostumbrarte a la idea. Y nada de tonterías, camarada. Esto es serio y muy importante. Un asunto de

Estado para el que has sido elegida como instrumento. Repito que, por favor, nada de tonterías. Y ahora, veamos algunos detalles prácticos. —Rosa Klebb se detuvo y añadió rápidamente—: Y aparta la mano de tu estúpido rostro. No me mires como una vaca asustada. Siéntate bien en la silla y pon atención. O será peor para ti, ¿lo entiendes?

—Sí, camarada coronel.

Tatiana irguió el busto y apoyó ambas manos sobre el regazo, como si estuviese sentada en la Escuela de Oficiales de Seguridad. Estaba conmocionada, pero aquél no era el momento más adecuado para cosas personales. Toda su formación le decía que aquélla era una operación estatal. En aquel instante, estaba trabajando para su país. Fuera como fuese, la habían elegido para una importante *konspiratsia*. Como funcionario de la MGB, debía cumplir con su obligación y hacerlo bien. Escuchó atentamente, prestando toda su concentración profesional.

—Por el momento —dijo Rosa Klebb con tono oficial—, seré breve. Más tarde sabrás más cosas. En las próximas semanas se te formará para esta operación hasta que sepas lo que has de hacer exactamente en toda posible contingencia que se pueda presentar. Asimismo, se te enseñarán algunas costumbres extranjeras. Te equiparán con buenos vestidos. Te instruirán en todas las artes de la seducción. Luego partirás hacia un país extranjero, algún lugar de Europa. Allí encontrarás a este hombre. Le seducirás. En este asunto no has de albergar estúpidos prejuicios. Tu cuerpo pertenece al Estado. Desde tu nacimiento el Estado lo ha alimentado. Y ahora es tu cuerpo el que debe trabajar para ese Estado. ¿Queda bien entendido?

—Sí, camarada coronel.

La lógica parecía aplastante.

—Acompañarás a este hombre a Inglaterra. Allí, sin duda, te harán preguntas. Será un problema fácil porque los ingleses no emplean métodos duros. Responderás a todas las preguntas que te hagan lo mejor que sepas, pero siempre cuidando de no perjudicar al Estado. Te suministraremos algunas respuestas que nos agradaría que dieses. Probablemente te enviarán al Canadá. Allí es donde los ingleses envían a cierta categoría de detenidos extranjeros. Serás rescatada y regresarás a Moscú. —Rosa Klebb miró a la muchacha entornando los ojos. La joven parecía aceptarlo todo sin rechistar—. Ya lo estás viendo. Es un asunto relativamente sencillo. ¿Tienes alguna pregunta que hacer?

—¿Qué le sucederá al hombre, camarada coronel?

—Eso nos tiene sin cuidado. Le emplearemos simplemente como medio para introducirte en Inglaterra. El objeto de la operación es proporcionar falsa información a los ingleses. Por supuesto, camarada, nos alegrará conocer tus propias impresiones de la vida en Inglaterra. Los informes de una joven bien instruida y formada como tú serán de gran valor para el Estado.

—¡Desde luego, camarada coronel!

Tatiana se sintió muy importante. De repente, todo aquello sonaba a emocionante. ¡Si pudiera hacerlo bien! Haría todo lo que estuviera a su alcance para que las cosas saliesen bien. Pero, ¿y si no lograba que el inglés se enamorase de ella? Una vez más miró la fotografía. Ladeó la cabeza para estudiarla más detalladamente. Era un rostro atractivo. ¿Cuáles serían aquellas «artes de seducción» que acababa de mencionar Rosa Klebb? Quizá constituyesen una buena ayuda.

Satisfecha, Rosa Klebb se puso en pie.

—Y ahora, podemos descansar. El trabajo ha terminado por esta noche. Me retiro para asearme un poco y luego charlaremos un rato. Tardaré poco. Come esos bombones o se estropearán.

Rosa Klebb hizo con la mano un gesto vago y, reflejándose la preocupación en sus ojos, desapareció en la habitación contigua.

Tatiana se acomodó mejor en su asiento. ¡Así que aquello era todo! En realidad, no era tan malo. ¡Qué alivio! ¡Y qué honor haber sido elegida! ¡Qué estúpida había sido al tener tanto miedo! Naturalmente, los grandes dirigentes del Estado no permitirían que se le hiciese daño a una inocente ciudadana que trabajaba duro y no tenía marcas negras en su *zapiska*. Repentinamente, Tatiana se sintió inmensamente agradecida hacia la figura paternal del Estado y, a la vez, orgullosa de que ahora pudiera saldar su deuda. Incluso la Klebb no era tan mala, después de todo.

Aún estaba Tatiana revisando la situación cuando se abrió la puerta del dormitorio y la Klebb apareció en el umbral.

—¿Qué opinas de esto, querida?

La coronel Klebb extendió los rollizos brazos y giró sobre las puntas de los pies como una maniquí. Luego adoptó una pose con un brazo extendido y el otro curvado sobre la cintura.

Tatiana abrió la boca terriblemente asombrada. Luego la cerró con la misma celeridad. Buscó algo que decir.

La coronel Klebb, de la SMERSH, vestía un salto de cama semitransparente en *crêpe de chine* color naranja. El cuello, muy bajo, mostraba festones del mismo material, igual que los puños de las anchas mangas, muy fruncidas. Debajo se veía un sujetador formado por dos rosas de satén. Más abajo, unos pantalones pasados de moda, también de satén, sujetos sobre las rodillas por elásticos. Una de las rodillas, con un profundo hoyuelo, y semejante a un coco amarillento, sobresalía por la abertura inferior del camisón, imitando la posición clásica de las modelos de ropa interior. Los pies estaban calzados con zapatillas de satén rosa, adornadas con pompones de plumas de avestruz. Rosa Klebb se había quitado las gafas y su rostro aparecía cubierto por una espesa capa de maquillaje y carmín. Tenía todo el aspecto de la prostituta más vieja del mundo. Tatiana tartamudeó:

—Es... mu... muy... bo... nito.

—¿Verdad que sí?

Luego se dirigió hacia un amplio diván situado en un rincón de la estancia. Estaba cubierto por un tapiz de artesanía campesina. En el fondo, contra la pared, había unos cuantos cojines de colores chillones.

Con un gruñido de placer, Rosa Klebb se dejó caer en el diván adoptando una caricatura de pose a lo Madame Récamier. Alzó un brazo y encendió una lámpara de mesa con pantalla rosada. El pie de la lámpara era de cristal, una imitación de Lalique, en forma de mujer desnuda. Luego palmeó sobre el diván, a su lado, al mismo tiempo que decía:

—Apaga la luz del techo, querida. El interruptor está junto a la puerta. Luego ven y siéntate a mi lado. Tenemos que conocernos mucho mejor.

Tatiana caminó hasta la puerta y apagó la luz central. Su mano se apoyó con decisión en el pomo girándolo para abrir y saliendo, acto seguido, al pasillo. De repente, se derrumbaron sus nervios. Cerró con fuerza la puerta a su espalda y echó a correr por el pasillo, tapándose con ambas manos los oídos para no escuchar los gritos de sus perseguidores. Pero nadie intentó perseguirla.

# 10

# Arde la mecha

Era la mañana del día siguiente.

La coronel Klebb se hallaba ante la mesa de trabajo de su despacho, situado en el sótano de la SMERSH. Más bien parecía un cuarto de operaciones que un despacho o una oficina. Una de las paredes estaba completamente cubierta por un mapa del hemisferio occidental. La pared opuesta aparecía cubierta por otro mapa del hemisferio oriental. Detrás de la mesa de despacho y al alcance de su mano izquierda, un telescriptor tecleaba una señal *en clair* de vez en cuando, duplicando otra máquina del Departamento de Claves bajo los altos mástiles de radio del tejado del edificio. A veces, la coronel Klebb rompía alguna faja de papel y leía las señales. Era pura formalidad. Si sucedía algo importante, sonaría el teléfono. Todos los agentes de la SMERSH que operaban en el mundo entero estaban controlados desde aquel cuarto, control que evidentemente era rígido, férreo.

El agrisado rostro de Rosa Klebb aparecía lúgubre y disipado. Las grandes ojeras estaban hinchadas y el blanco de los ojos inyectado en sangre.

Uno de los tres teléfonos que había a su lado sonó suavemente. Tomó el auricular.

—Hazle pasar. —Luego se volvió hacia Kronsteen, quien se hallaba sentado junto a la pared bajo el mapa de África, limpiándose los dientes con un clip metálico—. Granitsky —dijo ella.

Kronsteen, lentamente, volvió la cabeza hacia la puerta.

Entró Grant el Rojo y cerró la puerta suavemente tras él. Luego avanzó hacia la mesa parándose obedientemente, casi con humildad, y mirando con ansia a los ojos de su superior. Kronsteen pensó que aquel hombre se parecía a un poderoso mastín esperando que le arrojasen su comida.

Rosa Klebb le estudió fríamente.

—¿Estás dispuesto para el trabajo?

—Sí, camarada coronel.

—Bien. Te echaremos una ojeada. ¡Desnúdate!

La orden no produjo ninguna sorpresa en Grant. Se quitó el abrigo y, después de mirar a su alrededor buscando un lugar donde dejarlo, lo depositó en el suelo. Luego, sin prestar atención, se quitó el resto de la ropa y se desprendió de sus zapatos. El gran cuerpo moreno y su pelo dorado resplandecían en la gris habitación. Grant permaneció inmóvil, relajado, con las manos cerca de los costados y adelantando ligeramente una rodilla, como si estuviera posando para una clase de dibujo artístico.

Rosa Klebb se puso en pie y se acercó al hombre. Examinó el cuerpo con sumo cuidado, tanteando aquí y allá, como si estuviese comprando un caballo. Luego se situó detrás de él y continuó su inspección. Kronsteen vio cómo extraía algo del bolsillo de su chaqueta y lo ajustaba en una mano. Brilló el metal.

La mujer se situó nuevamente delante de Grant, muy cerca del estómago. Ocultaba el brazo derecho tras la espalda. Rosa Klebb clavó sus ojos en los de Grant. De repente, con formidable velocidad, e impulsando el golpe con todo el peso de su hombro, hundió su puño derecho armado con un pesado «puño americano» en el estómago del hombre, exactamente en su plexo solar.

Grant emitió un resoplido de sorpresa y dolor. Cedieron sus rodillas un tanto, pero inmediatamente se tensaron. Durante una décima de segundo los ojos se cerraron con agonía. Al abrirlos, se clavaron con fijeza en las pupilas amarillentas que miraban tras los cuadrados cristales de las gafas. Aparte de un fuerte enrojecimiento de la piel, Grant no mostró ningún otro efecto ante un golpe que hubiese enviado al suelo a cualquier hombre normal retorciéndose de dolor.

Rosa Klebb sonrió irónicamente. Se guardó el «puño americano» en el bolsillo y tomó asiento ante su mesa. Luego miró a Kronsteen con expresión de orgullo diciendo:

—Al menos, se mantiene en buena forma.

Kronsteen gruñó algo ininteligible.

El hombre desnudo sonrió, profundamente satisfecho. Se frotó el estómago suavemente, con una mano.

Rosa Klebb se recostó en su sillón y contempló al hombre, pensativa. Finalmente dijo:

—Camarada Granitsky, hay trabajo para ti. Una tarea muy importante. Más importante que todo cuanto has hecho hasta ahora. Es algo que puede porporcionarte una medalla, ya que la víctima es difícil y peligrosa. Estarás en un país extranjero y solo. ¿Entendido?

Los ojos de Grant brillaron.

—Sí, camarada coronel.

Grant se sentía emocionado. Allí estaba la ocasión que esperaba desde hacía tanto tiempo. ¿Qué medalla sería? ¿La Orden de Lenin? Escuchó atentamente.

—El objetivo es un espía inglés. ¿Te gustaría matar a un espía inglés?

—¡Por supuesto que sí, camarada coronel!

Era auténtico el entusiasmo de Grant. No podía ansiar nada mejor que asesinar a un espía de aquella nacionalidad. Tenía cuentas que ajustar con aquellos bastardos.

—Necesitarás muchas semanas de entrenamiento y preparación. En esta misión operarás bajo el disfraz de agente inglés. Tus maneras y apariencia son toscas. Por lo menos, habrás de aprender algunos trucos..., los trucos de un *gentleman*. Te pondrás en manos de cierto inglés que tenemos aquí. Es un antiguo *gentleman* del Foreign Office de Londres. Su tarea consistirá en lograr hacerte pasar por una especie de espía inglés. Ellos emplean a muchas clases de hombres. No debe ser difícil. Y, asimismo, deberás aprender otras muchas cosas. La operación tendrá lugar a últimos del mes de agosto, pero iniciarás tu formación inmediata-

mente. Hay mucho que hacer. Preséntate al ayudante. ¿Entendido?

—Sí, camarada coronel. —Grant sabía muy bien
que no debía hacer preguntas. Mostrando una total indiferencia ante los ojos de la mujer que le contemplaba, se vistió, y se dirigió a la puerta aboto-
nándose el abrigo. Allí se volvió y dijo—: Gracias,
camarada coronel.

Rosa Klebb ya estaba redactando una nota sobre la entrevista. No respondió ni alzó la cabeza.
Grant salió y cerró la puerta suavemente a su espalda.

Al cabo de unos segundos, la mujer dejó la pluma y se acomodó mejor en su asiento.

—Y ahora, camarada Kronsteen, ¿hay algún
punto a discutir antes de que pongamos toda la ma-
quinaria en marcha? Debo mencionar que el Presidium ha aprobado el objetivo y ratificado la sentencia de muerte. Informé sobre tu plan al camarada
general Grubozaboyschikov. Está de acuerdo. De-
jan en mis manos los detalles de la operación. El
personal de planificación y operaciones ya se ha se-
leccionado y espera comenzar el trabajo. ¿Tienes
alguna idea de última hora, camarada?

Kronsteen estaba sentado y miraba hacia el techo, uniendo las yemas de los dedos ante él, indiferente al tono de condescendencia que dominaba la
voz de la mujer. El pulso de sus sienes reflejaba su
concentración.

—Este individuo, Granitsky, ¿es fiable? ¿Puedes confiar en él estando en un país extranjero? ¿No
desertará?

—Ha estado a prueba desde hace diez años. Ha tenido muchas ocasiones para escapar. Se le ha vigilado estrechamente por si sentía *picazón en los pies*. Pero nunca hubo en él la menor sombra de sospecha. Su situación es parecida a la de un toxicómano. Así como un drogadicto jamás abandonaría a quien le proporciona cocaína, este individuo tampoco dejaría nunca a la Unión Soviética. Es mi ejecutor *número uno*. No lo hay mejor.

—Y esa chica, Romanova, ¿resulta satisfactoria también?

La mujer respondió malhumorada:

—Es muy hermosa. Servirá a nuestro propósito. No es virgen, pero es una muchacha decente y poco madura sexualmente. Recibirá una buena instrucción. Su inglés es excelente. Ya le hablé un poco sobre su tarea y objetivos. Cooperará bien. Si muestra señales de duda o fallos tengo la dirección de ciertos parientes suyos, incluyendo a niños. También tengo los nombres de sus primeros amantes. Si se hace necesario, habrá que explicarle que estas personas serán rehenes hasta que termine su tarea. La muchacha posee una naturaleza afectuosa. En consecuencia, tal explicación sería más que suficiente. Pero, en realidad, no creo que haya dificultades por su parte.

—Romanova... ése es el nombre de un *buivshi*, gente de la antigua aristocracia. Parece extraño emplear a un Romanov para tarea tan delicada.

—Sus abuelos se hallaban emparentados, aunque lejanamente, con la familia imperial. Pero ella no frecuenta esos círculos *buivshi*. De todos modos, todos nuestros abuelos pertenecían a la misma raza. Nada se puede hacer en ese terreno.

—Pero nuestros abuelos no se llamaban Romanov —replicó Kronsteen secamente—. De todas maneras, mientras a ti te agrade... —Kronsteen reflexionó durante unos segundos y añadió—: Y ese Bond, ¿sabemos ya por dónde anda?

—Sí. La sección inglesa de la MGB informó de que está en Londres. Durante el día en la oficina. Por la noche duerme en su piso de Chelsea, un distrito de la ciudad.

—Perfectamente. Esperemos que siga allí durante las próximas semanas. Eso significará que no se ocupa de ninguna operación. Se lanzará hacia el cebo cuando lo huela. Mientras tanto... —Kronsteen continuó examinando con mucha atención determinado punto del techo. Luego añadió—: Estuve estudiando los enclaves extranjeros más idóneos. Para el primer contacto me decidí por Estambul. Allí contamos con un buen dispositivo. El Servicio Secreto inglés sólo tiene un pequeño centro. El jefe, según nuestros informes, es un hombre de valía. Será eliminado. A nosotros nos conviene pues tenemos líneas cortas de comunicación con Bulgaria y el mar Negro, y está relativamente lejos de Londres. Estoy trabajando los detalles acerca del lugar del asesinato y los medios de llevar a Bond allí, una vez se haya puesto en contacto con la muchacha. Será en Francia o algún lugar cercano. Tenemos buenas influencias en la prensa francesa. Convertirán este caso en una historia sensacionalista con implicaciones sexuales y espionaje. También queda por decidir cuándo entrará en escena Granitsky. Pero éstos son detalles menores. Tenemos que elegir fotógrafos y demás personal para llevarles tranquilamente a Estambul. Allí nuestro dispositivo contará con el menor número de agentes posible y sus actividades no deberán calificarse como insólitas. Avisaremos a todos los departamentos de que los contactos por radio con Estambul, o mejor con Turquía, han de mantenerse dentro de la más absoluta normalidad antes y durante la operación. No deseamos que los británicos huelan algo. El Departamento de Claves está de acuerdo en que no habrá dificultades en cuanto se refiere a la seguridad, si se envía la caja de una máquina Spektor. Será un cebo atractivo. La máquina irá a la Sección de Dispositivos Especiales. La prepararán bien.

Kronsteen dejó de hablar y de mirar hacia el techo. Luego se puso en pie, reflexionando aún. Acto seguido, contempló los ojos ansiosos de la mujer.

—Por el momento no se me ocurre nada más, camarada —dijo—. Habrá muchos más detalles que deberán irse perfeccionando día a día. Pero creo que puede iniciarse la operación con toda seguridad.

—De acuerdo, camarada. Pues, en marcha. Daré las órdenes necesarias. Y agradezco mucho tu cooperación —respondió con voz firme Rosa Klebb.

Kronsteen inclinó ligeramente la cabeza, asintiendo, se volvió, y, sin pronunciar ni una sola palabra más, abandonó el cuarto.

En medio del silencio, el telescriptor inició una vez más su cháchara mecánica. Rosa Klebb se agitó en su asiento y extendió una mano hacia los teléfonos. Marcó un número.

—Cuarto de Operaciones —respondió una voz masculina.

Los claros ojos de Rosa Klebb, vueltos hacia el fondo de la estancia, se clavaron en la forma rosada que en el mapa representaba a Inglaterra. Sus húmedos labios se abrieron.

—Habla la coronel Klebb. *Konspiratsia* contra el espía inglés Bond. La operación comenzará inmediatamente.

# SEGUNDA PARTE

## La ejecución

# 11

## «La dolce vita»

Los atractivos brazos de la *dolce vita* rodeaban el cuello de Bond. Era hombre de acción y cuando, durante un largo periodo de tiempo no había lucha, declinaba su espíritu.

Reinaba la paz en su oficio desde hacía aproximadamente un año, y la paz le estaba matando.

A las 7.30 de la mañana del jueves, día 12 de agosto, Bond despertó en su cómodo piso orientado hacia una plaza con árboles, cerca de King's Road, sintiéndose profundamente disgustado al tener que enfrentarse con otro día de aburrimiento. Así como, al menos en una religión, la pereza es el primero de los pecados capitales, el aburrimiento y, en particular, la increíble circunstancia de despertar ya aburrido, era el único vicio que Bond condenaba.

Bond se incorporó y tocó dos veces el timbre para hacer saber a May, su apreciada ama de llaves escocesa, que estaba listo para desayunar. Con un rápido movimiento, apartó de sí la sábana que cubría su cuerpo desnudo y puso los pies en el suelo.

Solamente había una forma de combatir el aburrimiento. Eliminarlo a patadas. Bond se tumbó boca abajo apoyando ambas manos en el suelo. Luego hizo veinte lentas flexiones, una sobre cada mano, sin dar descanso a los músculos. Cuando los brazos ya no soportaron el dolor por más tiempo, se dejó caer boca arriba y, con las manos en las caderas, inició unos abdominales hasta que le dolió el estómago. Se incorporó y, después de inclinarse hasta tocarse los pies veinte veces, comenzó unos ejercicios respiratorios combinando brazos y pecho, hasta que sintió vértigos. Jadeando por el cansancio, entró en el cuarto de baño cubierto hasta el techo de baldosines blancos y, acto seguido, se duchó con agua muy caliente y después con fría, durante cinco minutos.

Por último, tras afeitarse y ponerse una camisa de algodón azul marino, sin mangas, y unos pantalones de hilo, también azules, se calzó unas zapatillas de cuero negro y se acercó hasta la gran sala de estar con la satisfacción de haber sudado el aburrimiento, al menos por el momento.

May, una criada escocesa con cabellos grises y un rostro aún bello con expresión reservada, entró con la bandeja del desayuno y la depositó sobre la mesa, frente a la ventana, junto con el *Times*, el único periódico que leía Bond.

Éste le dio los buenos días y tomó asiento para desayunar.

—Buenos días-s. —Para Bond, una de las cualidades más apreciadas de May era que ella nunca llamaría a nadie «señor» excepto —y Bond se había burlado de ello años atrás— a los reyes ingleses y a Winston Churchill. Como muestra de excepcional consideración, concedía a Bond de vez en cuando la mención de una «s» al final de su nombre.

La mujer permaneció junto a Bond mientras abría el periódico por la página central.

—El hombre de la televisión estuvo aquí anoche.

—¿Qué hombre es ése? —interrogó Bond examinando los titulares de prensa.

—El hombre que siempre nos visita. Desde el mes de junio lo ha hecho seis veces. Después de lo que le dije la primera vez acerca de ese maldito aparato, cualquiera creería que ya no iba a intentar vendernos uno. ¡Incluso alquilado, si usted lo desea!

—Estos vendedores son muy tenaces —comentó Bond dejando el periódico sobre la mesa para alcanzar la cafetera.

—Anoche le hablé claro. ¡Mira que molestar a la gente precisamente a la hora de la cena! Le pregunté si llevaba encima alguna documentación para demostrarme quién era.

—Espero que eso le haya detenido en seco —dijo Bond llenando la taza hasta el borde.

—Nada de eso. Blandió el carné del sindicato; dijo que tenía que ganarse la vida y que pertenecía a la Unión de Electricistas. Son comunistas, ¿verdad-s?

—Sí, eso es —replico Bond vagamente. De repente, tuvo otro pensamiento. ¿Sería posible que *ellos* no le perdiesen de vista? Bebió un sorbo de café y dejó la taza sobre la mesa. Luego añadió—: ¿Qué fue lo que dijo exactamente ese hombre, May?

—Dijo que vendía aparatos de televisión a comisión en sus ratos libres, y preguntó si estábamos seguros de no necesitar uno. Añadió que somos los únicos en esta plaza que no lo tenemos. Debió de fijarse en que no poseemos ninguna de esas antenas. Siempre pregunta si está usted en casa para poder charlar sobre el asunto. ¡Qué tipo más pesado! Me sorprende que nunca le haya esperado ahí fuera al entrar o al salir. Otras veces pregunta si espero que usted venga a casa. Naturalmente, jamás le he dicho una sola palabra sobre sus movimientos. Si no fuera tan inoportuno, yo diría que es un hombre honesto y de buenas palabras.

«Podría ser», pensó Bond. Había muchos medios de comprobar si el dueño de la casa estaba en ella o fuera. La apariencia y las reacciones de la criada, una ojeada a través de la puerta abierta. «Bien, pierdes el tiempo porque ha salido», sería la evidente reacción si el piso estuviese vacío. ¿Debía comunicarlo a la Sección de Seguridad? Bond, un tanto irritado, se encogió de hombros. ¡Qué diablos! Probablemente aquello carecía de importancia. ¿Por qué *ellos* habían de interesarse por él? Y si había algo de cierto en aquello, la Seguridad podía cambiarle de piso inmediatamente.

—Confío en que esta vez le haya espantado —comentó Bond sonriendo—. Creo que no volverá a verle más.

—Sí-s... —respondió May con tono de duda.

De todos modos, había cumplido las órdenes de Bond de que le avisara si veía a alguien rondando por las cercanías. Al abandonar la sala de estar, May hizo sonar la rígida tela del anticuado uniforme que ella insistía en usar incluso en pleno mes de agosto.

Bond continuó desayunando. Generalmente, eran ese tipo de indicios los que iniciaban una persistente intuición en su mente; en otros tiempos no se hubiese sentido satisfecho del todo hasta haber resuelto el problema del hombre del sindicato comunista que insistía en visitar su casa. En aquel momento, tras muchos meses de descanso y de pereza, la espada se oxidaba en la vaina, y la guardia mental de Bond estaba baja.

El desayuno era para Bond la comida favorita del día. Cuando se encontraba en Londres, siempre era igual. Consistía en café muy cargado, procedente de De Bry, en Oxford Street, y hecho en una cafetera americana Chemex. Bebía dos tazas sin azúcar. El huevo cocido que había sobre una huevera de color azul con borde dorado hervía exactamente durante tres minutos y cuarto.

Era un huevo muy fresco, de color moreno, producto de gallinas francesas Marans, que una de las amigas de May poseía en el campo. (A Bond no le gustaban los huevos blancos y, aunque a veces era un maníaco en los detalles, insistía en que no hay nada que se acerque tanto a la perfección como un huevo cocido a punto.) Luego venían dos gruesas tostadas, una buena cantidad de mantequilla de Jersey y tres pequeños cuencos de cristal que contenían mermelada de fresas, miel, y mermelada de Cooper's Vintage Oxford. La cafetera y la cubertería de plata eran estilo reina Ana, y la porcelana Minton, del mismo color azul oscuro, oro y blanco que la huevera.

Aquella mañana, mientras Bond terminaba su desayuno con miel, analizó la causa inmediata de su letargo y de su baja forma de espíritu. Para empezar, Tiffany Case, su amor durante tantos felices meses, le había dejado; después de algunas dolorosas semanas durante las cuales ella se había retirado a un hotel, a finales del mes de julio partió para América. Bond la echaba mucho de menos, y cuando pensaba en ella su espíritu todavía navegaba a la deriva. Era el mes de agosto y Londres aparecía sin ningún interés bajo el calor. Había llegado su turno de vacaciones, pero no sentía el menor deseo de irse solo, ni tampoco ansiaba encontrar una sustituta provisional de Tiffany para que le acompañara. Por lo tanto, se había quedado en el medio vacío cuartel general del Servicio Secreto, pasando el tiempo entre aburridas tareas, enfadándose con la secretaria y mostrándose áspero con sus colegas.

Incluso M se había cansado del impaciente tigre que rugía en el piso de abajo, y el lunes de aquella misma semana le había enviado una nota nombrándole miembro de una comisión de investigación presidida por el capitán tesorero Troop. La nota decía que ya era hora de que Bond, como veterano funcionario del Servicio, se hiciese cargo de importantes problemas administrativos. De todos modos, no había a mano nadie más que él. El cuartel general andaba escaso de gente y la Sección 00 estaba tranquila. Bond debía presentarse aquella tarde a las 14.30 en la sala 412.

Bond, al encender el primer cigarrillo del día, pensó que aquel Troop era el causante de su descontento y de su depresión.

En todas las grandes empresas hay siempre un hombre que es el tirano y la bestia negra, a quien todos los empleados aborrecen. Este individuo desempeña, inconscientemente, un papel importante actuando como cauce de todos los odios y temores de sus colegas. De hecho, reduce la influencia perniciosa de tales odios y temores proporcionándoles un objetivo común. Y este sujeto es generalmente el jefe de administración o el director. Por otra parte, es casi siempre el que vigila los detalles más nimios, los gastos menores: luz, calefacción, toallas y jabón de los lavabos, suministros de oficina, cantina, turnos de vacaciones, puntualidad del personal... y, asimismo, es quien se encarga de hacer cómoda y confortable la oficina, extendiendo su autoridad hasta el ámbito privado y los hábitos personales de los hombres y mujeres de la organización. Para poder desempeñar esta función y tener la preparación necesaria, el individuo en cuestión ha de poseer exactamente aquellas cualidades que irritan y exasperan a los demás. Debe ser, además, parsimonioso, observador, minucioso, y saber disimular su indiscreción; tener disciplina y ser totalmente indiferente a la opinión ajena. Un pequeño dictador. En todas las organizaciones que funcionan bien existe tal individuo. En el Servicio Secreto esta labor la desempeñaba el capitán tesorero Troop, retirado de la Armada, jefe de administración, y cuyo trabajo consistía, según sus propias palabras, en «mantener el lugar en perfecto orden y al estilo de Bristol» *.

* Referencia a la proverbial disciplina que reina en la Escuela Naval de Bristol. (*N. del T.*)

Era inevitable que las obligaciones del capitán Troop le hicieran tener dificultades y choques con la mayor parte de los miembros de la organización; pero era especialmente lamentable que M le considerase indispensable como presidente de aquel comité. En realidad, se trataba de otra de aquellas comisiones investigadoras que estudiaban las delicadas complejidades del caso Burgess y Maclean, y las lecciones que de tal asunto se podían aprender. Lo había ideado M cinco años después de haber cerrado su expediente particular sobre el caso, únicamente como estrategia con vistas a la investigación del Consejo Privado sobre los Servicios de Seguridad que el primer ministro había instituido en el año 1955.

Inmediatamente, Bond había iniciado una batalla con Troop sobre el empleo de intelectuales en el Servicio Secreto. Con perversidad, y sabiendo que molestaría, Bond hizo la propuesta de que, si tanto el MI5 como el Servicio Secreto deseaban preocuparse seriamente del espía intelectual de la era atómica, no había más remedio que contratar los servicios de cierto número de intelectuales para la lucha. Bond había declarado a continuación que «es imposible que los oficiales retirados de la India puedan entender los procesos mentales de un Burgess o un Maclean». Ni siquiera sabían que existían, y muchísimo menos se hallaban en situación de ponerse en contacto con sus círculos, conocer a sus amigos y llegar a averiguar sus secretos. Tras la marcha de Burgess y Maclean a Rusia, la única manera de volver a ponerse en contacto con ellos y, quizá cuando se hubiesen cansado de aquel país, llegar a

convertirles en agentes dobles contra los rusos, sería enviar a sus mejores amigos a Moscú, Praga y
Budapest, con orden de esperar hasta que uno de
aquellos sujetos surgiese de la oscuridad y estable-
ciese contacto. Tal vez Burgess lo haría, impulsado
por la angustia de su soledad y por el deseo de contar su aventura a alguien. Pero, sin duda alguna, era
muy improbable que se presentase ante un individuo o individuos ataviados con gabardinas militares, bigotes de caballería y coeficiente mental cero,
característica de todo militar.

«¡Oh, por supuesto! —había dicho Troop con
fría calma—. De manera que sugieres que amplie-
mos la organización con pervertidos de cabellos largos. Es una idea genial. Yo suponía que todos estábamos de acuerdo en que los homosexuales eran el
peor de los riesgos que se podía correr en el terreno de la seguridad. No acabo de imaginar a los americanos entregando secretos atómicos a un puñado
de maricas perfumados.»

«Bueno, no todos los intelectuales son homosexuales, e incluso muchos de ellos están calvos. Lo
que quiero decirles...»

Y así había continuado la discusión prolongán-
dose en las reuniones de los últimos tres días. Los
demás miembros del comité se habían puesto al lado de Troop en mayor o menor medida. En aquel
momento, tenían que redactar las conclusiones y
Bond se preguntaba si debía dar o no el impopular
paso de presentar una moción minoritaria.

¿Hasta qué punto se sentía seriamente preocupado por aquella cuestión?, se preguntó Bond al sa-

lir de su casa, a las nueve en punto, para subir al coche. ¿Acaso se estaba mostrando obstinado y un tanto mezquino? ¿No se había aislado de los demás formando minoría por el simple hecho de ir a contracorriente? ¿Se sentía tan aburrido que no hallaba otra cosa en qué entretenerse, a no ser armar jaleo en la organización? Bond no podía decidirse. Sentía inquietud e indecisión y, además, una persistente intranquilidad que tampoco podía definir.

Cuando puso el coche en marcha y oyó el gruñido del doble tubo de escape del Bentley, una curiosa y repugnante cita acudió a su mente: «Dios aburre primero a aquellos a quien quiere destruir».

# 12

## Un trozo de pastel

Pero Bond no tuvo que tomar una decisión sobre el informe final del comité.

Había felicitado a su secretaria por el nuevo vestido de verano que lucía y había examinado la mitad de los informes llegados durante la noche cuando sonó el teléfono rojo, lo que únicamente podía significar llamada de M o de su jefe de Estado Mayor.

Bond tomó el auricular.

—007 —dijo.

—¿Puedes subir? —interrogó el jefe de Estado Mayor.

—¿Se trata de M?

—Sí. Y tengo la impresión de que la charla será larga. Le dije a Troop que no acudirás a la reunión del comité.

—¿Alguna idea de lo que hay esta vez?

—Si quieres que te diga la verdad, pues sí, pero preferiría que lo escucharas de sus propios labios. Imagino que te sorprenderá el asunto. Esta vez será muy diferente a las demás.

A la vez que Bond se ponía la chaqueta y salía al pasillo, cerrando la puerta con fuerza a su espalda, tuvo el presentimiento de que acababa de dispararse la pistola señalando la salida y que habían llegado a su fin los días de mortal aburrimiento. Incluso durante el corto viaje del ascensor y durante el tiempo que invirtió en recorrer el pasillo de la planta superior hacia el despacho de M, continuó experimentando la sensación de que el ambiente se había cargado repentinamente con la excitación de aquellas otras ocasiones en las que el sonido del teléfono rojo había sido la señal que le había disparado, como un proyectil, hacia algún distante objetivo, por supuesto, elegido por M.

Los ojos de la señorita Moneypenny, secretaria privada de M, mostraban, cuando le sonrió, una expresión familiar y expectante. Oprimió el botón de comunicación interior.

—007 está aquí, señor —murmuró ante el aparato.

—Que pase —respondió la metálica voz, al mismo tiempo que sobre la puerta se encendía la luz roja.

Bond abrió la puerta y luego la cerró suavemente a su espalda. La estancia estaba fresca, o quizá las persianas venecianas eran las que producían tal impresión. Arrojaban sobre la alfombra verde oscuro barras de luz y sombras que alcanzaban el mismo borde de la gran mesa central. Allí se detenía la luz del sol, de forma que la inmóvil figura sentada ante la mesa de despacho quedaba medio envuelta en esmeraldina sombra. En el techo y sobre la mesa funcionaba un gran ventilador, novedad en el despacho de M, removiendo el aire pesado del mes de agosto que allí arriba, por encima de Regent's Park, era caluroso y agobiante.

M señaló una silla situada frente a la mesa. Bond se sentó y miró directamente al rostro de marino surcado de arrugas que tanto apreciaba, honraba y obedecía.

—¿Tiene algún inconveniente en que le haga una pregunta muy personal, James?

M jamás hacía preguntas de carácter personal. Bond no pudo imaginar en aquel instante qué era lo que ocurría.

—No, señor.

M recogió su pipa de encima de un gran cenicero de cobre y comenzó a llenarla, pensativamente, como si estudiase los movimientos de sus dedos sobre el tabaco. Luego dijo ásperamente:

—No necesita responder, pero se relaciona con su... bien, con su amiga, la señorita Case. Como usted bien sabe, estas cosas generalmente no me interesan, pero he oído decir que se ven ustedes muy a menudo desde aquel asunto de los diamantes. Incluso se insinúa que parece que habrá boda. —M miró a Bond y, después, de nuevo hacia la pipa. Colocó esta última entre los dientes y la encendió. A continuación, y a través de la comisura de la boca, dando fuertes chupadas a la pipa, añadió—: ¿Podría decirme algo más sobre eso?

«¿Y ahora qué?», pensó Bond. «¡La maldita comidilla de aquellas oficinas!» Respondió frunciendo el ceño:

—Bueno, señor..., nos llevábamos bien. Incluso pensamos en casarnos, efectivamente. Pero más tarde ella conoció a un tipo de la Embajada americana, alguien del personal que trabajaba para el agregado militar o así. Creo que se trataba de un comandante de Marina, y también creo que se casará con él. Los dos han regresado a Estados Unidos. Y quizá sea mejor así. Estos matrimonios mixtos nunca salen bien. Por otra parte, el tipo parece una buena persona y a ella le convendrá más vivir allá que en Londres. Realmente no podía acostumbrarse a esta ciudad. Buena chica, pero un poco neurótica. Tuvimos muchas discusiones. Seguro que por mi culpa. De todos modos, eso ya terminó.

M esbozó una de sus raras sonrisas y se iluminaron sus ojos.

—Siento mucho que las cosas terminaran de esa manera, James —dijo.

No había la menor simpatía en el tono de voz de M. En el fondo, desaprobaba constantemente la tendencia de Bond hacia el «faldeo», como él lo calificaba, al mismo tiempo que reconocía que tal prejuicio no era más que un resto de su educación, un tanto victoriana. Pero, como jefe de Bond, lo último que deseaba era verle permanentemente atado a las faldas de una mujer. Al cabo de unos segundos de silencio, M añadió:

—Pero quizá eso haya sido lo mejor. En este oficio no se puede uno mezclar con mujeres neuróticas. Se cuelgan del brazo que ha de aguantar la pistola, si entiende usted lo que quiero decir. Perdóneme por haberle hecho preguntas. Tenía que conocer su respuesta antes de explicarle lo que tenemos ante nosotros esta vez. Es un asunto realmente extraño. Y habría sido muy difícil encomendárselo a usted..., en el caso de que hubiese estado a punto de casarse o algo por el estilo.

Bond asintió ligeramente con un movimiento de cabeza, esperando el resto de la explicación.

—Bien —continuó M con una nota de alivio en su voz y recostándose sobre el respaldo de su sillón, a la vez que daba un par de fuertes chupadas a la pipa—. Esto es lo que ha sucedido. Ayer recibimos un largo mensaje de Estambul. Parece ser que, el martes, el jefe de la Sección T recibió un mensaje anónimo mecanografiado diciéndole que tomara un billete de ida y vuelta para el ferry de las 20.00, que hace el recorrido desde el puente de Galata hasta la boca del Bósforo. El jefe de la Sección T es hombre aventurero y, naturalmente, tomó el vapor. Una vez a bordo, permaneció en pie junto a una de las barandillas, esperando que sucediese algo. Al cabo de un cuarto de hora, se acercó una muchacha, una joven rusa, al parecer de muy buen aspecto, y, tras haber charlado durante un rato sobre el panorama y demás, la joven cambió repentinamente de actitud y de tema y le relató una extraordinaria historia, siempre con el mismo tono distendido.

M se detuvo para encender nuevamente la pipa.

—¿Quién es el jefe de T, señor? —interrogó Bond— Nunca he trabajado en Turquía.

—Un hombre llamado Kerim. Darko Kerim. Padre turco y madre inglesa. Individuo muy notable. Es jefe de T desde antes de la guerra. Probablemente también sea uno de los mejores hombres que tenemos en el exterior. Su trabajo siempre es extraordinario, porque, sin duda, le gusta. Es muy inteligente y conoce aquella parte del mundo como la palma de su mano... —M dejó de hablar de Kerim e hizo un gesto ambiguo con la pipa. Luego continuó—: Como decía antes, la muchacha asegura que ella era cabo de la MGB. Dijo también que pertenecía a la organización desde que había dejado la escuela y que la habían destinado a Estambul como oficial en clave. Después añadió que ella misma había fraguado el traslado porque deseaba salir de Rusia.

—No está nada mal todo eso —murmuró Bond—. Podría ser útil contar con una de sus muchachas en clave. Pero, ¿por qué quiere abandonar Rusia?

M miró a Bond.

—Porque está enamorada —respondió—. Asegura que está enamorada de usted.

—¿Enamorada... de *mí*?

—Sí, de usted. Eso es lo que ella dice. Se llama Tatiana Romanova. ¿Ha oído hablar de ella?

—¡Por todos los dia...! Bien, perdón, señor, quiero decir que no. —M sonrió al darse cuenta de la serie de diferentes expresiones que se reflejaban en las facciones de Bond. Este último añadió—: Pero... ¿qué diablos significa todo eso? ¿Es que me ha conocido o visto alguna vez? ¿Cómo sabe que existo?

—De acuerdo —respondió M—. La cosa parece un tanto ridícula y absurda. Pero resulta tan inaudita que incluso puede que sea verdad. Esa joven tiene veinticuatro años. Desde que ingresó en la MGB ha estado trabajando en su Índice Central, equivalente a nuestro Registro. Y, además, ha estado en su sección inglesa durante seis años. Uno de los expedientes de los que se ocupaba era el de usted.

—Me gustaría verlo —comentó Bond.

—Según sus palabras, se encaprichó al principio por las fotografías. Admiraba su aspecto y demás. —M se detuvo y curvó hacia abajo las comisuras de su boca, como si estuviera degustando algo ácido. Luego añadió—: Leyó todos sus casos. Y, finalmente, decidió que usted era una especie de héroe de leyenda. —Bond miró hacia el suelo. El rostro de M en aquel momento no mostraba la más mínima expresión—. Después añadió que usted le recordaba al héroe protagonista de un libro escrito por un ruso llamado Lermontov. Al parecer, era su libro favorito. Este héroe estaba constantemente escapando de situaciones muy apuradas. Bueno, de todos modos, usted le recordó a semejante héroe de novela. Luego dijo que había llegado a no pensar en nada más y, cierto día, tuvo la idea de lograr el traslado a uno de los centros del extranjero; quizá así podría ponerse en contacto con usted, que llegaría hasta ella para rescatarla.

—Jamás he oído relato tan estúpido, señor. Seguramente el jefe de T no se lo habrá tragado.

—Bien, veamos..., un momento —respondió M con suma calma—. Por favor, no considere usted tan a la ligera hechos que puedan parecerle estúpidos por la sencilla razón de que jamás oyó hablar de ellos. Supongamos que fuera usted un artista de cine en lugar de hallarse metido en esta profesión tan... particular. Recibiría usted cartas estúpidas de muchachas de todo el mundo en las que le dirían sabe Dios qué clase de cretineces sobre lo que sentían no poder vivir con usted y demás. Aquí tenemos a una estúpida joven desempeñando el cargo de secretaria en Moscú. Probablemente todo el departamento, su departamento, estará abarrotado de mujeres, al igual que nuestro Registro. Allí no habrá un solo hombre al que poder mirar; y así tenemos a esa joven frente a su fotografía, frente a sus... digamos apuestas facciones, frente a un expediente que estaría manejando constantemente. Entonces cae rendida (¿no se diría así?) ante esas fotos, de la misma manera que las demás secretarias del mundo entero caen ante esos afeminados rostros que aparecen en todas las revistas. —M guardó silencio y movió una mano hacia arriba como si tratara de indicar su ignorancia respecto a aquellos hábitos femeninos. Luego añadió, sonriendo—: No quiero decir con esto que sus facciones sean afeminadas; todo lo contrario. Y bien sabe Dios que no entiendo una sola palabra de estas cosas. Pero debe usted admitir que suceden.

Bond sonrió ante las palabras de M, que parecía solicitar su ayuda.

—Bien, en realidad, señor, estoy comenzando a darme cuenta de que quizá todo eso tenga algún sentido. No hay razón para que una chica rusa no pueda ser tan estúpida como una inglesa. Sin embargo, esa joven debe tener valor para hacer lo que hace. ¿No ha dicho nada el jefe de T sobre si la muchacha se daba cuenta de lo que podría sucederle si la descubrían?

—Dijo que la joven estaba muy atemorizada. Se pasó todo el tiempo mirando a su alrededor por si alguien la vigilaba. Sin embargo, creo que no habían embarcado más que los campesinos y obreros de costumbre y, como era el último vapor de aquel turno, no había mucha gente en él. Pero... un momento, porque no ha escuchado usted más que la mitad de la historia. —M dio una larga chupada a la pipa y lanzó una espesa bocanada de humo hacia el ventilador. Bond contempló cómo el humo era inmediatamente captado por las palas hasta reducirlo a nada—. La muchacha dijo a Kerim que esta pasión por usted gradualmente fue convirtiéndose en auténtica fobia hacia todos los hombres rusos. Con el tiempo, tal obsesión la indispuso contra el régimen y, muy particularmente, contra el trabajo que realizaba para ellos y, por así decirlo, contra usted. Luego, la joven solicitó un traslado al extranjero y, como habla muy bien francés e inglés, a su debido tiempo le ofrecieron un puesto en Estambul si estaba dispuesta a formar parte del Departamento de Cifrado, lo que, a la vez, significaba una rebaja en su sueldo. Resumiendo, después de una formación de seis meses, llegó a Estambul hace ahora tres semanas. La muchacha realizó sus propias investigaciones y, finalmente, supo el nombre de nuestro hombre, de Kerim. Lleva allí tanto tiempo que todo el mundo sabe lo que hace ahora. A él no le importa, porque así pasan desapercibidos los agentes especiales que enviamos de vez en cuando. Nunca está de más disponer de una *cabeza de turco* en aquellos lugares. Llegarían hasta nosotros muchos clientes si supieran adónde ir y con quién hablar.

—El agente conocido por el público hace a menudo mejor las cosas que el hombre que ha de invertir mucho tiempo y energías en ocultarse —comentó Bond.

—A continuación, la muchacha envió la nota a Kerim. Ahora la chica desea saber si él la puede ayudar. —M se detuvo nuevamente y dio a la pipa un par de fuertes chupadas para añadir—: Por supuesto, la primera reacción de Kerim fue exactamente igual que la suya. Luego miró a su alrededor en busca de la trampa. Pero no pudo ver ni entender lo que ganarían los rusos enviándonos a esta muchacha. Durante todo este tiempo, el vapor se alejaba más y más por el Bósforo y pronto regresaría a Estambul. La joven se desesperaba cada vez más al darse cuenta de que Kerim no confiaba mucho en su relato. Pero, acto seguido, llegó el argumento decisivo. —Se iluminaron los ojos de M. Qué bien conocía Bond esos momentos en los que los fríos y grises ojos de M delataban su excitación y su ansia—: La muchacha aún tenía una carta más que arrojar sobre la mesa. Y sabía que era el as. Si podía llegar hasta nosotros, traería consigo su máquina de cifrar. Es una Spektor, completamente nueva, algo por lo que daríamos nuestros ojos.

—¡Dios del cielo! —murmuró Bond pensando en la inmensidad del premio—. ¡La Spektor!

La máquina que les permitiría descifrar los más secretos mensajes. Aun cuando se descubriese tal pérdida y se cambiasen las combinaciones, o se su-

154

primiera su servicio en las Embajadas rusas y en los centros de espionaje de todo el mundo, su posesión siempre sería una inestimable victoria. Bond no estaba muy enterado de criptografía y, en nombre de la seguridad, por si alguna vez le capturaban, deseaba conocer pocos de sus secretos; pero, al menos, sabía que en el Servicio Secreto ruso la pérdida de una Spektor sería un desastre de consideración.

Bond cedió. Aceptó inmediatamente la fe que M parecía haber depositado en la historia de la muchacha, por muy absurdo que fuera tal relato. El hecho de que un ciudadano ruso les entregara aquel regalo, y corriese inmenso peligro al hacerlo así, sólo podía calificarse de acto desesperado... o, si se quería, de enamoramiento aún más desesperado. Fuera cierta o no la historia de la joven, la apuesta era excesivamente alta como para retirarse del juego.

—¿Comprende, 007? —Interrogó M con calma. No era difícil leer los pensamientos de Bond, a juzgar por la excitación que se reflejaba en sus ojos—. ¿Entiende lo que quiero decir? —preguntó nuevamente M.

Bond todavía albergaba una duda.

— Pero... ¿explicó esa muchacha cómo lo lograría?

—Exactamente, no. Sin embargo, Kerim dice que la chica está totalmente decidida. Creo que lo hará durante su servicio nocturno o algo así. Al parecer, está de servicio algunas noches a la semana y duerme en un camastro de campaña, en la oficina. La muchacha no parecía tener dudas sobre el éxito de su operación, aunque se da perfecta cuenta de que si alguien soñara siquiera con lo que ella pretende hacer le coserían a balazos. Incluso estaba preocupada por el hecho de que Kerim tuviera que informarme sobre todo esto. Le hizo prometer que el informe se enviaría cifrado por él mismo y que no se guardaría ninguna copia. Naturalmente, Kerim hizo todo cuanto ella le pidió. Tan pronto como esa joven mencionó la Spektor, Kerim se dio perfecta cuenta de que éste podría ser para nosotros uno de los golpes más importantes desde la guerra.

—¿Qué sucedió después, señor?

—El buque llegó a un lugar llamado Ortakoy. La muchacha declaró que se quedaría allí. Kerim prometió enviar el mensaje aquella misma noche, y la chica rechazó todo arreglo para seguir manteniendo el contacto. Simplemente dijo que cumpliría su parte del trato si nosotros cumplíamos la nuestra. Se despidió y se mezcló con el resto de la gente que descendía por la pasarela. Ésa fue la última vez que Kerim la vio. —Repentinamente, M se inclinó sobre la mesa y miró a Bond con cierta dureza—. Pero, por supuesto, Kerim no pudo garantizar que nosotros negociásemos con ella. —Bond no dijo nada. Intuyó lo que iba a suceder a continuación—. Esta joven sólo hará tales cosas bajo una condición —añadió M entornando los ojos—, que vaya usted a Estambul y se la traiga a ella y a la máquina a Inglaterra.

Bond se encogió de hombros. Aquello no presentaba dificultades, pero...

Miró a M ingenuamente.

—Eso es un trozo de pastel, señor —dijo—, pero, no sé, solamente veo una dificultad. La chica únicamente ha visto fotografías mías y leído todo un mundo de cosas interesantes. Supongamos que cuando me vea en carne y hueso no satisfaga del todo sus ilusiones...

—Bueno, ahí es donde comienza su trabajo —respondió M con cierta sequedad—. Por esa misma razón le hice preguntas sobre la señorita Case. De forma que... es cosa suya colmar las ilusiones de esa muchacha.

# 13

# La BEA le llevará...

Las cuatro pequeñas hélices con forma de cruz giraron despacio, una por una, y se convirtieron en cuatro conjuntos silbantes. El bajo zumbido de los motores subió de tono y se convirtió en un gemido agudo y uniforme. La calidad del sonido y la completa ausencia de vibraciones eran diferentes de los rugidos entrecortados y la potencia forzada de otros aviones en los que Bond había volado. Mientras el Viscount despegaba con facilidad de la trémula pista del aeropuerto de Londres, Bond se sintió como si estuviera sentado en un caro juguete mecánico.

Hubo una ligera pausa cuando el comandante piloto puso los turborreactores a pleno rendimiento, seguida de una especie de gemido doloroso y un salto hacia delante al aflojarse los frenos; el vuelo número 130 de la BEA, Roma-Atenas-Estambul de las 10.30 se inició con suma facilidad, ascendiendo el aparato con rapidez.

Al cabo de diez minutos había alcanzado una altura de seis kilómetros con rumbo sur a lo largo del canal aéreo que controla el tráfico de aviones de Inglaterra al Mediterráneo. El ruido de los motores era, en aquellos momentos, un zumbido suave. Bond aflojó el cinturón de seguridad y encendió un cigarrillo.

Alcanzó con una mano el elegante maletín que descansaba en el suelo, a su lado, y extrajo de su interior el libro *La máscara de Dimitrios*, de Eric Ambler. El maletín pesaba bastante a pesar de su pequeño tamaño. Luego lo colocó sobre el asiento que había a su lado. Pensó en cómo se hubiese sorprendido el empleado de la compañía aérea si hubiera pesado el maletín en lugar de dejarlo pasar como «bolsa de viaje». Y, asimismo, los empleados de aduanas se hubiesen sentido muy intrigados por su peso y más que interesados al colocarlo bajo el inspectoscopio.

La sección Q había trucado aquel maletín de aspecto tan elegante, arrancando los forros interiores del cuidadoso trabajo de artesanía realizado por Swaine y Adeney, para colocar entre el cuero y el forro del dorso cincuenta cargadores de munición calibre 25, en dos filas. A cada uno de los inocentes lados del maletín había un cuchillo arrojadizo, de Wilkinson, los famosos fabricantes de armas blancas; la parte superior de los mangos quedaba perfectamente oculta por las costuras de las esquinas. No teniendo en cuenta los sarcasmos de Bond, los habilidosos artesanos de la sección Q habían insistido en formar un pequeño y oculto compartimento en el asa del maletín que, al abrirse presionando sobre cierto punto, dejaba caer en la palma de la mano una pequeña pastilla de cianuro (cuando Bond recibió el maletín, había arrojado la pastilla al lavabo). Aún más importante era el grueso tubo de crema de afeitar Palmolive situado en la inocente bolsa que contenía la esponja. Toda la parte superior podía desmontarse para dejar al descubierto el silenciador de la pistola Beretta envuelto en algodón. En caso de necesitar dinero en efectivo, la tapa del maletín contenía cincuenta soberanos de oro. Las monedas se obtenían deslizando hacia un lado el borde de las guardas.

Aquel complicado conjunto de trucos divertía a Bond; sin embargo, tenía que admitir que, a pesar de los casi cuatro kilos de peso, el maletín era un medio conveniente de transportar las herramientas de su profesión, que, de no ser así, tendría que ocultar en su cuerpo.

En el avión sólo viajaba una docena de variados pasajeros. Bond sonrió al imaginarse el pánico que sentiría Loelia Ponsonby si supiera que él era el pasajero número trece. El día anterior, cuando había dejado a M y había regresado a su oficina para ultimar los detalles del vuelo, su secretaria había protestado rotundamente ante la idea de viajar en viernes y trece.

«Pero siempre es mejor viajar este día —le había explicado, con paciencia, Bond—. Prácticamente no hay pasajeros, por lo que estás más cómodo y la tripulación te atiende mejor. Siempre que puedo, elijo un día trece.»

«Vale —dijo ella, resignada—, es tu funeral. Pero yo me pasaré todo el día preocupada por ti. Y, por el amor de Dios, no hagas ninguna tontería esta tarde, como pasar por debajo de una escalera o

160

cosas así. No deberías tentar a tu suerte de esta manera. No sé, ni quiero saber, para qué vas a Turquía. Pero tengo una extraña sensación en mis huesos.»

«Ah, esos huesos tan bonitos que tienes… —bromeó Bond —. Los llevaré a cenar la noche que regrese.»

«No harás nada de eso», respondió ella fríamente. Después le dio un beso de despedida con una repentina calidez y, por enésima vez, Bond se preguntó qué hacía perdiendo el tiempo con otras mujeres cuando la mejor de todas era su secretaria.

El avión persistía en su monótono soniquete sobre el interminable mar de cremosas nubes, que parecían lo suficientemente sólidas como para aterrizar sobre ellas si fallaban los motores. Las nubes se dispersaron y, en un distante halo azul hacia la izquierda, apareció París. Durante una hora, el avión voló sobre los quemados campos de Francia hasta que, después de Dijon, la tierra adquirió un tono verdoso al aproximarse a la cadena del Jura.

Llegó la hora del almuerzo, Bond dejó el libro a un lado y los pensamientos que se interponían entre él y las páginas impresas, y contempló el fresco espejo del lago de Ginebra mientras comía. A medida que los bosques de pinos ascendían hacia las grandes manchas de nieve, entre las formidables vaguadas de los Alpes, recordó sus primeras vacaciones, cuando esquiaba en la nieve. El avión giró en torno a la inmensa mole del Mont Blanc y Bond pudo contemplar la agrisada piel de los glaciares. Una vez más se vio a sí mismo, mucho más joven, con una cuerda en la cintura escalando alguna chimenea de Aiguilles Rouges mientras sus dos compañeros de universidad avanzaban hacia él lentamente por la lisa pared.

¿Y ahora? Bond sonrió a su propia imagen, que se reflejaba en el cristal de la ventanilla mientras el avión penetraba ya en la granulada terraza de Lombardía. Si aquel joven James Bond se hubiera acercado a él en la calle para hablarle, ¿hubiese reconocido su propia imagen en aquel muchacho delgado y nervioso de diecisiete años? Y, ¿qué hubiera pensado aquel muchacho del agente secreto James Bond? ¿Se hubiese reconocido en aquel hombre endurecido por años de traición, luchas crueles y temores, en ese hombre de arrogantes ojos, con cicatriz en una mejilla y ominoso bulto bajo el sobaco izquierdo? Y si el jovencito le reconocía, ¿cuál sería su juicio? ¿Qué opinaría del actual destino de Bond? ¿Qué llegaría a pensar del apuesto agente secreto que atravesaba el mundo desempeñando el novedoso y romántico papel de gigoló por la gloria de Inglaterra?

Bond apartó de su mente el recuerdo del desaparecido joven. No valía la pena pensar en el pasado. «Lo que pudiese haber sido» era perder el tiempo. Era preciso, necesario, seguir el propio destino, sentirse satisfecho con él, y alegrarse de no ser vendedor de automóviles de segunda mano; periodista de algún diario sensacionalista, empapado de ginebra y nicotina, o quizá un disminuido físico... o un muerto.

Al contemplar la soleada extensión de Génova y las aguas bravas y azules del Mediterráneo, Bond cerró su espíritu al pasado enfocándolo hacia el futuro inmediato y en aquella misión que él mismo calificaba de «seducir por amor a Inglaterra».

Pero lo cierto era que, en efecto, se hallaba de camino para seducir y, además deprisa, a una muchacha que jamás había visto antes y cuyo nombre había oído el día anterior por vez primera. Y, mientras tanto, por muy atractiva que fuera la chica —el jefe de T la describía como muy hermosa— todo el espíritu de Bond debía concentrarse, no en lo que ella era, sino en lo que aportaría como dote. Sería como intentar casarse con una mujer rica por su dinero. ¿Sería capaz de desempeñar semejante papel? Quizá pudiera poner buena cara y decir cosas perfectamente acertadas, pero ¿no se disociaría su cuerpo de su mente y terminaría haciendo el amor?

¿Cómo se comportaban en la cama los hombres que tenían concentrados todos sus sentidos en la cuenta corriente de una mujer? Quizá la idea de obtener un beneficio monetario podía actuar como estímulo erótico; pero, ¿y en el caso de una máquina de cifrar?

Elba se alejó y el avión inició sus ochenta kilómetros de vuelo hacia Roma. Media hora entre los escandalosos altavoces del aeropuerto de Ciampino. Tiempo suficiente para beber dos excelentes Americanos y, una vez más, el avión emprendió el vuelo, haciéndolo con normalidad sobre el talón de la península italiana, mientras Bond se dedicaba a estudiar los más mínimos detalles de la cita que se aproximaba a quinientos kilómetros por hora.

¿Acaso se trataba de una complicada maniobra de la MGB de la cual él no podía hallar la clave?

¿Estaba caminando hacia una trampa que ni siquiera la tortuosa mente de M había podido calibrar correctamente? Bien sabía Dios que M estaba preocupado por tal posibilidad. Se habían estudiado todos los riesgos posibles de las pruebas que poseían, no sólo por M sino también por los jefes de las secciones, que habían trabajado en el asunto durante todo el día anterior. Pero, aun cuando se habían estudiado todas las opciones, nadie había podido sugerir qué sacarían los rusos de aquello. Podían desear secuestrar a Bond e interrogarle. Pero, ¿por qué a Bond? Él no era más que un agente activo, desligado de la dirección del Servicio, sin utilidad alguna para los rusos, excepto por los detalles de sus deberes cotidianos y por poder proporcionar cierta cantidad de información interna que de ninguna manera podía ser vital. También era probable que desearan liquidarle como acto de venganza. De todos modos, no se había enfrentado con ellos desde hacía dos años. Si querían matarle, podrían disparar sobre él en las calles de Londres, o en su piso, o poner una bomba en su coche.

La azafata del avión interrumpió sus pensamientos.

—Por favor, los cinturones de seguridad.

Cuando la joven aún hablaba, el avión descendió repentinamente y luego volvió a ascender con un formidable rugido de los reactores. El cielo apareció súbitamente negro. La lluvia golpeaba sobre las ventanillas. Hubo un tremendo estallido de luz azulada y blanca y, a continuación, un terrible crujido, como si un proyectil antiaéreo les hubiese alcanzado. El avión osciló violentamente en el centro de la tormenta eléctrica que acababa de desatarse en la entrada del Adriático.

Bond olió el peligro. Era un auténtico olor, como algo parecido a la mezcla de sudor y electricidad que se experimenta en el interior de una barraca de feria. Una vez más los relámpagos lanzaron su cegadora luz a través de las ventanillas. ¡Zas! Era como si estuviesen en medio de un trueno. De repente, el aparato parecía débil y diminuto. ¡Trece pasajeros! ¡Viernes trece! Bond recordó las palabras de Loelia Ponsonby mientras sus manos, aferradas a los reposabrazos del asiento, se humedecían. ¿Cuántos años tendría aquel avión? ¿Cuántas horas de vuelo habría hecho? ¿Acaso sufrían sus alas la enfermedad conocida como fatiga del metal? Quizá pudiera llegar hasta Estambul, después de todo. Y, posiblemente, una caída vertical en el golfo de Corinto sería el fin que él no había previsto en sus meditaciones de una hora antes.

En su interior, Bond poseía un recinto para protegerse contra los huracanes, como una especie de ciudadela de las que aún se encuentran en las antiguas casas de los trópicos. Son habitaciones pequeñas, como celdas sólidamente construidas en el corazón de la casa, en medio de la planta baja y, a veces, excavadas en los mismos cimientos. Allí se recluyen el propietario y la familia si la tormenta amenaza con destruir la casa y permanecen hasta que pasa el peligro. Bond se retiraba a su reducto únicamente cuando la situación escapaba a su dominio y no había manera de emprender otra clase de acción para solucionar las cosas. En aquel momento se recluyó en su ciudadela, cerró su mente a todo ruido y movimiento violento, y concentró la atención en la puntada de un cosido sobre el tapizado del respaldo del asiento que había ante él, esperando con nervios templados el destino reservado al vuelo 130 de la BEA.

Casi inmediatamente, la cabina se iluminó. La lluvia dejó de golpear sobre las ventanillas y el ruido de los motores adquirió nuevamente su imperturbable y monótono silbido. Bond abrió la puerta de su ciudadela y salió al exterior. Se asomó curiosamente a la ventanilla y contempló cómo la diminuta sombra del avión se deslizaba velozmente sobre las tranquilas aguas del golfo de Corinto. Suspiró hondo y tomó la pitillera que guardaba en el bolsillo posterior del pantalón. Se sentía muy complacido al comprobar que sus manos no temblaban lo más mínimo cuando encendió un cigarrillo Morland. ¿Debería decirle a su secretaria que, posiblemente, había tenido razón? Decidió que lo haría si encontraba en Estambul una postal lo suficientemente vulgar.

En el exterior, el día se desvanecía con los colores de un delfín agonizante. El monte Hymetus aparecía azul en pleno crepúsculo. Sobrevolaron la centelleante Atenas y luego el Viscount rodó sobre la pista de cemento. Inmediatamente distinguió numerosos rótulos con raras letras que parecían danzar y que él no había vuelto a ver desde sus días de escuela.

Bond descendió del aparato en compañía de un puñado de viajeros pálidos y silenciosos y se dirigió al bar atravesando la sala de espera. Pidió una copa de ouzo, que bebió de un solo trago y, acto seguido, rebajó la fuerza del licor con un trago de agua helada. A pesar del sabor dulce del anís, había en él cierta fuerza y Bond sintió un repentino y agradable calor que se extendía por su garganta y estómago. Dejó la copa en el mostrador y pidió otra.

Cuando los altavoces llamaron a los viajeros, ya había oscurecido. Una media luna corría clara y alta sobre las luces de la ciudad. El aire vespertino era dulce y perfumado por el olor de las flores. Un hombre cantaba en la lejanía. La voz era clara y triste y la canción más bien parecía un lamento. Cerca del aeropuerto ladró un perro excitado, quizá, por algún desconocido olor humano. Bond se dio cuenta súbitamente de que había llegado al este, a Oriente, donde los perros aúllan toda la noche. Por alguna razón desconocida, el pensamiento llenó su espíritu de placer y emoción.

Todavía restaban noventa minutos de vuelo para llegar a Estambul atravesando el oscuro Egeo y el mar de Mármara. Una excelente cena, con dos martinis secos y media botella de clarete Calvet, hizo que Bond olvidara todas sus reservas sobre el hecho de volar en viernes y día trece, y las preocupaciones sobre su misión se vieron sustituidas por una sensación de agradable expectativa.

Finalmente llegaron a Estambul. Las cuatro hélices del avión se detuvieron en el moderno aeropuerto de Yesilkoy, a una hora de coche de la ciudad. Bond se despidió de la azafata dándole las gracias por el magnífico vuelo, tomó el pesado maletín y se dirigió al control de pasaportes y a la aduana en espera de que desembarcaran su maleta.

¿De forma que aquellos pequeños funcionarios de piel oscura, feos y correctos, eran los modernos turcos? Oyó sus voces plenas de vocales muy abiertas y sonidos sibilantes y contempló aquellos ojos negros que parecían desmentir las voces suaves y corteses. Eran ojos crueles, brillantes, que hacía poco habían bajado de las montañas. Bond pensó que conocía la historia de aquellos ojos. Eran unos ojos que durante siglos se habían acostumbrado a vigilar rebaños y a descubrir los más pequeños movimientos que tenían lugar en el lejano horizonte. Eran ojos que no perdían de vista la mano que empuñaría el puñal o la daga, que contaban los granos de maíz y las pequeñas fracciones de moneda y que, a la vez, notaban en el acto si los dedos del mercader intentaban hacer trampas. Eran ojos duros, desconfiados, recelosos, que no atraían lo más mínimo a Bond.

Fuera de la aduana apareció un hombre alto y delgado con un grueso mostacho negro y alargado. Vestía un elegante guardapolvo y gorra de chófer. Saludó y, sin preguntarle su nombre, tomó la maleta y caminó hacia un aristocrático coche, un espléndido Rolls Royce negro y anticuado, que Bond sospechó debía haber sido fabricado para algún millonario de los años veinte.

Cuando el coche ya había salido del aeropuerto, el hombre se volvió y habló cortésmente por encima del hombro, empleando un excelente inglés:

—Kerim Bey creyó que usted preferiría descansar esta noche. Vendré a buscarle a las nueve mañana por la mañana. ¿En qué hotel se alojará, señor?

—En el Kristal Palas.

—Muy bien, señor.

El coche se deslizó suavemente sobre la moderna carretera.

Tras ellos, y en la penumbra del aparcamiento del aeropuerto, Bond oyó vagamente la puesta en marcha de una moto. El ruido no significó nada para él y se preparó para disfrutar de aquel paseo en coche.

# 14

## Darko Kerim

James Bond se despertó temprano en su sucia habitación del Kristal Palas, en la parte alta de Pera, y distraídamente extendió una mano para intentar paliar un escozor que sentía en la cara exterior del muslo derecho. Algo le había picado durante la noche. Se rascó impacientemente. Debía haberlo esperado.

Cuando llegó, la noche anterior, después de recibir el saludo de un conserje nocturno, en pantalones y camisa sin cuello, había inspeccionado brevemente el vestíbulo adornado con pequeñas palmeras en tiestos de cobre y los muros cubiertos por descoloridos baldosines moriscos llenos de polvo. Se había dado perfecta cuenta de dónde se encontraba. Por un momento pensó alojarse en otro hotel. La inercia y probablemente un perverso afecto por el romanticismo que emanaba de los viejos hoteles continentales le impulsó a quedarse. Luego había firmado en el libro de registro y seguido al hombre hasta un ascensor hidráulico.

La habitación, con cuatro muebles viejos y una cama de hierro, era lo que esperaba. Antes de que el conserje se retirase, Bond examinó las empapeladas paredes para comprobar si había huellas o restos de chinches aplastadas.

Se había precipitado. Cuando entró en el cuarto de baño y abrió el grifo de agua caliente, éste suspiró profundamente y tosió a continuación para expulsar por fin un pequeño ciempiés. Del grifo de agua fría surgió un chorro de color marrón que ahogó al ciempiés. Le estaba bien empleado por elegir un hotel desconocido, únicamente porque su nombre le había divertido y porque deseaba alejarse de la vida cómoda de los grandes hoteles.

Pero había dormido bien y, pensando que debía comprar algún insecticida, decidió olvidar su comodidad personal y disponerse a iniciar la jornada.

Bond saltó de la cama, corrió los pesados cortinones rojos y se inclinó sobre la barandilla de hierro para contemplar uno de los más famosos panoramas del mundo entero. A su derecha quedaban las tranquilas aguas del Cuerno de Oro, a su izquierda las agitadas olas del desamparado Bósforo y, en el centro, en plena confusión, los minaretes, los tejados y las mezquitas de Pera. Después de todo, su elección no había sido tan mala. El panorama compensaba las muchas chinches y las incomodidades.

Durante diez minutos Bond estuvo contemplando la resplandeciente barrera de agua que separaba a Europa de Asia. Luego regresó a la habitación que, en aquel momento, bañaba el sol por completo y telefoneó pidiendo el desayuno. No le entendieron en inglés, pero sí finalmente al hablar en francés. Se preparó un baño de agua fría y se afeitó pacientemente, esperando que el desayuno exótico que acababa de pedir no fuera un completo fiasco.

No fue una decepción. El yogur, servido en un cuenco de porcelana azul, mostraba un profundo color amarillo y la consistencia de una crema espesa. Los higos verdes, recién pelados, estaban muy maduros, y el café turco era fuerte y aromático, recién hecho. Bond despachó el delicioso desayuno en una mesa situada junto a la ventana abierta. Contempló los buques de vapor y las lanchas que cruzaban los dos mares y se preguntó si Kerim tendría noticias frescas para él.

Puntualmente, a las nueve, pasó a recogerle el elegante Rolls Royce para llevarle a través de la plaza Taksim, y luego por la abarrotada Istiklal, fuera de los límites de Asia. El humo denso y negro de los buques atracados, que mostraban las dos graciosas anclas cruzadas de la marina mercante, invadía la primera parte del puente Galata, ocultando la otra orilla hacia la cual se dirigía el Rolls entre numerosas bicicletas y tranvías, mientras la antigua bocina del coche sonaba ocasionalmente apartando a los peatones hacia los lados. Al cabo de un rato, el camino se aclaró y la vieja sección europea de Estambul apareció, brillante, al final del amplio puente, con los esbeltos minaretes alzándose hacia el cielo mientras que, a sus pies, se divisaban las cúpulas de las mezquitas como enormes y firmes senos. El panorama no hubiese desmerecido en nada a cualquiera de los que se relataban en *Las mil y una noches*; pero para Bond, que lo veía por vez primera por encima de los tranvías y de los grandes rótulos modernos situados a lo largo del río, presentaba todo el aspecto de una escena de teatro, muy bella en otro tiempo, pero arrinconada por la presencia del acero y el cemento del hotel Estambul-Hilton, rutilante e inexpresivo, dominando la parte alta de Pera.

Atravesado el puente, el coche giró a la derecha, por una calle pavimentada con cantos rodados, paralela al puerto, hasta detenerse finalmente frente a una puerta alta de madera.

Un vigilante de aspecto duro, con rostro sonriente y ataviado con ropas caqui muy usadas, salió de la portería y saludó. Abrió la portezuela del coche e hizo una seña a Bond para que le siguiera. Primero entró en la portería y después en un pequeño patio donde había un parterre y la gravilla estaba cuidadosamente rastrillada. En el centro se alzaba un eucalipto rugoso a cuyo pie jugueteaban dos palomas blancas. Era un lugar tranquilo y silencioso. Los ruidos de la ciudad no eran más que un distante rumor.

Caminando sobre la gravilla, entraron por otra puerta y Bond se encontró repentinamente en el extremo de una nave de almacén con grandes arcadas y altas ventanas circulares, a través de las cuales se filtraban polvorientos rayos de sol sobre un panorama de balas y fardos de mercancías. El ambiente estaba saturado de un fuerte olor a especias y café. Mientras Bond seguía al vigilante por el centro de la nave, llegó hasta él un aroma a menta.

Al final de la larga nave había una plataforma alzada cercada por una barandilla. Media docena de muchachos y muchachas se hallaban sentados en altos taburetes escribiendo afanosamente en libros de contabilidad de anticuado formato. Parecía una oficina de los tiempos de Dickens, y Bond se fijó en que, junto a cada tintero, había un anaquel. Ni uno solo de los empleados alzó la cabeza cuando Bond pasó entre ellos, pero un hombre alto, moreno, de rostro delgado, y con sorprendentes ojos azules, se acercó desde la mesa de trabajo más alejada en la plataforma y se hizo cargo de él, despidiendo al vigilante. El hombre sonrió a Bond con simpatía mostrando una blanquísima dentadura y, acto seguido, le condujo hasta un extremo de la plataforma. Llamó a una puerta de magnífica caoba con cerradura Yale y, sin esperar respuesta, la abrió, hizo entrar a Bond, y cerró la puerta suavemente.

—¡Ah, amigo mío, pase, pase!

Un hombre alto y fornido, ataviado con traje color crema perfectamente cortado, se puso en pie tras una mesa de caoba y se acercó a Bond tendiéndole su mano.

La inflexión de autoridad en la voz del hombre le hizo recordar que tenía delante al jefe de la Sección T, y que él se hallaba en su territorio, y jurídicamente bajo su mando. No se trataba más que de algo puramente formal, pero era preciso tenerlo muy presente.

El apretón de manos de Darko Kerim fue maravillosamente cordial. Era propio de unos dedos occidentales y no el que correspondía a un oriental, siempre blando y viscoso, hasta el punto de que, muchas veces, daban ganas de lavarse las manos tras un saludo de aquel tipo. La enorme mano de Darko Kerim demostraba que podía apretar aún más, hasta fracturar los huesos.

Bond medía un metro ochenta y tres de altura, pero aquel hombre, sin duda, era por lo menos cinco centímetros más alto que él y le doblaba en corpulencia. Bond miró a los ojos azules, sonrientes, y a un rostro grande, con la nariz rota. Los ojos eran lacrimosos, cruzados por finas venillas rojas, como los de un perro de caza que se tiende muy a menudo cerca del fuego. Bond reconoció en ellos de una desenfrenada disipación.

El rostro era vagamente agitanado, cruel, lleno de vida y crapuloso, y el hecho de que pertenecía a un soldado de fortuna resultaba más evidente por el fino aro de oro que Kerim usaba en el lóbulo de la oreja derecha. Realmente eran facciones dramáticas, pero lo que irradiaba, más que otra cosa, era vida. Bond pensó que nunca había visto tanta vitalidad y calor en un rostro humano. Era como estar cerca del sol. Bond soltó la mano fuerte y seca, sonriendo a su vez, con una simpatía que muy rara vez sentía hacia un desconocido.

—Gracias por enviar el coche a recogerme.

—¡Ah! —exclamó Kerim alegremente—. También debe darles las gracias a nuestros amigos. Le hemos recibido a usted por ambas partes. Siempre siguen mi coche cuando lo envío al aeropuerto.

—¿Era una Vespa o una Lambretta?

—¿Se dio cuenta de eso? Era una Lambretta. Tienen toda una flotilla para sus secuaces, a los que llamo los «sin rostro». Son todos tan parecidos que nunca podemos distinguirlos. Se trata de pequeños bandidos, en su mayor parte apestosos búlgaros, que hacen para ellos el trabajo sucio; supongo que este tipo de ayer habrá seguido el coche a distancia prudencial. No se acercan mucho al Rolls desde el día en que mi chófer frenó repentinamente y dio marcha atrás tan rápidamente como pudo. La carrocería quedó bastante estropeada y la parte trasera del vehículo se manchó de sangre, pero les enseñó buenas maneras al resto de ellos.

Kerim se acercó a su silla y señaló otra parecida, situada frente a su mesa de despacho. Empujó hacia Bond una caja de cigarrillos y éste tomó asiento para encender uno de ellos. Era el cigarrillo de mejor sabor que había probado en toda su vida, un tabaco turco fluido y dulce con larga boquilla oval en la que aparecía grabada una media luna.

Mientras Kerim colocaba uno de los cigarrillos en una boquilla de marfil, amarillenta por la nicotina, Bond tuvo ocasión de lanzar una ojeada a la estancia, que olía fuertemente a pintura y barniz, como si acabaran de decorarla.

La habitación era grande y cuadrada. Sus muros estaban cubiertos de pulida caoba, excepto tras la silla de Kerim, donde, desde el techo hasta el suelo, colgaba un gran tapiz oriental que se movía suavemente como impulsado por la brisa. Era probable que tras él hubiera una ventana abierta. Sin embargo, esto último no era nada seguro puesto que la luz que iluminaba la estancia se filtraba por unas ventanas circulares situadas a cierta altura. Asimismo era posible que, tras el tapiz, en lugar de una ventana hubiese un balcón orientado hacia el Cuerno de Oro, cuyas aguas oía Bond chocar contra los muros de la parte baja del edificio. En el centro de la pared de la derecha colgaba una reproducción enmarcada del retrato de la reina pintado por Annigoni. Frente a este retrato, y también con magnífico marco, había una fotografía de Churchill de los tiempos de la guerra, hecha por Cecil Beaton, en la que el primer ministro aparecía mirando al frente, sentado ante su mesa de despacho, con todo el aspecto de un bulldog. Otro de los paneles de pared estaba cubierto por una librería y, ante ésta, había un cómodo tresillo. En el centro de la estancia, la amplia mesa de trabajo brillaba con sus pulidos tiradores de cobre. Sobre la mesa llena de papeles, había tres fotografías con marco de plata, y Bond leyó con dificultad, casi de lado, las placas donde se mencionaba dos nombramientos y el título de la División Militar de la OBE.

Kerim encendió su cigarrillo. Luego señaló al tapiz con un ligero movimiento de cabeza.

—Nuestros amigos me visitaron ayer —dijo con tono indiferente—. Colocaron una bomba de plástico en el muro exterior. Con espoleta de relojería, para que explotara cuando estaba ante la mesa de despacho. Por suerte me había concedido en aquellos momentos unos minutos de descanso en ese sofá, en compañía de una joven rumana, de las que todavía creen que un hombre revela secretos a cambio de amor. La bomba explotó en cierto momento muy vital. Por mi parte, ya que como digo el momento era vitalísimo, ni siquiera me sentí nervioso, pero me temo que la experiencia fue excesiva para ella. Cuando la solté, tuvo un ataque de histeria. También me temo que opinara que mi forma de hacer el amor era un poco violenta. —Kerim hizo un gesto de disculpa con la boquilla y continuó—: Hubo que darse prisa en preparar esta habitación para su visita. Cristales nuevos para las ventanas y para mis fotografías; el lugar, como verá, huele aún a pintura. Sin embargo... —Kerim se detuvo frunciendo el ceño al mismo tiempo que se recostaba más cómodamente en su silla. Luego añadió—: lo que no acabo de comprender es esta súbita violación de la paz. En Estambul vivimos amigablemente juntos. Todos tenemos nuestro trabajo que hacer. Resulta inaudito que mis *chers collègues* declaren repentinamente la guerra de esta forma. Realmente, es para preocuparse. Los únicos que saldrán perjudicados con esto serán nuestros amigos, los rusos. Me veré obligado a castigar al tipo que hizo esto en cuanto sepa su nombre. —Kerim hizo una nueva pausa, movió la cabeza y concluyó—: Sí, es para preocuparse, y espero que esto nada tenga que ver con nuestro caso.

—Pero, ¿acaso era necesario hacer tan pública mi llegada? —interrogó Bond—. De ninguna manera quiero complicarle a usted en este asunto. ¿Por qué enviar el Rolls al aeropuerto? Fue la mejor forma de relacionarle conmigo.

Kerim se echó a reír indulgentemente.

—Amigo mío. Le explicaré algo que debe saber. Nosotros, los rusos y los americanos tenemos un hombre pagado en todos los hoteles; hemos sobornado a un oficial de la policía secreta de la Jefatura

Central y recibimos una copia de la lista de todos los extranjeros que entran en el país a diario, por avión, tren o barco. Si me hubiesen concedido unos días más, yo le habría hecho pasar por la frontera griega; pero, ¿con qué finalidad? Su presencia aquí ha de ser conocida por la otra parte, para que nuestra amiga se ponga en contacto con usted. Ella misma ha puesto la condición de que se encargaría personalmente de disponer las cosas para el encuentro. Quizá no confíe mucho en nuestra seguridad. ¿Quién sabe? Pero se mostró muy firme sobre ese punto y añadió, como si yo no lo supiera, que su centro recibiría inmediato aviso de su llegada. —Kerim se encogió de hombros y añadió—: Entonces, ¿para qué hacerle las cosas difíciles? Lo único que me preocupa es conseguir que todo sea fácil y cómodo para usted, de forma tal que disfrute de su estancia en este país, aun cuando, finalmente, resulte un fracaso.

Bond rió y exclamó:

—Retiro todo lo dicho. Había olvidado las costumbres balcánicas. Y, de todos modos, aquí estoy bajo sus órdenes. Dígame lo que tengo que hacer y lo haré.

Kerim alzó una mano con un gesto muy significativo y respondió:

—Y ahora, puesto que hablamos de comodidades, ¿cómo es su hotel? Me sorprendió mucho que eligiese el Palas. Es quizá un poco mejor que una casa pública, o lo que los franceses llaman un *baisodrome*. También es un lugar de reunión para los rusos. Pero eso carece de importancia.

—No está mal. No deseaba alojarme ni en el Estambul-Hilton ni en otro hotel elegante.

—¿Dinero? —interrogó Kerim abriendo un cajón y sacando de su interior un fajo de billetes nuevos—. Aquí hay mil libras turcas. Su valor real y el tipo de cambio en el mercado negro es de veinte libras por cada libra inglesa. Comuníquemelo cuando se le hayan acabado y le daré todas las que desee. Haremos cuentas después de la partida. Después de todo, no es más que pura porquería. Desde que Creso, el primer millonario, inventó las monedas de oro, el dinero se ha ido devaluando. Y la efigie se ha depreciado a tanta velocidad como su valor. Primero aparecieron en las monedas los rostros de los dioses y luego los de los reyes. Más tarde aparecieron los presidentes. En la actualidad, se esfumaron los rostros. ¡Fíjese en esta basura! —Kerim arrojó el dinero hacia Bond y añadió—: Sólo es papel con el grabado de un edificio público y la firma de un cajero. ¡Basura, repito! Pero el milagro es que aún se pueden comprar cosas con esto. ¿Qué más? Veamos... ¿cigarrillos? Fume solamente éstos. Le enviaré al hotel unos centenares. Son los mejores. Diplomates. Y no son fáciles de conseguir. En su mayor parte, van a parar a las embajadas y ministerios. ¿Algo más antes de comenzar a charlar de negocios? No se preocupe por sus comidas y su tiempo libre. Me ocuparé de ambas cosas. Me agradará hacerlo y, si usted me perdona, deseo estar cerca de su persona mientras esté aquí.

—Nada más —respondió Bond—. Excepto que algún día debe venir a Londres.

—Nunca —replicó Kerim con firmeza—. El clima y las mujeres tienen la misma frialdad. Me siento orgulloso de que usted se encuentre aquí. Me recuerda la guerra. —Kerim se detuvo y oprimió el botón de un timbre que había sobre la mesa. Luego preguntó—: ¿Le gusta el café con o sin azúcar? En Turquía jamás sostenemos una conversación en serio sin café o raki, pero es demasiado temprano para el raki.

—Sin azúcar.

Se abrió la puerta detrás de Bond. Kerim bramó una orden. Cuando la puerta se cerró, Kerim abrió con llave uno de los cajones de la mesa y extrajo una carpeta que colocó delante de él. Luego apoyó una enorme mano sobre ella y dijo seriamente:

—Amigo mío, la verdad es que no sé qué decir sobre este caso. —Guardó silencio unos segundos mientras Bond esperaba y añadió—: ¿Se le ha ocurrido pensar alguna vez que nuestro trabajo es algo parecido a filmar una película? Muchas veces tengo a todo el mundo en su puesto y creo que puedo comenzar a mover la manivela. Entonces siempre ocurre algo imprevisto: el tiempo, los actores o, quizás, algún accidente. El amor aparece, en algunas ocasiones, entre los protagonistas. En este caso, es el factor que más me confunde; en realidad, el que calificaría de más inescrutable. Esa muchacha enamorada de la idea que tiene de usted, ¿se enamorará de verdad cuando le vea? Y usted, ¿será capaz de amarla lo suficiente para atraerla a nuestro lado?

Bond no hizo ningún comentario. Sonó un golpe en la puerta; el jefe de la oficina dejó ante am-

bos dos tazas de finísima porcelana china y salió.
Bond sorbió su café y dejó la pequeña taza sobre la
mesa. Era bueno, pero estaba lleno de posos diminutos que molestaban al paladar. Kerim bebió la taza de un solo trago, introdujo un cigarrillo en la boquilla de marfil y lo encendió.

—Pero nada podemos hacer respecto a ese problema amoroso —continuó Kerim casi hablando
para sí—. Sólo esperar. Mientras tanto, hay otras
cosas. —Se inclinó hacia delante y miró a Bond con
ojos súbitamente duros y llenos de astucia—. Ocurre algo en el campo enemigo, y no se trata solamente de ese intento de deshacerse de mí, amigo
mío. Hay muchas idas y venidas. Conozco unos
cuantos hechos concretos, pero tengo esto... —Kerim empleó un dedo para golpearse suavemente la
nariz y luego añadió—: Si las apuestas no fuesen tan
importantes, ahora mismo le diría a usted: «Váyase a casa, amigo. Váyase de aquí. Es mejor desen-
tenderse de todo cuanto aquí sucede».

Kerim se recostó de nuevo sobre el respaldo de
la silla. Desapareció la tensión de su voz. Acto seguido, lanzó una áspera carcajada.

—Pero no somos mujeres viejas. Éste es nuestro trabajo. Así que olvidemos mi nariz y sigamos
con la labor. En primer lugar, ¿hay algo que pueda
decirle y que usted no sepa? La muchacha no ha dado señales de vida desde mi mensaje y no tengo más
información. Pero quizá quiera usted hacerme algunas preguntas sobre la reunión.

—Sólo hay una cosa que quiero saber —dijo
Bond—. ¿Qué opina usted de esa chica? ¿Cree su

historia o no? ¿Cree también lo que dice sobre mí? Lo demás no importa. Si la muchacha no ha perdido la cabeza por mí, no cabe duda de que se trata de alguna complicada operación de la MGB que no entendemos... aún. ¿Cree o no a esa chica?

—¡Ah, amigo mío! —exclamó Kerim moviendo la cabeza y extendiendo ambos brazos—. Eso también me lo pregunto yo desde hace algún tiempo. Pero, ¿cuándo se puede asegurar que una mujer miente en estas cuestiones? Sus ojos brillaban..., aquellos ojos inocentes y maravillosos. Y aquella boca celestial..., sus labios aparecían húmedos y abiertos. Su tono de voz era urgente, angustioso, como si tuviese miedo de lo que estaba diciendo y haciendo. Los nudillos de las manos aparecían muy blancos sobre la barandilla de a bordo. Pero ¿qué había en su corazón? —Kerim alzó sus manos y añadió, tras breve silencio—: Sólo Dios lo sabe. —Hubo otro silencio y Kerim apoyó las manos sobre la mesa para concluir—: Sólo hay una forma de averiguar si una mujer realmente le ama a uno y, aun así, es preciso ser un verdadero experto.

—Sí —respondió Bond—. Ya sé lo que quiere decir: en la cama.

# 15

## El historial de un espía

Una vez más llegó el café y, al cabo de un rato, volvieron a traer más tazas del negro y aromático brebaje. La habitación se llenó del humo del tabaco mientras los dos hombres examinaban y sopesaban todos los detalles que poseían de la información. Al cabo de una hora, se hallaban en el mismo punto donde habían comenzado. Era cosa de Bond resolver el asunto de aquella muchacha y, si se sentía satisfecho con su historia, sacarla a ella y a la máquina del país.

Kerim se comprometió a ocuparse de los problemas administrativos. Como primer paso, tomó el auricular del teléfono y habló con su agente de viajes para reservar dos plazas en cada avión que saliera a la semana siguiente, por BEA, Air France y Turkair.

—Y ahora, debe usted tener un pasaporte —dijo—. Con uno será suficiente. Ella puede viajar como su esposa. Uno de mis hombres le hará una fotografía a usted y luego hallaremos la foto de alguna chica que se parezca a ella, más o menos. De hecho, nos serviría una de Greta Garbo cuando era joven. Existe cierto parecido entre ambas. Podremos conseguirla en los archivos de algún diario. Hablaré con el cónsul general. Es una buena persona y le atraen mucho mis aventuras de capa y espada. Esta noche estará listo el pasaporte. ¿Qué nombre le gustaría tener?

—Sáquelo de su sombrero.

—Somerset. Mi madre procedía de aquel condado. David Somerset. Profesión: director comercial. Eso no significa nada. ¿Y la chica? Llamémosle Carolina. No sé, pero me parece que tiene aspecto de llamarse Carolina. Un par de apuestos jóvenes ingleses ávidos de viajes. ¿Formulario de control de finanzas? Déjeme eso a mí. Figurarán ochenta libras en cheques de viaje y un recibo del banco demostrando que ha cambiado cincuenta libras más mientras estuvo en el país. ¿Aduanas? Jamás examinan nada. Se sienten felices si alguien compra recuerdos de este país. Puede declarar alguna clase de pastas de té turcas..., regalo para unos amigos de Londres. Si tiene usted que salir rápidamente, deje la cuenta del hotel y el equipaje a mi cargo. Me conocen muy bien en el Kristal Palas. ¿Algo más?

—No se me ocurre nada.

Kerim consultó su reloj.

—Las doce en punto. Hora de que el coche le devuelva a su hotel. Podría haber allí algún mensaje. Y examine bien sus cosas por si alguien ha sido excesivamente curioso.

Kerim hizo sonar el timbre, dio instrucciones al jefe de la oficina, que no apartó un solo momento los ojos de Kerim, a la vez que tensaba el cuello, como un perro al acecho.

Kerim acompañó a Bond hasta la puerta. Una vez más, estrechó su mano calurosamente.

—El coche le traerá para almorzar —dijo—. Una pequeña taberna en el Bazar de las Especias. —Kerim miró a Bond sonriendo y añadió—: Y me siento muy satisfecho de que trabajemos juntos. Nos llevaremos bien. —Soltó la mano de Bond y concluyó—: Ahora tengo que hacer un montón de cosas. Puede que no sean las que en realidad debería hacer, pero de todos modos... *jouons mal, mais jouons vite*!

El jefe de la oficina, que parecía ser una especie de brazo derecho para Kerim, condujo a Bond a través de otra puerta que daba a la plataforma elevada. Las cabezas aún se hallaban inclinadas sobre el trabajo. Había un pasillo corto con habitaciones a ambos lados. El hombre le hizo entrar en una de ellas y Bond se encontró en el interior de un laboratorio fotográfico, en un cuarto oscuro perfectamente equipado. A los diez minutos ya estaba en la calle de nuevo. El Rolls abandonó el estrecho callejón y regresó al puente Galata.

Un nuevo conserje estaba de servicio en el Kristal Palas. Era un tipo de baja estatura y modales serviles, con atemorizados ojos en un rostro amarillento. Abandonó su puesto tras el pequeño mostrador extendiendo ambas manos en ademán de disculpa.

—*Effendi*, lo siento muchísimo. Mi colega le asignó una habitación poco adecuada. No se dio cuenta de que usted era amigo de Kerim Bey. Se han trasladado sus cosas a la número 12. Es la mejor habitación del hotel. En realidad, es la que se reserva a las parejas de recién casados. Dispone de toda clase de comodidades. Le ruego nos perdone, *effendi*.

Y tras estas palabras, el hombre se inclinó servilmente, al mismo tiempo que se frotaba las manos.

Si había algo que Bond no podía soportar era el halago estúpido, que alguien le lamiese las botas. Miró directamente a los ojos del conserje y dijo:

—¡Oh!, veamos esa habitación. Puede que no me guste. Me sentía cómodo en la que tenía.

—Por supuesto, por supuesto, *effendi* —respondió el hombre conduciendo a Bond hasta el ascensor—. Pero... ¡ah!, en la habitación donde ha dormido esta noche trabajan en este momento los fontaneros. El servicio de agua...

El ascensor se detuvo en la primera planta.

La excusa de los fontaneros tenía cierto sentido, se dijo Bond. Y, después de todo, no había ningún mal en disponer de la mejor habitación del hotel. El conserje abrió una puerta alta y se hizo a un lado.

Bond se vio obligado a darle la razón al hombre. El sol penetraba de lleno a través de dos ventanas dobles y amplias que daban a un pequeño balcón. La estancia se hallaba pintada en rosa y gris, y el mobiliario era estilo Imperio francés; aunque desgastados por el paso de los años, casi todos los muebles conservaban aún parte de la elegancia propia de finales del siglo XIX.

El suelo de parqué estaba cubierto por buenas alfombras de Bokhara. Del techo colgaba una lámpara magnífica. La cama, situada junto a la pared de la derecha, era enorme. Esta pared estaba cubierta, a su vez, por un gran espejo. Bond se estaba divirtiendo. ¡La habitación nupcial! ¿Por qué no había también un gran espejo en el techo? El cuarto de baño contiguo estaba bien equipado y los muros cubiertos por baldosines hasta el techo. Los enseres de afeitar de Bond se hallaban ordenadamente colocados sobre una repisa de cristal.

El conserje siguió a Bond al interior del dormitorio y, cuando el primero indicó que se quedaba con el cuarto, el hombre se inclinó una vez más y salió.

¿Por qué no? Bond dio otra vuelta por la habitación. Inspeccionó las paredes y las cercanías del lecho y del teléfono. ¿Por qué no había de quedarse con aquella habitación? ¿Por qué razón tenía que haber allí micrófonos o puertas secretas? ¿Con qué finalidad?

Su maleta se hallaba sobre un banco, cerca de la cómoda. Se arrodilló. No había el menor arañazo alrededor de las cerraduras. El diminuto trozo de hilo que había dejado atrapado entre ambos lados de la maleta todavía estaba allí. La abrió y extrajo la cartera de mano. Tampoco había en ella huellas extrañas. Bond cerró la cartera y se incorporó.

Se lavó y, acto seguido, abandonó la habitación bajando la escalera. No, no había ningún mensaje en recepción para el *effendi*. El conserje volvió a inclinarse cuando abrió la portezuela del Rolls. ¿Acaso la sombra de una conspiración se ocultaba tras la permanente expresión de culpabilidad de aquellos ojos? Bond decidió no hacer el menor caso si era así. Fuera cual fuese el juego, tenía que jugar la partida hasta la última carta. Si aquel cambio de habitaciones constituía el primer movimiento, tanto mejor. La partida debía comenzar por algún lado.

Mientras el coche descendía rápidamente por la colina, Bond pensaba en el jefe de la Sección T. ¡Qué tipo más curioso aquel Darko Kerim! Solamente su estatura, en un país de hombres bajos y furtivos tenía que proporcionarle cierta autoridad; y su enorme vitalidad y amor a la vida debían proporcionarle numerosos amigos. ¿De dónde venía aquel formidable pirata? ¿Y cómo había llegado a trabajar para el Servicio? Era precisamente el raro tipo de hombre que Bond apreciaba, y ya estaba dispuesto a añadir el nombre de Kerim al de media docena más a los que Bond consideraba sus amigos.

El coche volvió una vez más al puente Galata y atravesó las arcadas del Bazar de las Especias, deteniéndose allí. El chófer caminó delante de Bond subiendo unos desgastados escalones de piedra entre mendigos y aromas exóticos, maldiciones y gritos de cargadores. Una vez en el interior, el chófer giró hacia la izquierda, atravesó la masa de gente formada por una humanidad gesticulante y mostró a Bond una pequeña arcada. Unos escalones de piedra ascendían hasta la puerta.

—*Effendi*, encontrará a Kerim Bey en la sala, al fondo y a la izquierda. Sólo tiene que preguntar. Le conoce todo el mundo.

Bond subió la escalera y, al cabo de unos segundos, se encontró en una antesala donde un camarero, sin preguntar su nombre, le condujo a través de varias estancias pequeñas, llenas de colorido, hasta llegar a una mesa situada en un rincón donde se encontraba Kerim. Éste le saludó ruidosamente alzando un vaso con un líquido lechoso en el que tintineaban los cubitos de hielo.

—¡Por fin llega, amigo mío! Ahora, inmediatamente, un poco de raki. Tiene que estar fatigado después de tantas vueltas de acá para allá.

Kerim Bey dio órdenes al camarero; Bond tomó asiento en un cómodo sofá y cogió el vaso de raki que el camarero le presentó. Alzó el vaso hacia Kerim y probó el líquido. Era idéntico al ouzo griego. Bebió el contenido del vaso de un solo trago. El camarero le volvió a llenar el vaso inmediatamente.

—Y ahora a elegir el menú. En Turquía no se come más que despojos de reses muertas guisados en aceite rancio. Pero, al menos, los despojos que se sirven en Misir Casarsi son los mejores. —El sonriente camarero hizo algunas sugerencias—. Dice que hoy está muy bueno el Doner Kebab. No lo creo pero puede ser. Se trata de cordero a la brasa con arroz condimentado. Con mucha cebolla. ¿O hay alguna otra cosa que usted prefiera? ¿Pilaff, o quizá alguno de esos platos picantes que se sirven aquí? Bien, pues entonces, comenzaremos con algunas sardinas a la brasa en *papillotte*. Están muy buenas. —Kerim dio nuevas órdenes al camarero y luego se recostó cómodamente en su sillón, mirando a Bond—. Notará usted que hablo al camarero con un poco de dureza, pero ésta es la única manera de dirigirse a estas gentes. Les agrada que les maldigan y les gusta recibir más de un puntapié. Es todo cuanto comprenden. Lo llevan en la sangre. Toda esa pretensión de democracia les está matando. Desean sultanes, guerras, violar mujeres y diversiones. ¡Pobres diablos con sus trajes rayados y sombreros hongo! Son gente triste. No hay más que verles. Pero, aun así, ¡al diablo con todos ellos! ¿Hay noticias?

Bond hizo un movimiento de cabeza. Relató a Kerim el cambio de habitación y el buen estado de su equipaje, que nadie había tocado.

Kerim bebió otro vaso de raki y se enjugó los labios con el dorso de una mano. Después exteriorizó la misma idea que había tenido Bond.

—Bien, la partida debe comenzar en algún momento. Hice algunos movimientos menores. Ahora debemos esperar con paciencia. Después de almorzar, haremos una incursión en territorio enemigo. Creo que le interesará. ¡Oh, nadie nos verá! Actuaremos en la sombra, bajo tierra. —Kerim se echó a reír tras pronunciar sus últimas palabras y luego añadió   : Y ahora, charlemos sobre otras cosas. ¿Le gusta Turquía? No, no quiero saberlo. ¿Qué más?

Fueron interrumpidos por la llegada del primer plato. Las sardinas a la brasa de Bond tenían el mismo sabor que otras muchas que había comido en su vida. Kerim atacó un plato de lo que parecía ser filetes de pescado crudo. Se fijó en la mirada de interés que le dirigía Bond.

—Pescado crudo —dijo—. Después comeré carne cruda con lechuga y una taza de yogur. No soy

191

un maniático, pero en mi juventud estuve preparándome para ser luchador de circo. Es una buena profesión en Turquía. El público les ama. Y mi entrenador insistía en que solamente debía comer carne cruda. Adquirí la costumbre. Para mí es bueno, pero no pretendo que lo sea para todo el mundo. Me importa tres cominos lo que coman los demás mientras disfruten con ello. Pero no puedo soportar a los comensales y bebedores tristes.

—¿Y por qué no se decidió a ser luchador? ¿Cómo llegó a formar parte de todo esto?

Kerim alzó un trozo de pescado con el tenedor y lo partió en dos con los dientes. Luego bebió medio vaso de raki. Encendió un cigarrillo y se recostó nuevamente en su sillón.

—Bien —dijo con amarga sonrisa—. Tanto da hablar de mí como de otra cosa cualquiera. Usted se estará preguntando: ¿cómo es posible que este lunático corpulento haya entrado en el Servicio? Se lo diré brevemente porque la historia es larga. Usted hágame callar si se aburre, ¿de acuerdo?

—De acuerdo —respondió Bond encendiendo un Diplomates, y apoyando ambos codos sobre la mesa.

—Nací en Trebizonda —declaró Kerim contemplando cómo ascendían hacia el techo las volutas de humo de su cigarrillo—. Éramos una enorme familia con muchas madres. Mi padre era el tipo de hombre al que no se le resistían las mujeres. Todas ellas deseaban caer entre sus brazos. En sus sueños ansiaban ser trasladadas a una cueva sobre los hombros de un hombre, y allí ser violadas. Así pensaban casi todas. Mi padre era un gran pescador y su fama se extendía por todo el Mar Negro. Se dedicaba a la captura del pez espada. Son peces difíciles de pescar y con los que es preciso luchar mucho, pero mi padre vencía fácilmente a todos los demás pescadores en esta clase de faena. A las mujeres les gustaba que sus hombres fueran héroes y él era una especie de héroe en un rincón de Turquía donde es tradición que los hombres sean duros. Realmente era un tipo fornido y romántico. Por eso consiguió a todas las mujeres que quiso. Las deseaba a todas y algunas veces mató a otros hombres para conseguirlas. Naturalmente, tuvo muchos hijos. Todos vivíamos amontonados en una casa enorme, arruinada, que nuestras *tías* convertían en habitable. Las tías formaban un harén. Una de ellas era una gobernanta inglesa, de Estambul, que mi padre había visto en una representación circense. Se enamoró de ella y ella de él y aquella misma noche la embarcó en su lancha de pesca para navegar por el Bósforo de regreso a Trebizonda. No creo que ella lo haya lamentado jamás. Me parece que olvidó el mundo entero excepto a él. Murió poco después de la guerra, cuando tenía sesenta años. La criatura que había nacido antes que yo la había tenido mi padre con una italiana y la madre la había llamado Blanco. Era un chico rubio. Yo era moreno. Por eso me llamaron Darko. Éramos, en total, quince niños y nuestra infancia fue maravillosa. Nuestras tías peleaban continuamente y lo mismo hacíamos nosotros. Se parecía a un campamento de gitanos. Se mantenía unido gracias a mi padre, que castigaba tanto a las mujeres como a los niños cuando molestábamos. Sin embargo, era una excelente persona cuando nos manteníamos tranquilos. Usted no podrá entender semejante familia, ¿verdad?

—Sí que puedo entenderla tal y como la describe.

—Bien, pues así era. Yo crecí hasta ser casi tan fornido y alto como mi padre, pero mejor educado. Mi madre se cuidó de eso. Mi padre solamente nos enseñó a ser limpios, a ir al retrete una vez al día y a no avergonzarnos nunca de nada en este mundo. Mi madre también me enseñó a apreciar Inglaterra, pero esto no hace falta ni decirlo. A los veinte años ya tenía una lancha de mi propiedad y estaba ganando dinero. Pero era un muchacho un tanto salvaje. Dejé la casa grande y me fui a vivir en dos pequeñas habitaciones, en el muelle. Quería tener mis mujeres, un lugar donde mi madre no las viera, un lugar que ella desconociese. También tuve en aquellos momentos una racha de mala suerte. Poseía una joven de Besarabia que era una auténtica furia. La había ganado luchando contra los gitanos, aquí, en las colinas que hay detrás de Estambul. Me persiguieron, pero conseguí meterla en la lancha, aunque primero me vi obligado a dejarla inconsciente. Cuando regresamos a Trebizonda aún intentaba matarme; y así me la llevé a casa, la desnudé y la encadené bajo la mesa. Cuando yo comía le arrojaba migajas y restos de comida como si fuera un perro. Tuvo que aprender que yo era su amo. Pero antes de que esto sucediera, mi madre hizo una cosa inaudita. Visitó mi refugio sin previo aviso. Vino a de-

cirme que mi padre deseaba verme inmediatamente. Luego encontró a la muchacha. Por primera vez
en mi vida mi madre se enfadó conmigo de verdad.
Bueno, ¿enfadarse? Se puso hecha una furia. En su
opinión yo era un tipo cruel que no servía para nada, y se avergonzaba de llamarme hijo suyo. Debía
devolver la joven a su familia inmediatamente. Luego le trajo ropa de casa. La muchacha se la puso,
pero cuando llegó la hora de marchar no quiso hacerlo, no quiso dejarme. —Darko Kerim se echó a
reír ruidosamente. Luego añadió—: Lección muy
interesante sobre psicología femenina, amigo mío
y, sin embargo, el problema de la muchacha es otra
historia. Mientras mi madre hacía todo cuanto podía por ella y a cambio no recibía más que maldiciones gitanas, yo me entrevisté con mi padre, que
nada sabía del asunto. Así era mi madre. Mi padre
estaba acompañado de otro hombre, un inglés alto
y tranquilo con un ojo cubierto por un parche negro. Hablaban de los rusos. El inglés quería saber
qué hacían a lo largo de la frontera y qué ocurría en
Batoum, la gran base naval y puerto petrolero situada a unos ochenta kilómetros de distancia de Trebizonda. Por tal información abonaría una buena
suma de dinero. Yo hablaba inglés y ruso y tenía buenos ojos y oídos. Por otra parte, también poseía una
embarcación. Mi padre decidió que debía trabajar
para el inglés. Y aquel inglés, amigo mío, era el comandante Dansey, mi predecesor como jefe de esta Sección. —Hubo un silencio y Kerim hizo un
amplio gesto con la mano, añadiendo—: El resto ya
lo puede imaginar.

—Pero ¿y el entrenamiento para llegar a ser un atleta profesional?

—¡Ah! —exclamó Kerim con cierto tono de malicia—, eso no era más que una tapadera. A los únicos turcos que se les permitía atravesar la frontera era a los que trabajábamos en circos ambulantes. El pueblo ruso no sabe vivir sin circo. Las cosas eran así de sencillas. Me hacía pasar por un feriante que rompía cadenas y alzaba pesos con una soga sujeta entre los dientes. También luchaba en las aldeas rusas con los hombres más fuertes de la localidad. Y recuerdo que algunos de aquellos georgianos eran auténticos gigantes. Afortunadamente eran bastante torpes y casi siempre les vencía. Después, a la hora de beber, se cotilleaba y se charlaba. Yo me hacía el tonto y simulaba no entender nada. De vez en cuando, hacía una pregunta inocente. Se burlaban de mi estupidez y respondían lo que yo deseaba.

Llegó el segundo plato y con él una botella de Kavaklidere, una imitación bien hecha del borgoña, como los demás vinos balcánicos. El kebab era bueno, con sabor a jamón ahumado; Kerim comió un *Steak Tartare*, carne picada y cruda aderezada con cebolletas y yema de huevo. Invitó a Bond a probarla y este último declaró que era un plato delicioso.

—Tiene usted que comer esto todos los días —dijo Kerim con entusiasmo—. Es un buen plato para aquellos que quieran hacer mucho el amor. Asimismo, hay algunos ejercicios que han de realizarse con la misma finalidad. Estas cosas son importantes para los hombres. O, al menos, lo son para mí. Al igual que mi padre, consumo una gran cantidad de mujeres. Pero, a diferencia de él, también bebo y fumo mucho, y esas cosas no van bien con el amor. Ni tampoco el trabajo que hago. Demasiadas tensiones y demasiado pensar. Esta labor sube la sangre a la cabeza, en vez de donde debería llevarla para hacer el amor. Pero amo la vida. La verdad es que también trabajo mucho. Cualquier día me fallará el corazón y el Cangrejo de Hierro me agarrará igual que hizo con mi padre. No le temo. Al menos moriré de una enfermedad honorable. Es posible que escriban sobre mi tumba: «Este hombre murió por vivir demasiado».

Bond se echó a reír.

—No tan aprisa, Darko —dijo—. M se sentiría muy disgustado. Tiene muy buena opinión de usted.

—¿De verdad? —Kerim estudió unos segundos la expresión que se reflejaba en el rostro de Bond para comprobar si estaba diciendo la verdad. Luego rió alegremente una vez más y añadió—: En tal caso, no permitiré que el Cangrejo se lleve mi cuerpo todavía. —Consultó su reloj y concluyó—: Vamos, James. Bueno es que me haya recordado mi deber. Tomaremos café en la oficina. No hay tiempo que perder. Cada día, a las 14.30, los rusos se reúnen en consejo de guerra. Hoy, usted y yo les haremos el honor de presenciar sus deliberaciones.

# 16

## El túnel de las ratas

De regreso a la fresca oficina y mientras espera-
ban el inevitable café, Kerim abrió un armario de
pared y extrajo del mismo dos monos de mecánico,
de color azul. Kerim se desnudó y se vistió con uno de
ellos, calzándose a continuación un par de botas de goma. Bond le imitó y, por último, también se calzó unas
botas que le iban un poco grandes.

Con el café, el jefe de la oficina trajo dos potentes linternas, que dejó sobre la mesa. Cuando el
empleado abandonó el despacho, Kerim dijo:

—Es uno de mis hijos... el mayor. Los demás
que están ahí fuera trabajando también son hijos
míos. El chófer y el vigilante son mis tíos. Se ob-
tiene el mejor de los servicios de seguridad cuando
hay lazos familiares. Y este negocio de especias es
la mejor de las tapaderas. Fue M quien me situó
aquí. Habló con sus amigos de la City, en Londres.
Ahora soy el principal comerciante de especias de
toda Turquía. Hace ya mucho tiempo que devolví
a M el dinero que me había prestado. Todos mis hijos son accionistas en la sociedad. Viven bien. Cuando hay que realizar algún trabajo secreto y necesito

su ayuda, escojo al muchacho más adecuado para el caso. Todos están bien instruidos en campos diferentes. Son listos y valientes. Algunos ya han matado por mí. Todos morirían por mí... y por M. Les he inculcado que M figura en el escalafón a continuación de Dios. —Kerim hizo un gesto como para quitar importancia a sus palabras y añadió—: Le digo todo esto para que sepa que está en buenas manos.

—No había imaginado otra cosa.

—¡Ah! —exclamó Kerim con cierto tono de duda, al mismo tiempo que cogía las dos linternas—. Y ahora, a trabajar.

Kerim se dirigió a la librería del muro y metió una mano en su parte posterior. Se oyó un *clic* metálico y todo el mueble giró silenciosamente, con gran facilidad, hacia la izquierda. Quedó al descubierto una pequeña puerta. Kerim hizo presión sobre uno de sus lados y la puerta se abrió hacia dentro para mostrar un oscuro túnel con escalones de piedra que descendían en línea recta. Olía a humedad.

—Primero usted —dijo Kerim—. Baje los escalones hasta el fondo y espere. Tengo que cerrar bien esto.

Bond encendió la linterna y bajó la escalera con precaución. La luz de la linterna se reflejaba sobre unos muros de cemento recién construidos. Seis metros más abajo brillaba el agua. Cuando Bond alcanzó el fondo de la escalera, descubrió que el agua pertenecía a un pequeño arroyo que se deslizaba por un desagüe, en el centro de un viejo túnel de piedra que ascendía hacia la derecha. El túnel también se extendía hacia la izquierda, y Bond pensó que debía de perderse bajo la superficie del Cuerno de Oro.

Fuera del radio de acción de la linterna de Bond se oía un rumor de algo escurridizo, y en la oscuridad se movían centenares de puntos rojos, minúsculos y luminosos. Se les veía tanto hacia arriba como hacia abajo, por la pendiente del túnel. A veinte metros de distancia a cada lado, mil ratas contemplaban a Bond. Le olisqueaban. Bond imaginó los bigotes ligeramente alzados sobre los dientes. Se hizo unas cuantas preguntas rápidas sobre qué ocurriría si en aquel momento se apagara la linterna.

Repentinamente vio a Kerim a su lado.

—Es un largo ascenso —dijo—. Cosa de un cuarto de hora. Espero que sea usted amante de los animales. —La carcajada lanzada por Kerim sonó con terrible estruendo en todo el túnel. Las ratas, espantadas, corrieron de un lugar a otro—. Pero, desgraciadamente, aquí no hay mucho donde escoger porque solamente viven ratas y murciélagos —continuó Kerim—. Hay batallones de ellas. Toda una fuerza aérea con su ejército de tierra. Y hemos de empujar a todos estos animalitos por delante de nosotros. Hacia el final del ascenso, el amontonamiento es enorme. Es cuestión de comenzar. El aire es bueno. A ambos lados de la corriente el terreno está seco. Pero en invierno esto se inunda de agua y tenemos que usar trajes de hombre rana. Enfoque la linterna a mis pies. Si se enreda en su pelo un murciélago, espántelo. No ocurrirá muy a menudo. Su radar es magnífico.

Comenzaron a caminar por la pendiente. Era muy fuerte el olor que despedían las ratas y los excrementos de los murciélagos, parecido al que despedirían, mezclados, una jaula de monos y un gallinero. A Bond se le ocurrió pensar que pasarían días antes de que pudiera librarse de aquel hedor.

Verdaderos racimos de murciélagos colgaban del techo como si fueran uvas pasas y cuando, ocasionalmente, la cabeza de Bond o la de Kerim les tocaban, los murciélagos emprendían un ruidoso vuelo hacia todas partes en plena oscuridad. Delante de ellos, al ir ascendiendo, hervía la masa de ratas, que constantemente se desplazaban y entrechocaban unas con otras lanzando agudos chillidos. Los diminutos puntos rojos brillaban a ambos lados del albañal. De vez en cuando, Kerim enfocaba la linterna hacia delante y la luz se reflejaba sobre un campo gris abarrotado de brillantes dientes y de enhiestos bigotes. Cuando esto ocurría, una especie de ataque de histerismo colectivo se apoderaba de las ratas, y las que se hallaban más cerca de la luz saltaban por encima de las demás huyendo desesperadamente. Mientras tanto, numerosos cuerpecillos grises continuaban llegando por el albañal central; a medida que se hacía mayor aumentaba la presión de la masa de animales en la parte superior del túnel. La retaguardia de las ratas fue acercándose a ellos más y más.

Los dos hombres mantenían las linternas a la altura de las caderas, como si fuesen auténticas armas de fuego, hasta que, al cabo de un cuarto de hora de camino, llegaron a su destino.

Era algo parecido a una alcoba abierta en un costado del túnel con muros de ladrillo. Había dos bancos a cada lado de un objeto grueso y largo, envuelto en tela encerada, que partía del techo del túnel.

Ambos hombres penetraron en el interior. Bond pensó que si hubiesen tenido que ascender unos cuantos metros más, quizá un terrible ataque de histeria se hubiera apoderado de la masa de ratas que, a miles, se amontonaban al final del túnel. En tal momento la horda hubiese dado media vuelta. Obligadas a buscar espacio, las ratas habrían desafiado a la luz lanzándose sobre los dos intrusos, a pesar de los dos pares de ojos que brillaban amenazadores y el peligroso olor humano.

—Fíjese —dijo Kerim.

Hubo un momento de silencio. Al final del túnel habían cesado los chillidos de los roedores, como obedeciendo a una voz de mando. Luego, repentinamente, pasó de largo por el túnel una masa agrisada de treinta centímetros de altura, un mar de ratas que se atropellaban mutuamente, rodando y precipitándose pendiente abajo.

Durante unos minutos el río gris pasó de largo por delante del receso de la pared hasta que, finalmente, el número de animales fue disminuyendo poco a poco. Por último, desfilaron las ratas enfermas y las heridas, en retaguardia.

Los molestos chillidos de la horda se desvanecieron hacia el río. Luego reinó el silencio, excepto el ocasional aleteo de un murciélago.

Kerim gruñó en tono bajo y explicó:

—Cualquier día todas estas ratas comenzarán a morir. Entonces volveremos a padecer en Estambul otra epidemia. Algunas veces me siento culpable por no habérselo comunicado a las autoridades. Siento no haber dado cuenta de la existencia de este túnel para que lo limpiasen a fondo. Pero no podré hacerlo mientras los rusos estén ahí arriba. —Kerim miró hacia arriba y después consultó su reloj—. Faltan cinco minutos. Estarán tomando asiento y arreglando sus documentos sobre la mesa. Acudirán los tres hombres de siempre: el de la MGB, otro del Servicio de Inteligencia Militar y otro de la GRU. Probablemente habrá tres más. Dos llegaron hace quince días, uno por Grecia y otro por Persia. El otro llegó el lunes. Dios sabe quiénes son o para qué están aquí. Algunas veces entra Tatiana con un mensaje y luego se retira. Esperemos que la vea usted hoy. Me parece que le impresionará. Es algo bueno de verdad.

Kerim alzó ambos brazos y desató la cubierta de tela encerada, tirando de ella hacia abajo inmediatamente. Bond se dio cuenta de qué se trataba. La cubierta protegía el brillante tubo del periscopio de un submarino, totalmente replegado. La humedad brillaba sobre la espesa grasa que recubría el extremo destapado. Bond rió entre dientes.

—¿Dónde diablos ha conseguido esto, Darko? —preguntó.

—La Armada turca. Material de guerra sobrante.

El tono de voz de Kerim no animaba a hacer más preguntas.

—Ahora la Sección Q de Londres está intentando arreglar este trasto, para adaptar un hilo que proporcione sonido. No será fácil. Las lentes que hay al final del periscopio no son mayores que un encendedor. Cuando lo subo, llega al nivel del suelo, en su habitación. En un rincón de la estancia abrimos un orificio perfectamente simulado. Está muy bien hecho. La primera vez que hice funcionar este aparato vi ahí arriba una ratonera con un gran trozo de queso en ella. —Kerim se echó a reír y añadió—: Pero no hay mucho espacio para montar en las lentes un micrófono que sea suficientemente sensible. Por otra parte, tampoco tenemos muchas esperanzas de poder introducirnos de nuevo en esa habitación para juguetear con su arquitectura. ¿Sabe cómo me las arreglé para instalar todo esto? Acudiendo a mis amigos del Ministerio de Obras Públicas, para que los rusos se alejaran de aquí unos cuantos días. La excusa fue que los tranvías que suben por la colina estaban poniendo en peligro los cimientos de las casas. Era preciso realizar una inspección. Me costó unos cuantos centenares de libras en los bolsillos correspondientes. Obras Públicas inspeccionó media docena de casas a cada lado de ésta, y más tarde declaró que el lugar era seguro. Por entonces yo y la familia ya habíamos terminado la instalación. Los rusos sospechaban como diablos. Creo, sin lugar a dudas, que cuando regresaron inspeccionaron la estancia de arriba abajo, buscando micrófonos, bombas y cosas por el estilo. Pero no podemos recurrir al mismo truco dos veces. A menos que la Sección T invente algo que sea inteligente, tendré que conformarme con vigilarles de esta manera. Uno de estos días quizá proporcionen alguna información útil. Es probable que interroguen a alguien que nos interese, o algo así.

A un lado del tubo del periscopio y en el techo, había una bola metálica que oscilaba. Tenía aproximadamente dos veces el tamaño de un balón de fútbol.

—¿Qué es eso? —preguntó Bond.

—La parte inferior de una bomba, una bomba grande. Si algo me ocurriese a mí o si se declara la guerra con Rusia, esta bomba estallará mediante control de radio desde mi despacho. Es en verdad triste que muchas personas inocentes mueran así, además de los rusos. Pero cuando la sangre hierve, el hombre selecciona mucho menos que la naturaleza.

Kerim, mientras hablaba, había estado limpiando las dos miras que había entre las dos palancas de mano que sobresalían a ambos lados del tubo, en la base del periscopio. Consultó su reloj, se inclinó y, asiendo los dos mangos, alzó lentamente el periscopio hasta que estuvo al nivel de su mentón. Se oyó un suave siseo producido por el sistema hidráulico, cuando la brillante columna del periscopio penetró en la funda de acero del techo. Kerim inclinó la cabeza y observó por los oculares elevando un poco más el tubo hasta incorporarse del todo. Luego hizo girar el aparato muy lentamente. Centró las lentes y dijo con calma:

—En este momento son seis. —Bond se acercó y ocupó el puesto de Kerim—. Obsérveles bien

—dijo este último—. Les conozco. Pero será mejor que grabe usted sus rostros en la memoria. El que preside la mesa es el jefe de la Delegación. A la izquierda están dos de sus ayudantes. Enfrente se hallan los tres hombres nuevos. El último, que parece ser un tipo importante, está a la derecha del director. Dígame si hacen algo excepto hablar.

El primer impulso de Bond fue decir a Kerim que no hiciera tanto ruido. Tuvo la impresión de hallarse en la habitación con los rusos, como si estuviese sentado en una silla de un rincón, quizá como secretario, tomando notas en taquigrafía.

Las lentes, de gran amplitud de campo, diseñadas para localizar aviones o buques de superficie, le ofrecían un espectáculo sorprendente, como el que pudiera obtener un ratón de un bosque de piernas bajo la mesa de conferencias, y varios aspectos de las cabezas que pertenecían a esas personas. El director y sus dos colegas eran perfectamente visibles..., rostros rusos tristes, aburridos, cuyas características Bond grabó bien en su memoria. La cara del director tenía los rasgos de un tipo estudioso, un profesor, con gruesas gafas, protuberantes mandíbulas, amplia frente y escasos cabellos peinados hacia atrás. A su izquierda había un rostro cuadrado, como de palo, con profundas arrugas a ambos lados de la nariz, cabellos rubios, cortados en cepillo, y una oreja a la que le faltaba el lóbulo. El tercer miembro del personal permanente tenía un rostro armenio, con ojos almendrados, brillantes e inteligentes. En aquel momento era el que estaba hablando. En sus facciones se reflejaba una expresión de falsa humildad. Algunas piezas de oro brillaban en su boca.

Bond no podía ver bien a los tres visitantes. Le daban la espalda a medias y únicamente distinguía el perfil del más cercano, que era probablemente el menos importante. La tez de este último era también oscura. Sin duda, procedía de alguna de las repúblicas del sur. Estaba mal afeitado y, de perfil, mostraba un ojo bovino, triste, bajo una ceja muy negra y poblada. La nariz era gruesa y porosa. Largo el labio superior sobre una boca de perenne gesto agrio. Una doble barbilla comenzaba a marcarse. Los cabellos, ásperos y negros, eran cortos de tal forma que el cuello aparecía azulado hasta casi el nivel de las orejas. Era un corte de pelo militar hecho a máquina.

Lo único que se distinguía del siguiente hombre era un forúnculo muy inflamado, que se destacaba en un cuello grueso y pelado; un traje azul y zapatos de color marrón bien pulidos. El hombre permaneció inmóvil durante todo el tiempo que Bond estuvo observando y sin que, al parecer, llegara a pronunciar ni una sola palabra.

En aquel preciso momento el visitante importante, situado a la derecha del director residente, se recostó más cómodamente en su silla y comenzó a hablar. Poseía un perfil vigoroso, áspero, con marcadas facciones y un protuberante mentón bajo un espeso mostacho al estilo Stalin. Bond vio también un ojo gris bajo una poblada ceja y una frente estrecha coronada por cabellos hirsutos y canosos. Este hombre era el único que estaba fumando. Soste-

nía entre los dientes una boquilla en la que humea-
ba medio cigarrillo. De vez en cuando, sacudía la
pipa hacia un lado para que la ceniza cayera al suelo. Su perfil mostraba mayor autoridad que los demás y Bond sospechó que se trataba de algún superior enviado por Moscú.

Los ojos de Bond se fatigaban. Hizo girar con
precaución el periscopio con objeto de observar el
resto de la habitación hasta donde permitía el radio
de acción de las lentes. No vio nada que captara su
interés. Dos armarios archivadores de color verde
oliva, un perchero junto a la puerta en el que con-
tó seis sombreros grises más o menos parecidos, y
un aparador con una gran garrafa de agua y algunos vasos. Bond apartó los ojos del aparato al mismo tiempo que se los frotaba vigorosamente.

—Si pudiésemos escuchar lo que dicen —se la-
mentó Kerim—. Valdría un saco de diamantes.

—Se resolverían muchos problemas —convino
Bond—. Y, a propósito, Darko, ¿cómo descubrió
usted este túnel? ¿Para qué fue construido?

Kerim se inclinó, lanzó una rápida ojeada por
los oculares del periscopio y se incorporó nuevamente.

—Se trata de un desagüe abandonado perteneciente a la Cisterna de la Basílica, que ahora visitan
solamente los turistas. Está sobre nosotros, en la parte alta de Estambul, cerca de Santa Sofía. Hace unos
mil años se construyó como depósito en caso de sitio. Es un enorme palacio subterráneo, con cien metros de longitud por cincuenta de anchura. Se construyó para poder disponer de millones de galones

de agua. Hace unos cuatrocientos años se volvió a descubrir nuevamente por un hombre llamado Gyllius. Un día estaba yo leyendo su relato del descubrimiento cuando tuve la idea. El tal Gyllius decía que se llenaba en invierno mediante un «conducto que hacía un ruido enorme». Se me ocurrió pensar entonces que podría haber otro «gran conducto» para vaciarlo rápidamente si la ciudad caía en manos del enemigo. Me acerqué hasta la Cisterna de la Basílica, soborné al vigilante, y estuve remando en una lancha por entre columnas toda una noche en compañía de uno de mis muchachos. Examinamos los muros con un martillo y un aparato para localizar sonidos. En un extremo, en el lugar menos pensado, sonó a hueco. Solté más dinero en el Ministerio de Obras Públicas y se cerró el lugar durante una semana «para su limpieza». Entonces comenzó a trabajar mi pequeño equipo, a trabajar intensamente —Kerim se detuvo y lanzó otra breve ojeada a través de los oculares. Después continuó—: Excavamos en la pared por encima del nivel de agua y alcanzamos la parte superior de un arco. Era el comienzo de un túnel. Entramos en él y lo recorrimos. Fue emocionante, no sabíamos adónde saldríamos. Por supuesto, descendía directamente y en línea recta por la colina, bajo la calle de los Libros, donde están instalados los rusos, hasta salir al Cuerno de Oro, por el puente Galata, a unos veinte metros de distancia de mi almacén. Después cubrimos el agujero en la Cisterna de la Basílica y comenzamos a cavar por nuestro lado. Hace ya dos años de esto. Empleamos un año en labores de reconocimiento hasta llegar directamente bajo los rusos. —Kerim se echó a reír. Luego añadió—: Y ahora, supongo que uno de estos días los rusos decidirán cambiar sus oficinas. Para entonces espero que haya otro jefe de la Sección T. —Kerim se inclinó de nuevo sobre los oculares del periscopio. Bond notó cómo se envaraba su cuerpo repentinamente. Kerim dijo con tono de urgencia—: La puerta se está abriendo. ¡Rápido! Fíjese en esto. Llega ella.

# 17

## Matando el tiempo

Eran las siete en punto de la misma tarde cuando James Bond se hallaba de regreso en su hotel. Había tomado un baño de agua caliente, seguido de una ducha fría. Pensó que finalmente había logrado arrancarse de encima toda la pestilencia animal de un parque zoológico.

Se encontraba sentado, desnudo, excepto por unos pantalones cortos, ante una de las ventanas de su habitación, saboreando un vodka con soda, mientras contemplaba la formidable puesta de sol que tenía lugar sobre el Cuerno de Oro. Pero sus ojos no veían el rasgado tejido de oro y sangre que parecía colgar por detrás de los minaretes bajo los cuales había visto por primera vez a Tatiana Romanova.

En realidad, pensaba en aquella muchacha alta y bella que, con paso de bailarina, había entrado en la estancia con un papel en la mano. Se había detenido junto a su jefe y se lo había entregado. Todos los hombres la habían mirado. Ella, tras enrojecer violentamente, había bajado la cabeza. ¿Qué significaba la expresión que se había reflejado en las facciones de los hombres? Era algo más que la simple mirada que algunos dirigen a una joven bella. Era curiosidad. Parecía razonable. Deseaban saber el contenido del mensaje y por qué les habían molestado en aquel momento. Pero, ¿qué más? También en los ojos de aquellos hombres se destacaba el menosprecio, la forma de mirar a una prostituta.

La escena había sido extraña e incluso enigmática. Esos personajes formaban parte de una organización paramilitar altamente disciplinada y organizada. Todos ellos eran oficiales en activo, y cada uno tenía que ser precavido y cauteloso con los demás. La muchacha también formaba parte del personal, y en aquel momento desempeñaba las funciones propias de un cabo. Y si así era, ¿por qué la habían mirado de aquella manera despreciativa..., casi como si fuera una espía sorprendida con las manos en la masa y a la que estuvieran a punto de ejecutar? ¿Acaso sospechaban de ella? ¿Se habría denunciado a sí misma cometiendo alguna equivocación? Aquello parecía poco probable a juzgar por el resto de la escena. El jefe de la Delegación leyó el mensaje y los ojos de los hombres se apartaron la figura de la joven para posarse en el jefe. Este último dijo algo, quizá la repetición del texto del mensaje, y los hombres cambiaron instantáneamente la expresión de sus miradas, como si el asunto no les interesara lo más mínimo. A continuación, el jefe miró a la muchacha y los demás ojos siguieron a los suyos. El jefe murmuró algo, amistosamente, con expresión inquisitiva. La joven movió la cabeza y su respuesta fue breve. Los demás hombres parecieron interesarse nuevamente. El jefe pronunció una sola palabra. La joven enrojeció vivamente y asintió con un movimiento de cabeza, mirando al jefe obedientemente. Los hombres sonrieron, quizá como muestra de apoyo. Allí no parecía existir ninguna clase de sospechas. La escena terminó con unas cuantas frases por parte del jefe, a las que la muchacha pareció responder afirmativamente. Luego se volvió y abandonó la estancia. Cuando se retiró, el jefe dijo algo mostrando una expresión irónica y los hombres rieron de buena gana. Al cabo de unos segundos adoptaron nuevamente su seria actitud, como si lo que acabara de decir el jefe fuese algo obsceno. Acto seguido, reanudaron su trabajo.

Desde entonces, mientras recorrían el túnel de regreso y durante el tiempo en que discutieron en el despacho de Kerim lo que habían visto , Bond se había devanado los sesos buscando una explicación a la mímica sostenida por aquellos hombres. Y en aquel instante, mirando sin ver la puesta de sol, aún seguía Bond completamente desorientado.

Terminó la bebida y encendió otro cigarrillo. Dejó el problema a un lado y pensó de nuevo en la muchacha.

Tatiana Romanova. Una Romanov. Bien, ciertamente tenía aspecto de princesa rusa o, al menos, parecía representar la tradicional idea que de tal figura se tenía en todo el mundo. La joven sabía mover el alto y bien formado cuerpo, graciosamente. Los abundantes cabellos caían sobre sus hombros. Su perfil no carecía de cierta autoridad. El rostro, maravilloso, se parecía al de Greta Garbo, y estaba dotado de la misma serenidad tímida. Existía contraste entre la inocencia de los ojos, grandes y azules, y la apasionada promesa de su generosa boca. La forma en que había enrojecido, y la manera en que las largas pestañas habían caído sobre sus ojos, ¿mostraban acaso la prudencia de una virgen? Bond no lo creía así. Tenía la seguridad de que esos orgullosos senos habían sido amados antes y que su trasero, que se movía con insolencia, evidenciaba un cuerpo que sabía lo que podía hacer.

Por lo que Bond había visto, ¿podía creer que era la clase de chica que se enamoraba de una fotografía y de una ficha? ¿Quién podría asegurarlo? Tal muchacha debía de tener temperamento romántico. Había sueños en sus ojos y en su boca. A su edad, veinticuatro años, la máquina soviética no podía haber disipado toda clase de sentimientos. La sangre de los Romanov quizá le había impulsado a desear otra clase de hombres diferentes a los típicos oficiales rusos modernos: duro, frío, mecánico, básicamente histérico y, a causa de la educación del partido, infernalmente aburrido.

Podía ser cierto. Su aspecto no desmentía en absoluto su relato. Y, en el fondo, Bond deseaba que fuera verdad.

Sonó el teléfono. Era Kerim.

—¿No hay nada nuevo?

—No.

—Entonces le recogeré a las ocho.

—Estaré preparado.

Bond dejó el auricular y comenzó a vestirse.

Kerim se había mostrado firme sobre el hecho de cómo debía pasar la tarde. Bond hubiera querido quedarse en su habitación del hotel y esperar a que llegara el primer contacto..., una nota, un telefonazo, cualquier cosa. Pero Kerim había dicho que no. La joven también se había mostrado inquebrantable en el deseo de ser ella quien eligiera momento y lugar. Hubiese sido un error que Bond apareciera como un esclavo de la conveniencia de la muchacha.

—Eso se llama mala psicología, amigo mío —había insistido Kerim—. A ninguna mujer le agrada que un hombre corra cuando ella silba. Le despreciaría si usted se mostrase excesivamente a mano. A juzgar por sus facciones y su expediente, ella esperará que usted se comporte con indiferencia, incluso con insolencia. Sospecho que tal cosa le agradará. Ella desea cortejarle, comprar un beso de... de esa cruel boca. Ella se ha enamorado de una imagen. En consecuencia, compórtese usted como tal imagen. Desempeñe bien su papel.

Bond se había encogido de hombros.

—Está bien, Darko. Reconozco que tiene usted razón. ¿Qué es lo que sugiere?

—Lleve una vida normal. Ahora vaya al hotel, tome un baño y beba. El vodka local es bueno si lo mezcla con tónica. Si nada ocurre, le recogeré a las ocho. Cenaremos en un sitio cuyo dueño es gitano y amigo mío. Se llama Vavra. Es jefe de una tribu. De todos modos, debo verle esta noche. Es una de mis mejores fuentes. Está averiguando quién intentó volar mi oficina. Algunas de sus chicas bailarán para usted. No sugeriré que le entretengan más íntimamente. Tiene usted que mantener la espada bien afilada. Hay un dicho: «Una vez el Rey, siempre el Rey. Pero una vez caballero ¡ya es bastante!».

Bond sonrió ante el recuerdo de las palabras de Kerim y, en aquel preciso instante, el teléfono sonó de nuevo.

Tomó el auricular. Era el coche. Al bajar los pocos escalones y acercarse a Kerim que le esperaba en el Rolls, Bond admitió que se sentía un poco decepcionado.

Cuando subían por la lejana colina atravesando los barrios más pobres, sobre el Cuerno de Oro, el chófer volvió a medias la cabeza y dijo algo con tono indiferente.

Kerim respondió con un monosílabo. Después aclaro:

—Dice que nos sigue una Lambretta. Un «sin rostro». Carece de importancia. Cuando quiera puedo moverme secretamente. Muy a menudo han seguido a este coche durante kilómetros cuando en este asiento no había más que un muñeco. Un coche llamativo tiene sus ventajas. Ellos saben que ese gitano es amigo mío, pero ignoran por qué. No les hará ningún daño saber que vamos a pasar una noche de diversión. Una noche de sábado, y en compañía de un amigo de Inglaterra; cualquier otra cosa sería absurda.

Bond miró hacia atrás por la ventanilla posterior y contempló las abarrotadas calles. Por detrás de un tranvía parado apareció durante un instante una moto y después quedó oculta por un taxi. Bond se volvió. Reflexionó brevemente sobre la manera en que los rusos dirigían sus centros... con todo el dinero y el equipo del mundo, mientras que el Servicio Secreto les hacía frente con un puñado de hombres aventureros, mal pagados, como aquel del Rolls y sus hijos, que le ayudaban. Sin embargo, Kerim gobernaba en Turquía. Quizá, después de todo, el hombre idóneo siempre era mejor que la más adecuada máquina.

A las ocho y media se detuvieron en la mitad del ascenso a una colina, en las afueras de Estambul, ante un café de pobre aspecto, con unas cuantas mesas vacías en la acera. Detrás del café se veían las copas de unos árboles que asomaban por encima de un alto muro de piedra. Se apearon y el coche se alejó. Esperaron a la Lambretta, pero el ruido de su motor cesó de repente y, acto seguido, volvieron a oírla deslizándose colina abajo. Todo cuanto pudieron ver del conductor fue que se trataba de un individuo bajo de estatura, que usaba gafas de motorista.

Kerim entró en el café pasando por entre las mesas. Parecía desierto, pero un hombre se puso en pie rápidamente detrás del mostrador y mantuvo una de sus manos bajo la madera de éste. Cuando vio quién llegaba, sonrió a Kerim nerviosamente. Algo cayó al suelo con un ruido metálico. Salió de detrás del mostrador y condujo a los dos hombres hacia la parte posterior del bar donde, después de atravesar un trecho de grava hasta una puerta en el alto muro y llamar a ella una vez, les abrieron y el hombre les hizo una seña para que pasaran.

Se encontraron en un huerto con mesas de madera bajo los árboles. En el centro había una pequeña pista de baile. A su alrededor, bombillas de colores, apagadas en aquel momento, colgaban de largas estacas clavadas en la tierra. En el extremo más alejado y en una larga mesa, había una veintena de hombres y mujeres de todas las edades, comiendo, pero ahora habían dejado sus cubiertos y miraban hacia la puerta. Algunos niños jugaban en la hierba, detrás de la mesa. También permanecían inmóviles en aquel instante mirando a los recién llegados. Tres cuartos de luna iluminaban la escena brillantemente, formando sombras aquí y allá bajo los árboles.

Kerim y Bond siguieron caminando. El hombre que presidía la mesa dijo algo a los demás. Se puso en pie y se acercó a los visitantes. El resto de los comensales continuó comiendo y los niños jugando.

El hombre saludó a Kerim con cierta reserva. Durante unos momentos pareció darle explicaciones que éste escuchó atentamente, haciendo de vez en cuando alguna pregunta.

El gitano era un hombre imponente, teatral, ataviado con su traje macedonio: camisa blanca de anchas mangas, pantalones de fuelle y botas altas de cuero. Sus cabellos eran una verdadera maraña de rizos negros. Un poblado bigote, alargado, casi ocultaba los labios. Los ojos eran fieros y crueles. La nariz era la de un sifilítico. La luz de la luna se reflejaba sobre la aguda línea de la mandíbula y en los altos pómulos. Su mano derecha, en la que lucía un anillo de oro, descansaba sobre el pomo de una curvada daga en vaina de piel, adornada con filigranas de plata.

El gitano terminó de hablar. Kerim pronunció unas cuantas palabras enérgicas y, al parecer, elogiosas acerca de Bond. El hombre extendió una mano hacia este último, como si fuera un presentador de cabaret anunciando la salida de un nuevo número a la pista. El gitano avanzó un paso hacia Bond y le examinó cuidadosamente. Luego se inclinó y Bond le imitó. El gitano pronunció a continuación unas palabras con sonrisa sardónica. Kerim rió y se volvió hacia Bond.

—Dice que si alguna vez no tiene usted nada que hacer, venga a verle. Le dará trabajo..., domesticar a sus mujeres y matar por él. Esto, en labios de un gitano, es un gran cumplido para un payo, un extranjero. Tiene usted que responder algo.

—Dígale que no puedo imaginar que necesite ayuda en tales menesteres.

Kerim tradujo. El gitano sonrió cortésmente. Dijo algo más y caminó hacia la mesa, a la vez que daba unas rápidas palmadas. Dos mujeres se pusieron en pie y caminaron hacia él. El gitano les habló secamente. Las dos mujeres se acercaron a la mesa, recogieron una gran fuente de barro cocido y desaparecieron entre los árboles.

Kerim tomó a Bond por un brazo y le condujo hacia un lado.

—Hemos venido en una mala noche —dijo—. El restaurante está cerrado. Hay problemas de familia que han de resolverse... drásticamente y en privado. Pero yo soy un viejo amigo y acaban de invitarnos a compartir su cena. Será repugnante pero he enviado a buscar raki. Después podremos contemplarlo todo, pero a condición de no mezclarnos en nada. Espero que usted lo entienda, amigo mío. —Kerim oprimió el brazo de Bond y agregó—: Sea lo que fuere lo que usted vea, no debe moverse ni comentarlo. Se ha reunido un tribunal y ha de hacerse justicia..., su clase de justicia. Es un asunto de amor y celos. Dos muchachas de la tribu están enamoradas de uno de los hijos de este gitano. Se huele la tragedia en el aire. Las dos jóvenes se han retado muerte para conseguir al muchacho. Si éste elige a una de ellas, la otra ha jurado matar a la que tuvo más suerte y al muchacho. Es un *impasse*. Se discute mucho en el seno de la tribu. Se ha ordenado al joven que se vaya a las colinas. Las dos muchachas han de pelear aquí esta misma noche..., pero a muerte. El hijo está de acuerdo en aceptar a la vencedora. Las dos mujeres están encerradas en carros separados. No será un espectáculo de calidad pero valdrá la pena contemplarlo. Es un gran privilegio poder estar presente. ¿Lo comprende? Somos payos. ¿Olvidará usted ciertos prejuicios de carácter social? ¿No se mezclará en nada? Si lo hiciese, posiblemente le matarían, y a mí también.

—Darko —dijo Bond—. Tengo un amigo francés que se llama Mathis y que es jefe del Deuxième. Una vez me dijo: *«J'aime les sensations fortes»*. Soy como él. No le perjudicaré a usted en este caso. Una cosa es que los hombres luchen contra las mujeres. Pero el hecho de que las damas luchen entre sí es cosa diferente. ¿Y qué hay de la bomba? La que casi voló su oficina. ¿Qué le ha dicho sobre eso?

—Fue el jefe de los «sin rostro». Él mismo la colocó. Atravesaron en barca el Cuerno de Oro, y subió luego por una escalera apoyada contra el muro. Mala suerte que no me pillaran allí, en la mesa. La operación estaba bien estudiada. El tipo ése es un gánster, un búlgaro refugiado que se llama Krilencu. Tendré que pasarle factura, una buena cuenta. Dios sabe por qué, de repente, quieren matarme, pero no puedo permitirles ese lujo. Puedo pasar a la acción esta misma noche. Sé dónde vive. En el caso de que Vavra conociera la respuesta, dije a mi chófer que regresara con el equipo necesario.

Una muchacha de aspecto fiero, pero sumamente atractiva y ataviada con un vestido de color negro pasado de moda, collares de monedas de oro alrededor del cuello y unas diez finas pulseras, también de oro, en cada muñeca, se acercó desde la mesa y se inclinó cortésmente ante Kerim, haciendo sonar todo el metal que llevaba encima. Dijo algo, y Kerim replicó.

—Nos invitan a la mesa —tradujo Kerim—. Espero que sepa usted comer con los dedos. Veo que esta noche todos usan sus mejores ropas. Valdría la pena casarse con esa muchacha. Lleva mucho oro encima. Es su dote.

Se acercaron a la mesa. A cada lado del jefe gitano habían dejado dos plazas libres. Kerim pronunció en voz alta unas palabras que Bond supuso eran un saludo a todos los comensales. Por parte de éstos, hubo una cortés inclinación de cabeza. Luego tomaron asiento. Ante cada uno de ellos había un gran plato con una especie de ragut que olía fuertemente a ajo, una botella de raki, una jarra de agua y un vaso. Sobre la mesa había, intactas, más botellas de raki. Cuando Kerim extendió un brazo para coger la suya, todo el mundo le imitó. Bond hizo lo mismo. Luego Kerim pronunció un corto pero vehemente discurso, y todos alzaron sus vasos para beber. El ambiente se hizo más agradable. Una anciana sentada junto a Bond le pasó una hogaza de pan. Bond le dio las gracias sonriendo, partió un trozo y entregó la hogaza a Kerim. Éste tomó la hogaza con una mano y, a la vez, con la otra, introdujo un gran trozo de carne en su boca y comenzó a comer.

Bond estaba a punto de hacer lo mismo cuando Kerim le advirtió con calma:

—Con la mano derecha, James. La mano izquierda entre estas gentes sólo se emplea para un propósito.

Bond alzó la mano izquierda en el aire y la movió para apoderarse de la más cercana botella de raki. Se sirvió otro medio vaso y comenzó a comer con la mano derecha. El ragut era delicioso, pero estaba muy caliente. Bond parpadeaba cada vez que sumergía los dedos en la salsa. Todo el mundo contempló cómo comían. De vez en cuando, la anciana hundía sus dedos en el plato de Bond y elegía para él algún buen pedazo.

Cuando vaciaron los platos, colocaron entre Bond y Kerim un cuenco de plata, que contenía agua y pétalos de rosa, junto a un paño muy limpio de lino blanco. Bond se lavó las puntas de los dedos y su grasienta barbilla y, dirigiéndose luego al anfitrión, pronunció unas palabras de agradecimiento que Kerim tradujo en el acto. Se oyó un murmullo general de aprecio. El jefe de los gitanos se inclinó hacia Bond y dijo, según Kerim, que odiaba a todos los payos, excepto a Bond, sintiéndose muy orgulloso de llamarle su amigo. Después dio un par de palmadas y todo el mundo se puso en pie. Los comensales comenzaron entonces a colocar los bancos alrededor de la pista de baile.

Kerim se acercó a Bond. Juntos se alejaron un tanto.

—¿Cómo se siente? Ahora irán en busca de las dos muchachas.

Bond asintió con un movimiento de cabeza. Estaba disfrutando de la noche. La escena era bella y emocionante: la luna blanca brillando sobre el conjunto de figuras que tomaban asiento en los bancos, el esplendor del oro y de las joyas cuando alguien se movía o cambiaba de posición, la rutilante terraza y, rodeándolo todo, los árboles, inmóviles, como si fuesen centinelas, vigilantes entre las sombras.

Kerim condujo a Bond hacia un banco donde se hallaba sentado en solitario el jefe de los gitanos. Los dos se sentaron a su derecha.

Un gato negro con ojos verdes atravesó con calma la pista de baile uniéndose al grupo de niños que estaban sentados pacíficamente, como si alguien estuviese a punto de llegar a la pista para darles una lección. El gato se echó y comenzó a lamerse las patas.

Más allá del alto muro relinchó un caballo. Dos de los gitanos miraron por encima del hombro hacia el lugar de donde había partido el relincho, como si leyesen algo en él. Desde el camino llegó el metálico sonido del timbre de una bicicleta. Alguien que bajaba por la colina.

El pesado silencio se quebró con el ruido de un cerrojo al correrse. La puerta de la pared se abrió y dos muchachas, escupiendo y peleando como gatos rabiosos, se precipitaron a través de la hierba hasta alcanzar la pista de baile.

# 18

## Sensaciones fuertes

La voz del jefe de los gitanos sonó como un latigazo. Las jóvenes se separaron de mala gana y quedaron ante él mirándole cara a cara. El gitano comenzó a hablar con tono de severa acusación.

Kerim se llevó una mano a la boca para cubrirla a medias y habló en voz baja:

—Vavra les está diciendo que ésta es una gran tribu de gitanos y que ellas han traído a su seno disensiones. Dice que entre los gitanos no han de existir diferencias ni odios, sino más bien contra los de fuera. El odio que han creado debe depurarse para que la tribu pueda, una vez más, vivir en paz. Deben luchar. Si la vencida no muere, será repudiada para siempre. Exactamente igual que si hubiese muerto. Estas gentes son capaces de marchitarse y morir fuera de su tribu. No pueden vivir en nuestro mundo. Son igual que bestias feroces obligadas a vivir en cautividad.

Mientras Kerim hablaba, Bond examinaba a los dos hermosos animales que se hallaban en el centro de la pista.

Las dos eran gitanas de piel oscura, con cabellos ásperos y negros, que caían sobre los hombros.

Las dos iban vestidas con los típicos harapos de los poblados negros: una especie de túnica confeccionada con trozos de retales y parches de todos los colores. Una de ellas era más corpulenta que la otra y, sin duda, mucho más fuerte, pero tenía aspecto tristón y no parecía poseer reflejos rápidos ni ser muy hábil moviendo los pies. Era muy hermosa, de aspecto leonino, y sus ojos, de pesados párpados, brillaban ominosamente a la vez que escuchaba con paciencia las palabras del jefe de la tribu. Bond pensó que era la que debía vencer. Era un poco más alta y más fuerte que su contraria.

Mientras que la primera joven parecía una leona, la segunda era en verdad una especie de pantera... ágil, con ojos vivos y astutos, que no miraban a quien hablaba sino de reojo, al mismo tiempo que apoyaba ambas manos sobre las caderas, crispándolas como si fuesen garras. Los músculos de sus finas piernas parecían tan fuertes como los de un hombre. Los senos eran pequeños, y a diferencia de los grandes de la otra joven, apenas abultaban bajo los harapos que vestía. Bond pensó que la chica ofrecía todo el aspecto de una perra peligrosa. Seguramente daría el primer golpe y sería rapidísima en propinar el segundo.

Inmediatamente comprobó que se equivocaba. Cuando Vavra acababa de pronunciar la última palabra, la muchacha más fuerte, a quien Kerim llamaba Zora, dio un rápido puntapié de costado sin pensarlo ni un solo segundo, hundiendo el pie en el estómago de su oponente; cuando ésta se tambaleó, la golpeó con el puño cerrado en una sien, lanzándola al pavimento.

—¡Ah...! ¡Vida! —exclamó una de las mujeres que presenciaban la lucha.

No valía la pena preocuparse. Incluso Bond pudo ver que Vida, tendida en el suelo, fingía estar acabada. Bond vio cómo relampagueaban sus ojos, bajo un brazo doblado, cuando el pie de Zora buscó sus costillas.

Las dos manos de Vida salieron disparadas hacia un lado. Asieron un tobillo y su cabeza golpeó con fuerza sobre el empeine con la velocidad de una serpiente. Al mismo tiempo, Zora gritó y se retorció furiosamente sobre su pie atrapado. Era demasiado tarde. La otra muchacha ya se había arrodillado y puesto de pie, sosteniendo aún el tobillo entre sus manos. Empujó hacia arriba y el otro pie de Zora abandonó el suelo para caer violentamente hacia atrás. El golpe producido por la caída hizo temblar el suelo. Durante un instante permaneció inmóvil. Lanzando un rugido animal, Vida se arrojó sobre ella arañándola y rasgando su ropa.

«¡Cielos! —pensó Bond—. ¡Qué pelea de gatos!» Junto a él la respiración de Kerim iba haciéndose más agitada.

Pero la muchacha más fuerte se protegió con brazos y piernas hasta que, por fin, se las arregló para desembarazarse de Vida. Se puso en pie con dificultad y retrocedió, enseñando los dientes; la ropa colgaba a trozos de su espléndido cuerpo. Inmediatamente atacó de nuevo extendiendo ambos brazos en busca de su presa, y cuando la joven más menuda saltó hacia un lado, una de las manos de Zora la asió por el vestido desgarrándoselo hasta el borde de la falda. Pero inmediatamente Vida esquivó los brazos que trataban de asirla y golpeó con ambos puños los costados de su atacante.

Aquel cuerpo a cuerpo era una equivocación. Los vigorosos brazos de Zora rodearon a la pequeña Vida sujetando, bajos, los brazos de la segunda, para que las uñas no alcanzaran sus ojos. Y lentamente, Zora, comenzó a apretar, mientras las piernas y pies de Vida se agitaban inútilmente sobre el pavimento.

Bond, en aquel momento, pensó que debía ganar la joven más corpulenta. Todo cuanto tenía que hacer Zora era caer sobre Vida. La cabeza de esta última golpearía el suelo y Zora podría hacer con su oponente lo que gustara. Pero, repentinamente, fue Zora la que comenzó a chillar. La cara de vida estaba oculta entre los senos de Zora. Trabajaban sus dientes. Se aflojaron los brazos de Zora cuando intentó asir a su enemiga por los cabellos para obligarla a retroceder. Pero las manos de Vida quedaron libres y arañaron furiosamente el cuerpo de Zora.

Las dos jóvenes se apartaron, como gatos, brillantes por el sudor sus cuerpos, de los que colgaban los últimos restos de ropa. Había sangre en los senos de Zora.

Las dos combatientes trazaron un círculo sobre la pista estudiándose mutuamente, contentas ambas de haber escapado al peligro. Mientras daban vueltas, se desprendieron del resto de sus ropas y las arrojaron al público.

Bond contuvo la respiración ante los dos cuerpos desnudos. Al mismo tiempo, sintió cómo se tensaba a su lado el cuerpo de Kerim. El círculo de gitanos parecía haberse cerrado más alrededor de las dos combatientes. La luz de la luna se reflejaba en todos los ojos y se escuchaba perfectamente el sordo rumor de las agitadas respiraciones.

Las dos muchachas seguían frente a frente, mostrando los dientes como enfurecidos felinos y jadeando con fuerza. La luz se reflejaba en sus palpitantes senos y vientres, y en sus masculinos y duros costados. Sus pies dejaban húmedas huellas sobre el cemento.

De nuevo fue Zora la que realizó el primer movimiento, saltando hacia adelante con los brazos tendidos como un luchador profesional. Pero Vida aguantó el ataque. Su pie derecho salió despedido en un furioso puntapié, que sonó como un latigazo. Zora lanzó un grito de dolor y se encogió. Rápidamente, el otro pie de Vida le golpeó en el estómago, arrojando todo su peso en el ataque.

Los espectadores gruñeron cuando vieron cómo caía Zora de rodillas. Alzó las manos para protegerse el rostro pero fue demasiado tarde. Vida montó sobre ella asiéndola por ambas muñecas, haciéndole sentir su peso hasta inclinarla hacia el suelo. Con sus blancos dientes se inclinó luego sobre la nuca de Zora.

¡BUMMM...!

La explosión quebró la tensión en una décima de segundo. Una repentina llamarada iluminó la pista de baile y un grueso pedazo de cemento pasó muy cerca de la cabeza de Bond. De repente, el huerto se llenó de hombres que corrían de acá para allá.

El jefe de los gitanos atravesó corriendo la pista tras haber desenvainado su daga. Kerim le siguió pistola en mano. Cuando el gitano pasó junto a las dos muchachas les dijo algo y éstas salieron corriendo hasta desaparecer entre los árboles, donde ya la última de las mujeres y los niños se perdían entre las sombras.

Bond, inseguro, sosteniendo en su mano la Beretta, siguió de cerca a Kerim hasta la amplia brecha que la explosión había abierto en el muro del jardín, al mismo tiempo que se preguntaba qué diablos estaba ocurriendo.

La extensión de hierba que había entre el agujero del muro y la pista de baile era una maraña de figuras que luchaban y corrían. Únicamente cuando Bond llegó al campo de batalla, distinguió a los búlgaros, robustos, de baja estatura, con sus vestidos típicos, entre los gitanos espléndidamente ataviados. Parecía haber más «sin rostro» que gitanos, casi en proporción de dos a uno. Cuando Bond trataba de averiguar qué ocurría, un joven gitano salió de entre la masa que luchaba, asiéndose la cintura a la altura del estómago. Casi se arrastró hacia Bond tosiendo terriblemente. Dos hombres de oscuros rostros le perseguían sosteniendo a poca altura sus cuchillos.

Instintivamente, Bond saltó hacia un lado, apuntó a las piernas por encima de las rodillas y la pistola disparó dos veces. Los dos hombres cayeron boca abajo sin lanzar un solo grito.

Dos balas gastadas. Quedaban seis. Bond se acercó aún más al lugar de la lucha. Un cuchillo silbó junto a su cabeza y cayó sobre el cemento con ruido metálico.

Lo habían arrojado contra Kerim, quien, en aquel instante, salía de entre las sombras perseguido de cerca por dos hombres. El segundo de éstos se detuvo y alzó su cuchillo para arrojarlo. Bond disparó a la altura de su cadera, sin apuntar, y el hombre rodó por la hierba como una pelota. El otro tipo se volvió y desapareció entre los árboles. Kerim se dejó caer sobre una rodilla junto a Bond, forcejeando aún con su pistola.

—¡Cúbrame! —dijo—, se me ha encasquillado la primera bala. Son esos sanguinarios búlgaros. Sólo Dios sabe lo que piensan hacer.

Una mano cubrió la boca de Bond y le impulsó hacia atrás. Mientras caía, olió a ácido fénico y a nicotina. Sintió cómo se hundía una bota en su cuello. Al dar media vuelta sobre la hierba, esperó la abrasadora llama de un cuchillo. Pero los hombres, eran tres, iban tras Kerim, y cuando Bond logró incorporarse sobre una rodilla, vio las tres negras figuras sobre el hombre agachado, quien, después de golpear hacia arriba con su inútil pistola, cayó bajo ellos.

Al mismo tiempo que Bond saltaba hacia delante y dejaba caer la culata de su pistola sobre un cráneo redondo y pelado, algo pasó ante sus ojos como un relámpago, y la curvada hoja de la daga del jefe de los gitanos sobresalió de una espalda inclinada. Kerim se puso rápidamente en pie cuando ya el tercer hombre corría. Otro se hallaba en la brecha abierta en el muro gritando, al parecer, órdenes. Uno por uno, los agresores fueron abandonando la lucha y huyeron desesperadamente por el orificio de la tapia, pasando de largo junto al tipo que daba instrucciones.

—¡Dispare, James, dispare! ¡Ese es Krilencu!

Acto seguido, comenzó a correr hacia el muro. La pistola de Bond tronó una vez, pero el hombre se había agachado junto a la pared y treinta metros era demasiada distancia para hacer blanco por la noche, con una automática. Cuando Bond bajó su pistola, se oyó la puesta en marcha de un escuadrón de Lambrettas. Bond permaneció inmóvil prestando atención al petardeo de los motores, que se alejaban colina abajo.

Reinó el silencio, cortado sólo por los lamentos de los heridos. Bond contempló con indiferencia cómo Kerim y Vavra, que regresaban atravesando la brecha del muro, caminaban lentamente por entre los heridos y los muertos. De vez en cuando, empleando un pie, daban la vuelta a uno de los cuerpos. Los otros gitanos regresaron de la carretera. Las ancianas de la tribu salieron apresuradamente de entre las sombras para atender a sus hombres.

Bond se estremeció. ¿Por qué había sucedido todo aquello? Habían muerto diez o doce hombres. ¿Por qué? ¿Qué pretendían conseguir? ¿A quién perseguían? A él no. Cuando cayó a tierra, casi indefenso, habían pasado por encima de él para perseguir a Kerim. Aquélla era la segunda intentona de acabar con su vida. ¿Tenía alguna relación con el asunto de Romanova? Y si era así, ¿cuál podía ser?

Bond se tensó. Disparó dos veces manteniendo su pistola a la altura de la cadera. La daga cayó a tierra inofensivamente antes de que alcanzara la espalda de Kerim. La sombra que se había alzado de entre los muertos giró lentamente, y luego cayó boca abajo. Bond corrió. Lo había hecho a tiempo. La luz de la luna se había reflejado sobre la hoja de acero proporcionándole un blanco durante medio segundo. Kerim miró hacia el retorcido cadáver. Luego se volvió hasta situarse frente a frente con Bond.

Bond se detuvo en seco.

—¡Estúpido! —exclamó encolerizado—. ¿Por qué diablos no tiene más cuidado? Debía hacer que le acompañara una niñera.

La mayor parte de la cólera de Bond nacía del hecho de saber que era él quien había traído aquella nube de muerte sobre Kerim.

Darko Kerim sonrió avergonzado.

—¡Vaya! No vale la pena que se esfuerce tanto, James. Me ha salvado la vida demasiadas veces. Podríamos haber sido amigos. Ahora la distancia que hay entre nosotros es demasiado grande. Perdóneme, porque jamás podré pagarle.

Y, acto seguido, extendió su mano.

Bond la apartó a un lado y dijo:

—No sea ridículo, Darko. Mi pistola hizo su labor, eso es todo. La suya no funcionó. Mejor será que consiga una mejor. Y, ¡por amor de Cristo!, dígame qué diablos significa todo esto. Esta noche se ha vertido demasiada sangre. Me pone enfermo. Ahora necesito un trago. Vamos a terminar ese raki.

Bond tomó al corpulento Kerim por un brazo.

Cuando llegaron a la mesa, todavía llena con los restos de la cena, un penetrante y agudo grito surgió de entre las sombras del huerto. Bond se llevó una mano a la pistola. Kerim agitó la cabeza.

—Pronto sabremos qué era lo que buscaban los «sin rostro» —dijo con acento triste—. Mis amigos ya lo están averiguando. Y sospecho lo que descubrirán. Creo que jamás me perdonarán por haber estado aquí esta noche. Han muerto cinco de sus hombres.

—También podía haber muerto una mujer —replicó Bond sin la menor simpatía—. Al menos, le ha salvado usted la vida. No sea estúpido, Darko. Estos gitanos sabían los riesgos que corrían al espiar para usted a los búlgaros. Ha sido una lucha de bandas rivales. Nada más.

Bond añadió un poco de agua al raki de su vaso. Los dos hombres vaciaron ambos vasos de un solo trago. Se acercó el jefe de los gitanos limpiando la hoja de su daga con un puñado de hierba. Tomó asiento y aceptó el vaso de raki que Bond le ofrecía. El hombre parecía alegre. Bond tuvo la impresión de que la lucha había sido para él demasiado breve. El gitano dijo algo tímidamente.

Kerim rió entre dientes.

—Dice que su juicio sobre usted no estaba equivocado. Que mató bien. Ahora quiere que se quede usted con esas dos mujeres.

—Dígale que incluso una sería demasiado para mí. Añada que me parecen magníficas. Me gustaría también que me hiciese un favor. Que considere la pelea acabada. Ya ha muerto bastante gente esta noche. Necesitará a esas dos mujeres para que den hijos a la tribu.

Kerim tradujo las palabras de Bond. El gitano le miró agriamente y murmuró algo más.

—Dice que no debería usted pedirle un favor tan difícil de cumplir. Dice que su corazón es demasiado blando para ser un buen luchador. Sin embargo, hará lo que usted desea.

El gitano ignoró la agradecida sonrisa de Bond. Comenzó a charlar con Kerim rápidamente y éste le escuchó con suma atención, interrumpiéndole de vez en cuando con alguna pregunta. A menudo se mencionaba el nombre de Krilencu. Luego le tocó el turno a Kerim. Habló con tono de pesadumbre, y no se detuvo a pesar de las protestas del otro. Finalmente, hubo otra referencia a Krilencu. Kerim se volvió hacia Bond.

—Amigo mío —dijo secamente—. La cosa es curiosa. Parece ser que los búlgaros recibieron la orden de matar a Vavra y a tantos de sus hombres como fuera posible. La razón es sencilla. Sabían que trabajaba para mí. Quizá la medida es un tanto drástica. Pero, al matar, los rusos no se andan con bromas. Les agrada la muerte en masa. Vavra era un buen objetivo, y yo también. Comprendo perfectamente la declaración de guerra en contra de mi persona. Sin embargo, y al parecer, a usted no se le podía hacer daño alguno. Se les describió su persona con todo detalle para que no hubiese equivocación alguna. Es extraño. Quizá se trataba de evitar complicaciones de carácter diplomático. ¿Quién puede asegurarlo? El ataque estuvo bien planeado. Llegaron hasta la cima de la colina y descendieron con los motores apagados para no hacer el menor ruido. Éste es un lugar solitario y no hay un solo policía en muchos kilómetros a la redonda. Me siento culpable de haber tratado a estas gentes tan a la ligera.

Kerim se detuvo. Parecía sentirse desorientado y no muy satisfecho. Luego pareció decidir algo y añadió:

—Pero ahora es ya medianoche. El Rolls pronto estará aquí. Aún queda un pequeño trabajo que hacer antes de irnos a dormir. Y ya va siendo hora de dejar a esta gente. También tienen mucho trabajo que hacer antes de que amanezca. Deben llevar muchos cadáveres al Bósforo y reparar el muro. Al amanecer no han de existir aquí restos de la lucha. Nuestro amigo le desea a usted buena suerte. Dice que debe volver por aquí, y que Zora y Vida serán suyas hasta que sus senos se caigan. Se niega a culparme por lo que ha sucedido. Dice, además, que debo continuar enviándole búlgaros. Han muerto diez esta noche pero le agradaría liquidar a unos cuantos más. Ahora le estrecharemos la mano y nos iremos. Eso es todo cuanto nos pide. Somos buenos amigos pero también somos payos. Sospecho que no quiere que veamos a las mujeres llorar a sus muertos.

Kerim tendió su enorme mano. Vavra la tomó sosteniéndola un momento y clavando sus ojos en los de Kerim. Durante un momento sus ojos se tornaron opacos. Luego el gitano soltó la mano de Kerim y se volvió hacia Bond. La mano estaba seca y áspera como la garra de un gran animal. Una vez más, los ojos carecieron de toda expresión. Soltó también la mano de Bond. Habló con rapidez y con tono de urgencia a Kerim y, acto seguido, les volvió la espalda para alejarse hacia los árboles.

Nadie alzó la cabeza de su trabajo cuando Kerim y Bond franquearon la brecha abierta en el muro. El Rolls se hallaba a unos cuantos metros de distancia, en la carretera, brillando bajo la luz de la luna. Un hombre joven aparecía sentado junto al chófer. Kerim hizo un gesto con la mano señalándole y explicó:

—Ése es mi décimo hijo. Se llama Boris. Creí que le necesitaría y, en efecto, le necesitaré.

El joven se volvió y saludó:

—Buenas noches, señor.

Bond le reconoció como uno de los empleados de la oficina. Era tan moreno y delgado como el jefe de administración. Sus ojos también eran azules.

El coche comenzó a descender por la colina. Kerim habló al chófer en inglés:

—Es una calle pequeña cerca de la plaza del Hipódromo. Cuando lleguemos allí avanzaremos despacio. Ya te diré cuándo has de parar. ¿Tienes los uniformes y el equipo?

—Sí, Kerim Bey.

—Está bien. Vamos, rápido. Ya va siendo hora de irse a la cama.

Kerim se recostó cómodamente en su asiento. Encendió un cigarrillo. Todos fumaron en silencio. Bond contempló las míseras calles pensando que la falta de iluminación denunciaba una ciudad pobre.

Transcurrió largo rato antes de que Kerim hablase.

—El gitano dijo que nosotros dos tenemos encima las alas de la muerte. Añadió que yo debo tener mucho cuidado con un hijo de las nieves, y usted desconfiar de un hombre poseído por la luna.
—Kerim lanzó una sonora carcajada y añadió—: Así es el galimatías que emplean esas gentes para hablar. Pero dice también que Krilencu no es ninguno de esos hombres. Al menos, eso es reconfortante.

—¿Por qué?

—Porque no podré dormir hasta que haya liquidado a ese hombre. Ignoro si lo que ha sucedido esta noche tiene algo que ver con usted o con su misión. No me importa. Por alguna razón, me han declarado la guerra. Si no mato a Krilencu, en su tercera intentona, me matará él a mí. De manera que ahora mismo vamos a buscarlo a Samarra.

# 19

# La boca de Marilyn Monroe

El coche atravesó rápidamente las calles desiertas, ante mezquitas sumidas en la sombra cuyos minaretes se alzaban, resplandecientes de luz de luna, hacia el cielo, bajo el acueducto en ruinas, y a través del boulevard Ataturk, continuando hacia el norte por las entradas prohibidas del Gran Bazar. En la Columna de Constantino el coche giró a la derecha, atravesando a continuación serpenteantes calles que hedían a basuras, y finalmente desembocó en una plaza grande y ornamental en la cual tres columnas de piedra aparecían, como espaciales, apuntando hacia el cielo.

—Despacio —ordenó Kerim en voz baja. Se desplazaron rodeando la plaza bajo la sombra de los tilos. Calle abajo, en el lado este, las farolas que iluminaban el Palacio de Serrallo reflejaban en ellos su luz amarilla—. Deténgase.

El coche frenó en la oscuridad, bajo los árboles. Kerim apoyó una mano en la manilla de la portezuela.

—No tardaremos mucho, James. Siéntese junto al chófer, y si viene algún policía, diga solamente: «*Ben Bey Kerim'in ortagiyim*». ¿Lo recordará? Quiere decir: «Soy compañero de Kerim Bey». Le dejará tranquilo.

Bond gruñó al detenerse el coche ante otra orden de Kerim:

—Muchas gracias. Pero sospecho que no le sorprenderá saber que le acompaño. Está a punto de meterse en dificultades por mí. De todos modos, que el diablo me lleve si pienso permanecer sentado aquí intentando despistar a un policía. Lo peor de aprenderse una buena frase es que, cuando uno la pronuncia, suena a falsa. El policía regresará con más agentes turcos y, cuando yo no pueda contestar, el hombre olerá algo feo. No discuta conmigo, Darko.

—Bien, entonces no me culpe si esto no llega a gustarle —dijo Kerim con tono de turbación—. Habrá un asesinato, sin miramientos, a sangre fría. En mi país se permite dormir a los perros sin estorbarles, pero cuando despiertan y muerden se les liquida. Nunca se les ofrece un duelo. ¿Entendido, amigo mío?

—Lo que usted diga —replicó Bond—. Todavía me queda una bala por si acaso usted falla.

—Entonces, vamos —dijo Kerim de mala gana—. Tenemos que caminar un rato. Los demás irán por otro camino.

Kerim tomó un largo bastón de paseo que había traído el chófer y una pequeña maleta de cuero. Se echó al hombro ambas cosas y comenzaron a caminar calle abajo, guiándose por los intermitentes parpadeos del faro. Oían a su alrededor el eco de sus propios pasos, resonando entre los cierres metálicos de los establecimientos. No se veía un alma por ninguna parte, y Bond se alegró en aquel momento de no estar caminando a solas por aquella calle hacia el siniestro y distante ojo del faro.

Desde un principio, Estambul le había producido la impresión de ser una ciudad en la que, por la noche, el horror surgía de sus mismas piedras. Le parecía que durante siglos se había empapado en tanta sangre y violencia que los espíritus de sus muertos eran los únicos habitantes. Su instinto le decía que en la ciudad había otros viajeros, que Estambul evidentemente era peligrosa y que debía estar agradecido si salía con vida de ella.

Llegaron a un estrecho y pestilente callejón que formaba una inclinada pendiente colina abajo, para perderse hacia la derecha. Kerim giró en aquella dirección caminando sobre un pavimento de cantos rodados.

—Vigile sus pies —dijo con calma—. Basura es una palabra demasiado amable para denominar lo que mis encantadores compatriotas arrojan a la calle.

La luna brillaba sobre la humedad de las piedras. Bond mantenía la boca cerrada respirando por la nariz. Pisaba con los pies de plano, con mucho cuidado, uno tras otro, y las rodillas inclinadas como si estuviera descendiendo por una nevada pendiente. Pensó en su cama del hotel y en los cómodos asientos del coche bajo los árboles y, a la vez, se preguntó cuántas clases de hedores iba a encontrar todavía durante aquella misión.

Se detuvieron al fondo del callejón. Kerim se volvió hacia Bond sonriendo ampliamente. Luego señaló una alta construcción envuelta en una sombra negra.

—La mezquita del sultán Ahmet. Ahí hay unos famosos frescos bizantinos. Siento mucho no haber dispuesto de más tiempo para enseñarle las bellezas de mi país.

Sin esperar la respuesta de Bond, giró hacia la derecha siguiendo un polvoriento boulevard flanqueado por modestas tiendas, que se extendía formando pendiente para ir a perderse en el distante fulgor del mar de Mármara. Durante diez minutos caminaron en silencio. Luego Kerim se detuvo y se llevó a Bond hacia un lado.

—Ésta será una operación sencilla —explicó con calma—. Krilencu vive ahí, cerca de la línea ferroviaria —Kerim señaló con una mano extendida hacia un conjunto de luces verdes y rojas, al final del boulevard. Luego añadió—: Se oculta en una cabaña detrás de un gran rótulo de publicidad. Hay una puerta en la fachada de la cabaña, pero también hay otra que da a una calle a un lado del rótulo. Cree que nadie lo sabe. Mis hombres entrarán por la puerta principal, por la delantera, y entonces él intentará escurrirse por la otra. Será cuando yo dispararé. ¿Entendido?

—Si usted lo dice...

Al cabo de unos minutos se encontraron ante un cartel de seis metros de altura que formaba una pared en la intersección en forma de T al fondo de la calle. En aquel momento, la luna quedaba oculta por el rótulo, y la parte delantera de éste estaba completamente oscurecida. Kerim caminaba con más precaución, colocando un pie tras otro con sumo cuidado. Las sombras terminaban a unos cien metros del cartel y allí la luna brillaba nuevamente con todo su esplendor sobre la intersección. Kerim se detuvo ante la última puerta y situó a Bond delante de él, casi tocándole el pecho.

—Ahora debemos esperar —murmuró—. No será largo.

Bond notó que Kerim se movía tras él y, al cabo de un par de segundos, oyó cómo se abría la tapa del maletín de cuero. Un delgado y pesado tubo de acero, de unos seis centímetros de longitud y dos bultos a cada extremo, quedó en sus manos.

—Un Sniperscope —musitó Kerim al entregárselo—. Modelo alemán. Lentes infrarrojos. Ve en la oscuridad. Fíjese en ese anuncio de una película. En la cara. Justamente bajo la nariz. Verá la línea que marca una puerta pequeña. Está en línea recta con la caja de señalización.

Bond apoyó el codo sobre la jamba de la puerta y alzó el tubo hasta su ojo derecho. Lo enfocó hacia la enorme mancha negra que había frente a ellos. Lentamente lo negro fue convirtiéndose en gris. Apareció el contorno de un rostro femenino y unas letras. Entonces Bond pudo leer con claridad. Decía: «NIYAGARA. MARILYN MONROE VE JOSEPH COTTEN» y, más abajo, el filme de dibujos animados «BONZO FUTBOLOU». Bond movió las lentes hacia abajo, sobre el cabello de Marilyn Monroe y la frente, hasta alcanzar la enorme na-

riz y las grandes fosas nasales. Se distinguía un nítido cuadrado. Se extendía desde la parte inferior
de la nariz hasta la gran curva de los labios. La
puerta medía aproximadamente un metro. Desde
ella se podía saltar al suelo, pero con cierto peligro debido a la altura.

Detrás de Bond sonaron unos suaves clics metálicos. Kerim tendió hacia delante su bastón de paseo. Como había sospechado Bond, se trataba de un
rifle, con culata en esqueleto y un silenciador.

—Cañón del nuevo Winchester 88 —explicó
Kerim en voz baja orgullosamente—. Lo montó para mí un individuo de Ankara. Admite munición del
308, la corta. Tres cartuchos. Deme el aparato. Quiero localizar esa trampilla antes de que mis hombres
lleguen a la puerta delantera. ¿Le importa que use
su hombro como apoyo?

—Está bien —dijo Bond entregando a Kerim el
Sniperscope.

Kerim lo colocó en la parte superior del cañón
y luego apoyó el rifle sobre un hombro de Bond.

—Ya lo tengo —musitó Kerim—. Donde dijo
Vavra. Es un buen tipo ese gitano.

Inmediatamente bajó el rifle cuando dos policías doblaron la esquina de la intersección. Bond se
tensó.

—No ocurre nada. No se preocupe —advirtió
Kerim—. Son mi hijo y el chófer.

Se llevó un par de dedos a la boca. Durante una
fracción de segundo se oyó un silbido en tono bajo, pero agudo. Uno de los policías alzó una mano
hasta la nuca. Los dos policías se volvieron y se ale-

jaron, haciendo sonar sus pesadas botas sobre el pavimento.

—Unos minutos más —dijo Kerim—. Tienen que dar la vuelta hasta alcanzar la parte posterior de la cabaña.

Bond notó nuevamente cómo el pesado cañón del rifle se deslizaba sobre su hombro derecho.

El silencio bajo el claro de luna quedó roto por un sonido metálico procedente de la cabina de maniobras, detrás del cartel. Cayó uno de los brazos de señalización. Del grupo de luces rojas surgió otra de color verde. Desde la distancia llegó un sordo rumor, hacia la izquierda, por la Punta del Serrallo. Fue acercándose más y más hasta que se convirtió en el pesado jadear de una máquina de ferrocarril y en el traqueteo de un conjunto de vagones de mercancías mal acoplados. Hacia la izquierda brilló una débil luz amarillenta. La locomotora apareció por encima del cartel y pasó de largo entre una oscura humareda.

El tren iniciaba lentamente la marcha de ciento sesenta kilómetros hasta la frontera griega. Se destacaba su negra silueta sobre el argentado mar, y el denso humo, producido por un carbón de mala calidad, se elevaba lentamente hacia un cielo en calma.

Cuando la luz roja del vagón de frenado se esfumó en la oscuridad, se oyó un ruido sordo producido por los vagones que atravesaban un cruce de vías y, acto seguido, el silbido de la locomotora avisando su llegada a la estación de Buyuk, situada a kilómetro y medio de distancia.

El rumor del tren dejó de escucharse. Bond notó cómo el rifle se ceñía más sobre su hombro. Forzó la vista para distinguir el objetivo en la oscuridad. En el centro del rótulo apareció un cuadrado negro.

Bond, cuidadosamente, alzó la mano izquierda para proteger sus ojos de la claridad de la luna. Junto a su oído derecho sonó una jadeante respiración.

—Ya sale... —musitó Kerim.

De la boca del gran cartel, sumido en las sombras, entre los grandes labios violeta medio abiertos, surgió la figura oscura de un hombre, que colgaba como un gusano de la enorme boca del anuncio.

El hombre se dejó caer. Un buque que navegaba Bósforo arriba gruñó en la noche como un despierto animal en el zoológico. Bond sintió que una gota de sudor se deslizaba por su frente. El cañón del rifle descendió unos centímetros cuando el hombre se dirigió hacia ellos.

«Cuando llegue al borde de la sombra comenzará a correr —pensó Bond—. ¡No seas estúpido, apunta más bajo!».

El hombre se inclinó para emprender la carrera a través de la calle brillantemente iluminada por la luna. En aquel preciso instante estaba saliendo de las sombras. Su pierna izquierda se flexionaba hacia delante y giraba un hombro para el salto.

Bond sintió junto a su oreja un choque parecido al de un hacha contra el tronco de un árbol. El hombre cayó hacia adelante con ambos brazos extendidos. Sobre el pavimento sonó un golpe sordo, como si le hubieran golpeado con la cabeza en el mentón.

Un cartucho vacío cayó a los pies de Bond. Luego oyó el clic del siguiente al entrar en la cámara.

Los dedos del hombre arañaron brevemente los cantos rodados. Sus zapatos sonaron sobre el pavimento. Luego permaneció inmóvil.

Kerim gruñó algo ininteligible. El rifle se apartó del hombro de Bond. Éste escuchó los diversos ruidos que hizo Kerim al plegar el rifle y guardar el Sniperscope en su funda de cuero.

Bond apartó los ojos del hombre que yacía en la carretera, la figura de un ser humano que había dejado de serlo. Por un instante sintió resentimiento contra la vida, que le convertía en testigo de aquellas cosas. El resentimiento y la cólera no iban contra Kerim, porque éste había sido por dos veces el objetivo de aquel hombre. En cierta manera, había sido un duelo durante el cual Kerim recibió dos disparos y realizó tan sólo uno. Pero él fue más listo, tuvo la sangre fría, más inteligencia, y eso era todo. Sin embargo, Bond jamás había matado a sangre fría y no le agradaba lo más mínimo contemplar aquel espectáculo, y muchísimo menos ayudar a alguien a hacerlo.

Kerim le tomó silenciosamente por un brazo. Caminaron lentamente alejándose del escenario, por el mismo camino que antes habían seguido.

Kerim pareció leer los pensamientos de Bond.

—La vida está llena de muerte, amigo mío —dijo filosóficamente—. Y algunas veces uno se ve obligado a convertirse en instrumento de la muerte. No

247

siento haber liquidado a ese hombre. Ni tampoco sentiría liquidar a cualquiera de esos rusos que hoy hemos visto sentados en su oficina. Son gente dura. Lo que no se puede obtener de ellos por la fuerza no se puede lograr por la piedad. Los rusos son todos iguales. Me agradaría que el Gobierno inglés se diese cuenta y se mostrara más duro con ellos. Sería suficiente con darles una pequeña lección de vez en cuando, como la mía de esta noche.

—En política internacional uno no tiene la oportunidad de ser tan rápido y preciso como lo ha sido usted esta noche, Darko. Y no olvide que solamente ha castigado a uno de sus satélites, uno de los hombres que siempre encuentran para hacer el trabajo sucio. Sin embargo, estoy de acuerdo con su opinión acerca de los rusos. Simplemente no entienden las buenas palabras. Lo único que hace efecto sobre ellos es el garrote. Básicamente son masoquistas. Aman el látigo. Ésa es la razón de que se sientan tan felices bajo la mano de hierro de Stalin. Siempre supo complacerles. No estoy seguro de cómo reaccionarán ante las buenas palabras de Kruschev y compañía. En cuanto a Inglaterra, el problema se basa en que hay buenas palabras para todo el mundo. En el país y en el extranjero. Ya no mostramos los dientes, solamente las encías.

Kerim rió ásperamente, pero no hizo ningún comentario. Estaban ascendiendo por el apestoso callejón y apenas se podía respirar. Descansaron unos segundos al llegar al final, y después continuaron caminando hacia los árboles de la plaza del Hipódromo.

—Entonces, ¿me perdona usted lo de hoy?

Resultaba muy extraño oír un tono de disculpa en la voz generalmente atronadora de Kerim.

—¿Perdonarle? ¿Perdonarle qué? No sea ridículo. —Había afecto en la voz de Bond, quien continuó tras una pausa—: Usted tiene un trabajo que hacer y lo está haciendo muy bien. Me siento realmente impresionado. Aquí tiene una organización perfectamente montada. Soy yo quien debe pedir perdón, porque con mi llegada le he traído un sinfín de preocupaciones. Y las ha solucionado usted maravillosamente bien. No hago más que caminar tras sus huellas. Lo cierto es que yo, personalmente, nada hice todavía, me refiero naturalmente a mi misión. Estoy seguro de que M estará impacientándose. Quizá haya algún mensaje en el hotel.

Pero cuando Kerim llevó a Bond al hotel y le acompañó hasta recepción, no había nada. Kerim le dio una fuerte palmada en la espalda y exclamó:

—No se preocupe, amigo mío. Espero que desayune bien. Enviaré el coche por la mañana y, si nada ha sucedido, pensaré en alguna otra aventura para ir matando el tiempo. Limpie su pistola y duerma sobre ella. Tanto usted como ella se lo merecen.

Bond subió los escasos escalones que conducían a su habitación, abrió la puerta con llave, la cerró y, acto seguido, corrió el cerrojo interior. La luz de la luna se filtraba a través de las cortinas. Avanzó unos cuantos pasos y encendió la pequeña lámpara de rosada luz que había sobre la cómoda. Se desnudó, entró en el cuarto de baño y permaneció unos minutos bajo la ducha. Pensó que el sábado día catorce había estado más lleno de acontecimientos que el viernes día trece. Se cepilló los dientes e hizo gárgaras con un poco de agua para desembarazarse del sabor del día. Luego apagó la luz del cuarto de baño y regresó al dormitorio.

Bond corrió una de las cortinas y abrió ampliamente la ventana para contemplar la formidable curva de agua que brillaba en forma de bumerán bajo la luna. La brisa nocturna refrescaba maravillosamente su cuerpo. Consultó su reloj. Las dos en punto.

Bond bostezó. Dejó caer las cortinas. Luego se inclinó para apagar la luz de la cómoda. Súbitamente se tensó todo su cuerpo y su corazón dejó de latir durante una décima de segundo.

Desde las sombras del fondo del dormitorio acababa de surgir una risa nerviosa. La voz de una muchacha dijo:

—¡Pobre señor Bond! Debes estar muy cansado. Ven a la cama.

# 20

## Negro sobre rosa

Bond giró sobre sus talones. Miró hacia el lecho, pero aún se sentía deslumbrado por la luna. Cruzó la habitación y encendió la lámpara de la mesita de noche. Había un cuerpo bajo la sencilla sábana. Sobre la almohada se extendía una mata de cabellos castaños. Las puntas de los dedos aparecían sosteniendo el borde superior de la sábana sobre el rostro. Más abajo se adivinaban unos senos erectos como montañas bajo la nieve.

Bond rió brevemente. Se inclinó y tiró suavemente de los cabellos. Debajo de la sábana sonó una exclamación de protesta. Bond tomó asiento en el borde de la cama. Tras un instante de silencio, bajó una esquina de la sábana y un ojo grande y azul le miró.

—Pareces muy poco correcto —la voz salía de debajo de la sábana.

—Pues mira que tú. ¿Cómo has llegado hasta aquí?

—Bajé dos pisos. Yo también vivo aquí.

El tono de voz era profundo y provocativo, con muy poco acento.

—Bien, pues voy a meterme en la cama.

La sábana descendió repentinamente bajo la barbilla y la joven se incorporó sobre la almohada. Había enrojecido vivamente.

—¡Oh, no! ¡No debes hacerlo!

—Es mi cama. Y, de todas formas, me has dicho que lo haga.

El rostro de la joven era increíblemente bello. Bond lo examinó con toda frialdad. La muchacha enrojeció más todavía.

—Era sólo una frase para presentarme.

—Bien, me alegro mucho de conocerte. Mi nombre es James Bond.

—Yo me llamo Tatiana Romanova. Los amigos me llaman Tania.

Hubo un silencio mientras ambos se contemplaban. La joven con curiosidad y con expresión que podía calificarse de alivio. Bond, con fría desconfianza.

La muchacha fue la primera en romper el silencio.

—Eres igual que en las fotografías —dijo enrojeciendo nuevamente —. Pero deberías ponerte algo de ropa. Me perturbas.

—Tú me perturbas más a mí. Esto se llama sexo. Si me meto en la cama contigo, no importará. Por cierto, ¿qué llevas puesto?

Ella bajó un poco la sábana para enseñar una fina cinta de terciopelo negro que rodeaba su cuello.

—Sólo esto.

Bond contempló fijamente los ojos azules y maliciosos de la joven, en aquel momento bien abiertos. Luego, por un instante, creyó perder el dominio de su cuerpo.

—Maldita seas, Tania. ¿Dónde está el resto de tus cosas? ¿O has bajado en el ascensor de esa forma?

—¡Oh, no! Eso habría sido *kulturny*. Están bajo la cama.

—Bien, si crees que vas a salir de esta habitación sin...

Bond no terminó la frase. Se levantó y se puso uno de sus batines de seda azul oscuro.

—Lo que estás sugiriendo no es *kulturny*.

—Por supuesto que no —respondió Bond sarcásticamente.

Volvió junto al lecho y arrastró una silla. Sonrió a la muchacha.

—Bueno, pues te diré algo que sí es *kulturny*. Eres una de las mujeres más bellas del mundo.

La joven enrojeció de nuevo. Miró seriamente a Bond.

—¿Dices la verdad? Creo que mi boca es demasiado grande. ¿Soy tan bella como las muchachas occidentales? Una vez me dijeron que me parecía a Greta Garbo. ¿Es cierto?

—Más bella. Hay mucha más luz en tu rostro. Y tu boca no es demasiado grande. Tiene el tamaño preciso. Al menos para mí.

—¿Qué es eso de luz en el rostro? ¿Qué quieres decir?

Bond había querido decir que no le parecía una espía rusa. No mostraba la clásica reserva, frialdad y cálculo de una espía profesional. Daba la impresión de ser alegre y cordial. Eso era lo que brillaba en los ojos de la joven. Buscó una frase que no le comprometiese mucho.

—Que hay mucha alegría y humor en tus ojos.

Tatiana se puso seria.

—Es curioso —dijo—. No hay mucha alegría y humor en Rusia. Nadie habla de esas cosas. Nunca me dijeron eso antes.

«¿Alegría? —pensó la muchacha—. ¿Después de aquellos dos meses?» ¿Cómo podría sentirse alegre? Y, sin embargo, sí había frivolidad en su corazón. ¿Acaso era una mujer ligera por naturaleza? ¿O quizá era algo que tenía que ver con aquel hombre a quien jamás había visto hasta este momento? ¿Era porque, tras la angustia que había sentido pensando en lo que debía hacer, se había quedado tranquila al descubrir qué clase de hombre era Bond? Ciertamente, era mucho más fácil de lo que había supuesto. Él lo hacía sencillo, divertido, con cierto regusto de peligro. Él era terriblemente guapo y parecía muy limpio. ¿La perdonaría cuando llegasen a Londres y ella se lo revelara todo? Que la habían enviado para seducirle. Incluso la noche en que debía hacerlo y el número de la habitación. Seguramente a él no le importaría mucho. No le estaba haciendo ningún daño. Era solamente una forma de llegar a Inglaterra y lograr aquellos informes. Alegría y humor en sus ojos. Bien, ¿por qué no? Era muy posible. Notaba cierta sensación maravillosa de libertad al hallarse a solas con un hombre como aquél, sabiendo que no sería castigada por ello. Era realmente algo muy emocionante.

—Eres muy apuesto —dijo ella buscando alguna comparación que le halagara—. Eres... como un actor de cine americano.

La muchacha se sorprendió ante la reacción de Bond.

—¡Por el amor de Dios! Ése es el peor insulto que puedes dirigir a un hombre.

Tania se apresuró a corregir su error. Resultaba curioso que aquel cumplido no le halagase. ¿Acaso a los occidentales no les agradaba parecerse a estrellas de cine?

—Mentí —dijo—. Quise halagarte. En realidad eres como mi héroe favorito. Está en un libro del ruso Lermontov. Un día te contaré su historia.

¿Un día? Bond pensó que ya era tiempo de ir al grano.

—Ahora escúchame, Tania. —Intentó no mirar el bello rostro que descansaba sobre la almohada. Fijó los ojos en la barbilla de la joven. Luego añadió—: Tenemos que dejar de decir tonterías y hablar en serio. ¿Qué significa todo esto? ¿Es verdad que te vendrás conmigo a Inglaterra?

Bond alzó los ojos para mirar a la muchacha. Fue fatal. Tania los había abierto una vez más, ampliamente, con aquella maldita ingenuidad.

—¡Desde luego que sí!

—¡Oh! —exclamó Bond sorprendido por la franqueza de la respuesta—. ¿Estás segura?

—Sí.

Los ojos de Tania no mentían en aquel instante. Había dejado de flirtear.

—¿No tienes miedo?

255

Bond notó que una sombra pasaba por los ojos de la joven. Pero no por lo que él pensaba. Ella había recordado seguramente el papel que debía representar. Debía sentir pánico por lo que estaba haciendo. Debía incluso sentirse aterrorizada. Aquel papel probablemente había parecido fácil, pero estaba resultando difícil. ¡Qué extraño! La joven se decidió a contemporizar.

—Sí, tengo miedo. Pero ahora no tanto. Tú me protegerás. Pensé que así lo harías.

—Bueno, sí, por supuesto.

Bond pensó también en los parientes que debía tener la joven en Rusia. Pero hizo un esfuerzo para no recordar ese detalle. ¿Qué era lo que estaba haciendo? ¿Tratando de disuadirla de que le acompañara? Inmediatamente cerró su mente a las consecuencias que podían derivarse para la muchacha.

—No tienes por qué preocuparte —añadió—. Yo cuidaré de ti.

A continuación, debía hacer la pregunta que había demorado. Experimentaba un ridículo embarazo. La muchacha no era, ni muchísimo menos, lo que él esperaba. Hacer aquella pregunta sería como estropearlo todo. Pero no había más remedio.

—¿Qué hay de la máquina?

Sí. Fue como si la hubiera abofeteado. Tania exteriorizó el dolor en sus ojos, que a punto estuvieron de llenarse de lágrimas.

Alzó la sábana para cubrirse la boca y habló en voz baja. Los ojos, que miraban a Bond, mostraban frialdad.

—Entiendo, ¿de manera que es eso lo que quieres?

—Escucha. Esa máquina nada tiene que ver contigo o conmigo. Pero mi gente de Londres la quiere. —Instantáneamente Bond recordó la seguridad. Añadió—: En realidad, no es muy importante. Conocen bien esa máquina y opinan que es un maravilloso invento ruso. Sólo desean poseer un ejemplar. Al igual que tu pueblo copia cámaras fotográficas y otras cosas.

¡Dios, qué estúpidas sonaban sus palabras!

—Ahora estás mintiendo.

Una lágrima se deslizó sobre la suave mejilla para caer en la almohada. La joven alzó la sábana hasta los ojos. Bond apoyó una mano sobre un brazo de la muchacha, bajo la sábana, pero ella lo retiró bruscamente.

—¡Maldita sea esa máquina del diablo! —exclamó él con impaciencia—. Pero, por amor de Dios, Tania, sabes muy bien que tengo un trabajo que hacer. Di cualquier cosa y lo olvidaremos. Tenemos que hablar de otros asuntos. Hay que disponer el viaje y demás. Por supuesto, mi gente quiere ese aparato porque, de no ser así, no me hubiesen enviado aquí para llevarte conmigo.

Tatiana se enjugó los ojos con la sábana. Bruscamente la bajó de nuevo hasta los hombros. Sabía que acababa de olvidar su trabajo. Lo que había ocurrido era... ¡oh!, bien, si él hubiera dicho que la máquina no le importaba mientras ella le acompañara; pero aquello había sido esperar demasiado. Él tenía razón. Debía llevar a cabo su trabajo. Y ella también.

Tatiana le miró con calma.

—La traeré. No temas. Pero no lo mencione-
mos otra vez. Y ahora escucha... —La joven se incorporó sobre la almohada, añadiendo—: Tenemos
que irnos esta noche. —Recordó la lección, hizo
una pausa y continuó—: Es la única oportunidad.
Esta noche estoy de servicio desde las seis. Estaré
sola en la oficina y podré coger la Spektor.

Bond entornó los ojos. Su mente trabajó rápidamente pensando en los problemas que tendría
que resolver. Dónde ocultar a la chica. Cómo llevarla hasta el primer avión una vez se hubiese descubierto su huida. Iba a ser un asunto peligroso. No
se detendrían ante nada con tal de recuperar a la joven y a la máquina. Bloqueo de carretera. Bomba
en el avión. Cualquier cosa.

—Eso es magnífico, Tania —respondió Bond
con indiferencia—. Te ocultaremos y después te me-
teremos en el primer avión de la mañana.

—No seas loco —repuso Tatiana recordando la
advertencia de que habría algunas dificultades en su
camino—. Tomaremos el tren. Ese Orient Express.
Parte a las nueve de la noche. ¿Acaso crees que no
he estado pensando en todo esto? No permanece-
ré en Estambul ni un minuto más de lo preciso. Al
amanecer llegaremos a la frontera. Tienes que sacar los billetes y conseguir un pasaporte. Viajaré
contigo como tu esposa. —La muchacha miró a
Bond con aire feliz y añadió—: Eso me gustará. En
uno de esos vagones de los que tanto hablan los libros. Deben de ser muy cómodos. Como una diminuta casa sobre ruedas. Durante el día charlare-

mos y leeremos, y por la noche tú te quedarás en el pasillo de nuestra casa para guardarla.

—¡Ni hablar! —dijo Bond—. Escucha, Tania, eso es una locura. En algún lugar nos cogerán. En ese tren el viaje a Londres dura cuatro días y cinco noches. Tenemos que pensar en otra cosa.

—No —respondió la muchacha con firmeza—. Ésa es la única forma en que iré. Si eres listo, ¿cómo podrán saberlo?

«¡Oh, Dios! —pensó Tatiana—, ¿por qué habían insistido tanto en que fuera aquel tren?» Pero sobre tal punto se habían mostrado muy precisos. Dijeron que era un buen lugar para un romance. Así dispondría de cuatro días para que él la amase. Luego, al llegar a Londres, la vida sería fácil para ella. Él la protegería. De lo contrario, si volaba a Londres, la meterían directamente en la cárcel. Los cuatro días eran esenciales. Y habían añadido: «tendremos hombres en el tren para que cuiden de que no te escapes, de manera que ten mucho cuidado y obedece las órdenes». Sin embargo, ella anhelaba pasar con él aquellos cuatro días en la diminuta casa sobre ruedas. ¡Qué curioso! La habían obligado a estar con él y en aquel momento era su más apasionado deseo.

Contempló el rostro pensativo de Bond. Sentía deseos de oprimirle una mano y decirle que todo iría bien, que se trataba de una conspiración inofensiva para llevarla a Inglaterra, que no les podían hacer ningún daño porque aquél no era el objeto del complot.

—Escucha, continúo creyendo que es un disparate —dijo Bond, a la vez que se preguntaba cuál sería la reacción de M—. Pero pienso que puede salir bien. Tengo el pasaporte. Se necesitará un visado para entrar en Yugoslavia. —Bond la miró con cierta dureza y añadió—: No pienses que voy a llevarte en la sección del tren que atraviesa Bulgaria, porque entonces pensaré que tratas de secuestrarme.

—Cierto —replicó Tatiana riendo entre dientes—. Eso es precisamente lo que deseo hacer.

—Ahora calla, Tania. Hemos de pensar en todos los detalles. Conseguiré los billetes y nos acompañará uno de nuestros hombres. Por si acaso. Es un buen hombre. Te agradará. Te llamarás Carolina Somerset. No lo olvides. ¿Cómo llegarás hasta la estación?

—Kariolin Siomerset —musitó la joven memorizando—. Y tú eres el señor Siomerset. —Tatiana rió alegremente y añadió—: Es divertido. No te preocupes por mí. Llegaré al tren cuando esté a punto de salir. Es la estación Sirkeci. Sé dónde está. Eso es todo. Ya no tendremos que preocuparnos de más cosas, ¿verdad?

—¿Y si pierdes el valor? ¿Y si te cogen?

Inmediatamente, Bond se sintió preocupado ante la confianza de la joven. ¿Cómo podía estar tan segura? Un estremecimiento de sospecha recorrió su espina dorsal.

—Antes de conocerte tenía miedo, pero ahora ya no —razonó Tatiana intentando convencerse a sí misma de que aquello era verdad—. Ahora ya no perderé el valor, como tú dices. Y no pueden cogerme. Dejaré mis cosas en el hotel y llevaré a la oficina mi bolso de diario. No puedo dejar mi abrigo de pieles. Es algo que aprecio demasiado. Pero hoy es domingo, y si lo llevo puesto, a nadie le extrañará. Esta noche, a las ocho y media, saldré y tomaré un taxi hasta la estación. Y ahora debes dejar de preocuparte. —Impulsivamente, porque debía hacerlo, extendió una mano hacia él y añadió—: Dime que estás contento.

Bond avanzó hacia el borde del lecho. Tomó la mano de la muchacha y miró sus ojos. «¡Dios! —pensó—. Espero que todo salga bien. Confío en que este alocado plan dé buenos resultados. ¿Es esta maravillosa muchacha una trampa? ¿Es sincera? ¿Es real?»

Los ojos de la joven nada le dijeron excepto que se sentía feliz y que deseaba que él la amara... y que estaba muy sorprendida por lo que estaba ocurriendo. La otra mano de Tatiana rodeó su nuca y tiró de él fogosamente, hacia sí. Al principio la boca de Tatiana tembló bajo la de él y luego, cuando la pasión se apoderó de la mujer, se ciñó a la de Bond en un interminable beso.

Bond alzó sus piernas sobre la cama, mientras continuaba besando a la joven. Su mano se dirigió hacia el seno izquierdo y lo sostuvo, sintiendo el duro pezón, lleno de deseo, bajo sus dedos. La mano descendió lentamente a través del plano vientre, mientras las piernas de ella se movían lánguidamente. La muchacha se quejó suavemente y apartó su boca de la de Bond. Bajo los ojos cerrados, las largas pestañas temblaban como las alas de una libélula.

Bond extendió una mano para asir el borde de la sábana y tiró de ella hacia abajo, arrojándola a los pies de la cama. Ella sólo llevaba la cinta negra alrededor del cuello y unas medias negras de seda que le llegaban hasta las rodillas. Sus brazos se lanzaron en su búsqueda.

Sobre ellos, sin que ninguno de ambos lo supiera, y detrás del espejo enmarcado en dorada purpurina que colgaba sobre la cabecera del lecho, los dos fotógrafos de la SMERSH trabajaban en su pequeño cubículo de *voyeur*, tal como lo habían hecho, antes que ellos, muchos amigos del propietario del hotel Palas, cuando las parejas pasaban allí su luna de miel.

Los objetivos miraban fríamente los apasionados arabescos de los dos cuerpos, entrelazándose, separándose y volviéndose a unir. El mecanismo de relojería de las cámaras zumbaba con suavidad. Ambos hombres sudaban de excitación y las gotas se deslizaban por sus congestionados rostros, para ir a parar a los cuellos de sus baratas camisas.

# 21

# Orient Express

Los grandes trenes están desapareciendo de toda Europa, uno tras otro, pero el Orient Express todavía recorre, majestuoso, tres veces a la semana los más de dos mil kilómetros de brillante vía férrea que hay entre Estambul y París.

Bajo la luz de los arcos voltaicos, la larga locomotora alemana, de impresionante chasis, jadeaba pacíficamente con la respiración fatigosa de un dragón que moría de asma. Cada exhalación parecía ser la última, pero inmediatamente llegaba otra. Nubes de vapor surgían al acoplarse los vagones para morir rápidamente en la calurosa atmósfera del mes de agosto.

El Orient Express era el único tren, con su locomotora a punto, que había en la estación de Estambul, un lugar feo y de pobre arquitectura. Los trenes de las otras líneas no tenían máquina y se hallaban como abandonados, esperando al día siguiente. Sólo la vía 3 y su andén vibraban con las trágicas prisas de las despedidas.

Una gran placa de bronce, fijada a un costado del coche azul oscuro, decía: «COMPAGNIE INTER-

NATIONALE DES WAGON-LITS ETS DES GRANDS EX-
PRESS EUROPÉENS». Sobre la placa, y fijo también
en unas ranuras metálicas, se veía un rótulo que
anunciaba en mayúsculas negras sobre fondo blanco: «ORIENT EXPRESS», y más abajo las líneas:

«ISTANBUL THESSALONIKI BEOGRA
VENEZIA MILAN
LAUSANNE PARIS»

James Bond contempló vagamente el rótulo, uno
de los más románticos del mundo. Por décima vez
consultó su reloj. Las 20.15. Sus ojos se fijaron nuevamente en el rótulo del vagón. Todas las ciudades
estaban escritas en el idioma del país, excepto Mi-
lán. ¿Por qué no MILANO? Bond extrajo un pañuelo del bolsillo y se enjugó el sudor del rostro. ¿Dónde diablos se había metido aquella muchacha? ¿La
habrían cogido? ¿Habría cambiado de idea? ¿Acaso él había sido excesivamente rudo la última noche, o quizá por la mañana, en la gran cama?

Las 20.55. Se había detenido el jadear de la máquina. Se dejó oír un fuerte siseo cuando la válvu-
la automática de seguridad expulsó el exceso de vapor. A unos cien metros de distancia, y entre la
multitud, Bond vio al jefe de estación que hacía señales con la mano al conductor de la máquina y al
fogonero, y comenzaba a recorrer todo el tren cerrando las portezuelas de los vagones de tercera
clase situados en cabeza. Los viajeros, en su inmensa mayoría campesinos que regresaban a Grecia después de pasar el fin de semana con sus pa-

rientes en Turquía, se colgaban de las ventanillas agitando las manos hacia la sonriente multitud del andén.

Más allá, donde ya no había arcos voltaicos y la noche azulada y las estrellas constituían el telón de fondo de la estación, Bond vio cómo un punto rojo se convertía en verde.

El jefe de estación se acercó más. El empleado de los coches cama, uniformado en marrón, le tocó en un brazo y dijo:

—*En voiture, s'il vous plait.*

Los dos turcos con aspecto de ricachones besaron a sus amantes..., demasiado bonitas para ser sus esposas y tras darles sonrientes recomendaciones subieron el escalón de hierro hasta el vagón. En el andén no había más viajeros para los coches cama. El conductor, mirando con impaciencia al alto inglés, recogió el escalón de hierro y subió a la plataforma del tren.

El jefe de estación pasó de largo. Dos departamentos más, los vagones de segunda y primera clase, y luego, cuando alcanzó el furgón de cola, alzó la sucia bandera verde.

No se veía a nadie que llegara apresuradamente por el andén. Sobre la taquilla, cerca del techo de la estación, el reloj marcaba las nueve.

Bond sintió cómo sobre su cabeza se bajaba una ventanilla repentinamente. Su reacción más inmediata fue pensar que el velo negro era demasiado transparente. Resultaba inútil intentar cubrir la boca voluptuosa y aquellos ojos tan azules.

—¡De prisa!

El tren había comenzado a moverse. Bond asió el pasamanos exterior del vagón y saltó al interior. El mozo mantenía la portezuela abierta. Bond penetró en el vagón sin prisas.

—La señora llegó tarde —explicó el empleado—. Vino por el pasillo. Debió de subir al tren por el último coche.

Bond se dirigió al cupé del centro, recorriendo el alfombrado pasillo. Sobre el rótulo de metal blanco se destacaba un número siete en negro. La puerta estaba entreabierta. Bond entró y cerró a su espalda. La joven se había quitado el velo y el sombrero de paja negro. Se hallaba sentada junto a la ventanilla. Un abrigo largo de piel de marta entreabierto dejaba ver un vestido de *shantung* con falda plisada, medias de color miel y cinturón que hacía juego con unos zapatos de cocodrilo, negros. La muchacha parecía muy tranquila.

—No tienes fe, James —dijo cuando Bond tomó asiento a su lado.

—Tania—replicó—. Si hubiese aquí un poco más de espacio, ahora mismo te cogería en brazos y te daría una buena tanda de azotes. Casi me has provocado un infarto. ¿Qué sucedió?

—Nada —respondió Tatiana inocentemente—. ¿Qué podía suceder? Dije que estaría aquí y aquí estoy. No tienes fe. Y como estoy segura de que te interesa más mi dote que yo, aquí la tienes.

Bond miró hacia arriba con indiferencia. En la redecilla había dos pequeñas maletas, al lado de la suya. Tomó la mano de la muchacha y murmuró:

—Gracias. Gracias a Dios que estás aquí segura.

Algo en los ojos de Bond, quizá cierta expresión de culpabilidad, como si admitiese para sí mismo que estaba más interesado en la joven que por la máquina, tranquilizó a la muchacha. Sostuvo la mano de él entre las suyas y continuó inmóvil en su rincón junto a la ventanilla.

El tren avanzaba lentamente alrededor de la Punta del Serrallo. El faro iluminaba los tejados de las desvencijadas barracas que se alzaban a ambos lados de la línea ferroviaria. Con la mano libre, Bond extrajo un cigarrillo y lo encendió. Pensó que pronto pasarían por delante del cartel donde Krilencu había vivido hasta hacía menos de veinticuatro horas. Bond revivió la escena con todos los detalles. La blanca intersección de calles, los dos hombres en la sombra, el individuo condenado a morir deslizándose sobre los monstruosos labios rojos...

La joven contemplaba el rostro de Bond con expresión de ternura. ¿En qué estaría pensando aquel hombre? ¿Qué ocultaban sus ojos, entre grises y azulados, fríos, a veces tiernos, y otras ardientes como durante la noche anterior antes de que su pasión se extinguiera entre sus brazos? En aquel instante estaban velados por los pensamientos ¿Se preocupaba por lo que pudiera sucederles a ambos? ¿Por su seguridad personal? Si ella pudiese decirle que nada pasaría, que no había nada que temer, que él era su único pasaporte para Inglaterra..., él y la pesada maleta que el director residente le había entregado aquella noche en la oficina. El director había dicho lo mismo: «Aquí tienes tu pasaporte para Inglaterra, cabo —y después, tras haber corrido la cremallera, había añadido alegremente—: Mira. —Le había mostrado una nueva máquina, explicando—: Es una Spektor de nueva fabricación. Procura no abrir la maleta de nuevo, ni dejes que salga de tu departamento hasta que llegues al final del viaje. De lo contrario ese inglés te la quitará y luego te dejará tirada como a una colilla. Lo que desean es esta máquina. No permitas que te la quiten, porque, si así ocurre, habrás fracasado en tu cometido, ¿entendido?».

Una cabina de señalización apareció en el exterior, bajo la pobre luz del crepúsculo. Tatiana contempló a Bond durante unos segundos más, viendo cómo se ponía en pie, bajaba la ventanilla y se asomaba para observar algo en el exterior. Su cuerpo estaba muy cerca del de ella. Tatiana movió una rodilla para tocarle. Era extraordinaria aquella ternura que le había invadido desde que le vio la noche anterior en pie, desnudo ante la ventana, con un brazo extendido para sostener las cortinas, de perfil, con los cabellos negros sobre la frente, sumido en sus pensamientos, pálido... Y después, más tarde, la fusión extraordinaria de sus ojos y cuerpos, la llama que súbitamente se había encendido entre ellos, entre dos agentes secretos lanzados uno en brazos del otro, antagónicos y convertidos, sin embargo, por orden de sus gobiernos respectivos, en amantes.

Tatiana extendió una mano para asir el borde del abrigo y tiró de él. Bond subió la ventanilla y se volvió. Leyó algo en los ojos de la muchacha. Se inclinó y puso ambas manos sobre la piel del abrigo a la altura de los senos y besó a Tatiana con pasión en los labios. Tatiana se echó hacia atrás arrastrando consigo a Bond.

Sonó en la puerta una doble llamada, muy suave. Bond se puso en pie. Extrajo un pañuelo del bolsillo y limpió el carmín de sus labios.

—Será mi amigo Kerim —dijo—. Tengo que hablar con él. Diré al mozo que prepare las camas. Mientras lo hace, no te muevas de aquí. No tardaré. Estaré ahí fuera, cerca de la puerta. —Se inclinó y tocó una mano de la joven mirando sus grandes ojos y sus labios entreabiertos. Añadió—: Tendremos toda la noche para nosotros. Primero he de comprobar que estás segura.

Bond abrió la puerta y salió.

La corpulenta figura de Darko Kerim bloqueaba el pasillo. Estaba inclinado sobre el pasamanos, fumando y contemplando el mar de Mármara, que iba quedando atrás a medida que el tren se alejaba de la costa y penetraba tierra adentro, hacia el norte. Bond adoptó la misma postura, a su lado. Kerim estudió la sombría expresión que en aquel instante se reflejaba en las facciones de Bond. Luego murmuró en voz baja:

—Las noticias no son nada buenas. Hay tres tipos en el tren.

—¡Ah! —exclamó Bond a la vez que sentía un extraño hormigueo a lo largo de su columna vertebral.

—Son los tres forasteros que vimos en aquella habitación, sobre el túnel de las ratas. Es evidente que les siguen la pista, a usted y a la muchacha. —Kerim guardó silencio y miró a Bond de reojo al añadir—: Eso la convierte a ella en espía doble, ¿no?

Bond mantuvo la calma. ¿De manera que al final la muchacha había sido un cebo? Sin embargo... no, no podía convencerse de que Tania estuviera representando una comedia. ¡No era posible! ¿Y aquella máquina de cifrar? Probablemente, después de todo, no se hallaba en aquella maleta.

—Espere un minuto —dijo Bond.

Se volvió y llamó suavemente a la puerta. Oyó cómo la muchacha la abría con llave y soltaba la cadenilla de seguridad. Bond entró y cerró la puerta a su espalda. Tatiana quedó sorprendida. Estaba esperando al mozo para que hiciese las camas. Sonrió alegremente y preguntó:

—¿Ya has terminado?

—Siéntate, Tania. Tengo que hablar contigo.

La joven observó frialdad en el rostro de Bond y en el acto se esfumó la sonrisa de sus labios. Tomó asiento obedientemente apoyando ambas manos sobre su regazo.

Bond se inclinó ligeramente hacia ella. ¿Había temor o culpabilidad en el rostro de la joven? No. Solamente sorpresa y una frialdad a tono con su propia expresión.

—Y ahora, escúchame, Tatiana —dijo Bond con ominosa calma—. Ha ocurrido algo inesperado. Es necesario que mire en tu maleta para comprobar si está ahí la máquina.

La muchacha replicó con tono de indiferencia:

—Bájala y mira.

Tatiana mantenía la mirada fija en sus manos. Así pues, había llegado el momento. Lo que el director le había dicho. Se quedarían con la máquina y a ella la arrinconarían. Hasta era posible que la hiciesen bajar del tren. ¡Oh, Dios! ¿Sería aquel hombre capaz de tal cosa?

Bond alcanzó la maleta y la colocó sobre un asiento. Corrió la larga cremallera y miró en el interior. Sí, una caja de metal esmaltado en color negro con tres filas de teclas planas, parecida a una máquina de escribir. Mantuvo el maletín abierto ante la joven y preguntó:

—¿Es ésta la Spektor?

Tatiana miró con indiferencia y respondió:

—Sí.

Bond cerró la maleta y la colocó nuevamente en la redecilla del equipaje. Luego tomó asiento junto a la joven.

—Hay tres hombres de la MGB en el tren. Sabemos que son los que llegaron a vuestro centro el lunes. ¿Qué hacen aquí, Tatiana?

La voz de Bond era suave. Observaba a la joven con todos sus sentidos, escudriñando el menor de sus gestos.

Tatiana alzó la cabeza. Había lágrimas en sus ojos. ¿Acaso eran las lágrimas de una niña pillada en falta? En sus facciones no había la menor sombra de culpabilidad. Estaba aterrorizada por alguna razón desconocida.

Tatiana extendió una mano, pero la retiró inmediatamente.

—¿No piensas arrojarme del tren ahora que ya tienes la máquina?

—Naturalmente que no —replicó Bond con impaciencia—. No seas estúpida. Tenemos que saber lo que hacen esos hombres aquí. ¿Qué significado tiene su presencia en el tren? ¿Sabías de antemano que estarían aquí?

Intentó una vez más leer en la expresión de la muchacha, pero únicamente vio en ella el reflejo de un tremendo alivio. ¿Y qué más? ¿Una mirada calculadora? Sí, ocultaba algo, pero ¿de qué se trataba?

Tatiana pareció tomar una determinación. Reflexionó, y de repente se pasó el dorso de una mano por los ojos. Luego se inclinó y apoyó la mano sobre una rodilla de Bond. El dorso estaba húmedo por las lágrimas. Tatiana miró a Bond, directamente a los ojos, como si intentara obligarle a creerla.

—James —dijo—. No sabía que esos hombres estuviesen en el tren. Me dijeron que hoy se marcharían para Alemania. Supuse que lo harían por avión. Eso es todo cuanto puedo decirte. Hasta que lleguemos a Inglaterra, fuera del alcance de mi gente, no debes hacerme más preguntas. He hecho lo que dije que haría. Estoy aquí con la máquina. Ten confianza en mí. Y no temas por nosotros. Estoy completamente segura de que esos hombres no nos harán ningún daño. Absolutamente segura. Ten fe.

«¿Estaba ella tan segura?», pensó Tatiana. Aquella mujer, la Klebb, ¿le había dicho la verdad? Pero también debía confiar en las órdenes que le habían dado. Aquellos hombres debían de ser, sin duda, los guardianes que la vigilaban para que no escapara. No podían significar otra cosa. Más tarde, cuando llegaran a Londres, aquel otro hombre, Bond, la protegería y la ocultaría... fuera del alcance de la SMERSH y entonces ella le diría todo cuanto deseaba saber. En el fondo, ya había decidido eso. Pero sólo Dios sabía lo que ocurriría si ella les traicionaba en aquellos momentos. De alguna manera les liquidarían a los dos. Estaba segura. No había secretos para aquella gente. Y no tendrían piedad. Mientras ella continuara desempeñando su papel, todo iría bien. Tatiana observó el rostro de Bond, buscando en él alguna indicación de que la creía.

Bond se encogió de hombros. Se puso en pie.

—No sé qué pensar, Tatiana —dijo—. Me ocultas algo, pero creo que tú no sabes que es importante. Sé que piensas que estamos seguros. Puede que así sea. También es probable que sea coincidencia el que esos tipos estén en el tren. Debo hablar con Kerim y decidir qué hacemos. No te preocupes. Cuidaremos de ti. Pero ahora debemos tener mucho cuidado.

Bond inspeccionó de una ojeada el departamento. Probó a abrir la puerta que comunicaba con el departamento contiguo. Estaba cerrada con llave. Decidió asegurarla bien cuando se hubiese ido el mozo de las camas. Luego haría lo mismo con la puerta del pasillo. Y tendría que permanecer despierto. ¡Buena luna de miel sobre ruedas! Bond sonrió para sí un tanto amargamente y tocó el timbre para llamar al mozo. Tatiana seguía mirándole con angustia.

—No te preocupes, Tania —repitió—. No te preocupes por nada. Acuéstate cuando el mozo se haya ido. No abras la puerta a menos que sepas que soy yo quien llama. Me quedaré en pie toda la noche para vigilar. Quizá mañana las cosas se presenten más fáciles. Estableceré algún plan con Kerim. Es un hombre excelente.

El mozo llamó. Bond le dejó pasar y luego salió al pasillo. Kerim todavía estaba allí mirando hacia el exterior. El tren había aumentado su velocidad ya en plena noche. La locomotora dejó oír un melancólico silbido cuando el tren penetró en un profundo desmonte sobre cuyos lados se reflejaron unos momentos, en rápida sucesión, las luces de las ventanillas. Kerim no se movió, pero no perdía un solo detalle en el espejo formado por el cristal de la ventanilla.

Bond relató la conversación sostenida con la joven. No era fácil explicar a Kerim por qué confiaba en la muchacha de aquella forma. Vio cómo la boca de Kerim sonreía irónicamente en el cristal cuando trató de explicarle lo que había leído en los ojos de la muchacha y lo que su intuición le decía.

Kerim suspiró con resignación.

—James —dijo—, ahora es usted quien está a cargo de todo. Ésta es su parte en la operación. Ya hemos discutido esto bastante hoy; el peligro de este viaje en tren, la posibilidad de hacer llegar la máquina a Inglaterra por correo diplomático y la integridad, o todo lo contrario, de esa joven. Parece que se ha rendido a usted incondicionalmente. Al mismo tiempo admite usted que la ha rendido o conquistado. Quizá sólo parcialmente. Pero ha decidido confiar en ella. En la conversación telefónica sostenida esta mañana con M, me dijo que él respaldaba su decisión. Que todo lo dejaba en sus manos. Por lo tanto, que las cosas sigan así. Pero él

no sabía que tendríamos una escolta de tres individuos de la MGB. Ni tampoco lo sabíamos nosotros.
Porque, de ser así, hubiésemos cambiado todos nuestros planes, ¿verdad?

—Sí.

—Entonces, lo único que cabe hacer es suprimir a esos tres tipos. Hacerles bajar del tren. Dios
sabe para lo que están aquí. No creo en las coinci-
dencias mucho más que usted. Pero una cosa es segura. No vamos a compartir este tren con esos tres
tipos, ¿de acuerdo?

—Por supuesto.

—Entonces, déjelo en mis manos. Al menos por
esta noche. Todavía estamos en mi país y poseo ciertos poderes, digamos que ciertas... atribuciones. Y
mucho dinero. No puedo permitirme el lujo de ma-
tarles. Se retrasaría el tren. Por otra parte, usted y
la muchacha se verían implicados en el jaleo. Pero
algo haré. Dos de ellos tienen cama. El más viejo,
el del bigote y la pequeña pipa, está en el departamento contiguo al de usted... ahí, en el número seis.
Viaja con pasaporte alemán y bajo el nombre de
Melchior Benz, viajante de comercio. El de piel oscura, el armenio, está en el número doce. También
lleva pasaporte alemán, como Kurt Goldfarb, in-
geniero. Han sacado billete hasta París. Vi su documentación. Tengo un carné de policía. El revisor no puso dificultades. Tiene los billetes y los
pasaportes en su cabina. El tercer hombre, el que
tiene un forúnculo en el cuello y varios incipientes
en la cara, es un tipo bestial y estúpido. No he visto su pasaporte. Viaja en un departamento de pri-

mera clase al lado del mío. No tiene que entregar el pasaporte hasta la frontera, pero sí ha mostrado su billete.

Como si se tratara de un prestidigitador, Kerim sacó un billete amarillo del bolsillo de la chaqueta, donde lo volvió a guardar. Luego sonrió orgullosamente a Bond.

—¿Cómo diablos ha...?

Kerim rió entre dientes.

—Antes de instalarse para pasar la noche, ese buey fue al lavabo. Yo estaba en el pasillo y, de repente, recordé cómo solíamos subir al tren de polizones cuando éramos pequeños. Le concedí un minuto de tiempo. Luego me dirigí hacia la puerta del servicio y llamé, a la vez que asía el pomo con fuerza. Después dije en voz alta: «Billetes, por favor, el revisor». Lo dije en francés y en alemán. En el interior del lavabo sonó un gruñido. Sentí cómo intentaba abrir la puerta. Me colgué entonces de ella con tanta fuerza que él supuso que se había bloqueado. «No se preocupe, *monsieur* —dije cortésmente—. Meta el billete por debajo de la puerta.» Luchó un poco más con la manilla y oí cómo el hombre jadeaba con fuerza. Después hubo una pausa y el billete salió por debajo de la puerta. Dije entonces: «*Merci, monsieur*» con más cortesía aún que antes. Recogí el billete y atravesé el fuelle de comunicación con el vagón siguiente. —Kerim se detuvo y agitó una mano con gesto alegre, añadiendo luego—: Ese buey debe estar durmiendo en este momento muy pacíficamente. Cree que le devolverán el billete en la frontera. Está equivocado. El billete se convertirá en cenizas y las cenizas se esparcirán a los cuatro vientos. —Hubo otro silencio, a la vez que Kerim señalaba con una mano hacia el exterior. Luego dijo—: Me ocuparé de que obliguen al buey a bajar del tren, por mucho dinero que tenga. Le dirán que las circunstancias son un tanto extrañas y que es preciso investigarlas y que su declaración debe ser corroborada por la agencia que le vendió el billete. Luego se le permitirá continuar viajando en el próximo tren.

Bond sonrió ante el truco de Kerim, algo que, sin duda, le había enseñado la escuela de la vida.

—Es usted un as, Darko. ¿Y los otros dos?

Darko Kerim encogió los potentes hombros.

—Algo se me ocurrirá —respondió con entera confianza en sí mismo—. El mejor sistema para atrapar a los rusos es lograr que se sientan ridículos. Embarazarles. Reírse de ellos. No lo pueden soportar. De alguna manera haremos que esos hombres suden. Después permitiremos que la MGB les castigue por no haber cumplido con su deber. Sin duda, serán fusilados por su propia gente.

Mientras charlaban, salió el revisor del departamento siete. Kerim se volvió hacia Bond apoyando una mano en su hombro.

—No tema, James —dijo con tono alegre—. Les derrotaremos. Y ahora, vaya con su muchacha. Nos veremos de nuevo por la mañana. No dormiremos mucho esta noche, pero no queda más remedio. Cada día es diferente. Quizá durmamos mejor mañana.

Bond observó cómo aquel hombre fornido se movía con absoluta facilidad por el oscilante pasillo. Notó que, a pesar del movimiento del tren, los hombros de Kerim nunca tocaban las paredes de ambos lados. Bond sentía ya afecto por aquel duro espía profesional que siempre estaba de buen humor. Kerim desapareció en la cabina del revisor. Bond se volvió y llamó suavemente a la puerta del número siete.

# 22

# Fuera de Turquía

El tren no dejó de bramar durante toda la noche. Bond permanecía sentado contemplando el paisaje iluminado por la luz de la luna, al mismo tiempo que hacía grandes esfuerzos para no dormirse.

Todo parecía conspirar para hacerle dormir: el apresurado y metálico galopar de las ruedas, el hipnótico desfilar monótono y constante de los cables del telégrafo, la ocasional melancolía, en aquel momento más tranquilizadora, del silbar de la locomotora, el metálico sonar del fuelle de unión de vagones en el extremo del pasillo, y los misteriosos ruidos nocturnos de la madera que recubría las paredes del departamento. Incluso el brillo violeta de la pequeña luz que había sobre la puerta parecía decir: «Yo vigilaré por ti. Nada puede ocurrir mientras yo esté encendida. Cierra tus ojos, duerme, duerme».

Notaba en su regazo la cabeza de la muchacha, caliente y pesada. Era obvio que había espacio para que él pudiera deslizarse por debajo de la sábana y pegarse a ella, la parte delantera de sus muslos contra la trasera de los suyos, su cabeza junto a su pelo, desplegado como una cortina en la almohada.

Bond se frotó los ojos y los abrió nuevamente. Con calma alzó una mano y consultó su reloj. Las cuatro en punto. Faltaba aún una hora para llegar a la frontera turca. Quizá pudiese dormir durante el día. Entregaría a Tania la pistola y atrancaría las puertas nuevamente para que ella pudiese vigilar.

Contempló el bello perfil que descansaba sobre sus rodillas. La joven rusa del Servicio Secreto soviético mostraba un aspecto de formidable inocencia. Las largas pestañas parecían prestar sombra al comienzo de las mejillas, los labios entreabiertos en pleno abandono, inconscientemente, con parte de los cabellos esparcidos sobre la frente; Bond sintió deseos de arreglárselos, suavemente, a la vez que observaba el regular latido de las azules venas del cuello... sintió impulsos tiernos y ganas de abrazarla estrechamente. Quiso despertarla de su probable sueño para poder besarla y decirle que todo iba bien, y que podía volver a dormirse con tranquilidad.

La joven había insistido en dormir de aquella manera.

—No me dormiré a menos que no sea en tus brazos. Tengo que saber que estás aquí. Sería terrible si despertara y no te encontrara. Por favor, James. Por favor, *duschka* *.

Bond se había quitado la chaqueta y la corbata y se había situado en un rincón, ambos pies sobre la maleta, con la Beretta bajo la almohada, al alcance de la mano. Ella no había hecho ningún comenta-

* Expresión afectuosa y apasionada, equivalente a «amor mío» o «vida mía». (*N. del T.*)

rio sobre la pistola. Se había quitado toda la ropa, excepto la cinta negra que rodeaba su garganta, y había simulado no mostrarse provocativa cuando saltó impúdicamente sobre la cama, y allí se revolvió repetidas veces hasta encontrar una posición cómoda. Luego había alzado los brazos hacia él. Bond tiró de sus cabellos hacia atrás para besarla con dureza. Acto seguido, le había dicho que se durmiera y, recostándose sobre la almohada, había esperado pacientemente a que su propio cuerpo le dejase tranquilo. Murmurando, medio dormida, la muchacha había tendido un brazo, ciñéndole en un principio, pero al final fue aflojando la presa a medida que el sueño la vencía.

Bond, bruscamente, intentó no pensar más en ella y comenzó a reflexionar sobre la siguiente etapa del viaje.

Habían salido de Turquía, pero ¿se les presentarían las cosas en Grecia más fáciles? Las relaciones entre Grecia e Inglaterra no eran muy buenas. ¿Y Yugoslavia? ¿De qué lado se inclinaba Tito? Probablemente hacia ambos lados. Fuera cuales fuesen las órdenes de los tres hombres de la MGB, o bien ya sabían que Bond y Tatiana estaban en el tren, o pronto lo averiguarían. Él y la muchacha no podían pasar cuatro días sentados en su departamento con las persianas echadas. Se comunicaría su presencia a Estambul por teléfono desde alguna estación, y por la mañana se descubriría la desaparición de la Spektor. Y luego, ¿qué? ¿Una apresurada *démarche* por medio de la Embajada rusa en Atenas o en Belgrado? ¿Hacer bajar a la muchacha del tren como una ladrona? ¿O todo, en conjunto, era demasiado sencillo? Y si fuera más complicado, si todo formara parte de algún misterioso complot, de alguna tortuosa conspiración rusa, ¿lograría él zafarse? ¿No sería mejor que él y la joven bajaran del tren por el lado contrario de la vía, en alguna estación, luego alquilaran un coche y embarcaran en un avión para Londres?

En el exterior, el luminoso amanecer había comenzado a teñir de azul los árboles y las rocas, que desfilaban velozmente junto al tren. Bond consultó su reloj. Las cinco. Pronto llegarían a Uzunkopru. ¿Qué sucedía en el tren, más atrás de donde ambos se hallaban? ¿Qué habría conseguido Kerim?

Bond se estiró, relajándose. Después de todo, había una respuesta sencilla y de sentido común al problema. Si entre ellos podían desembarazarse rápidamente de los tres agentes de la MGB, continuarían en el tren y seguirían el plan original. De lo contrario, Bond sacaría del tren a la joven y a la máquina en algún lugar de Grecia y tomarían otro camino para llegar a casa. Pero si las cosas presentaban un cariz favorable, Bond era partidario de continuar. Él y Kerim eran hombres de recursos. Kerim disponía de un agente en Belgrado que esperaba al tren. Y siempre podrían recurrir, en último caso, a la Embajada.

La mente de Bond continuó trabajando febrilmente, sumando pros, sin hacer caso de los contras. En el fondo, Bond admitía con calma que experimentaba deseos de jugar la partida hasta la última baza y ver qué sucedería. Deseaba enfrentarse a aquella gente, resolver el misterio y, si se trataba de alguna especie de complot, hacerlo fracasar. M lo había dejado todo en sus manos. Pues en sus manos estaban ahora la joven y la máquina. ¿Por qué, entonces, sentir pánico? ¿Qué razones había para temer algo? Sería una estupidez huir y quizá significaría esquivar una trampa para caer en otra mucho peor.

El tren silbó largamente y disminuyó la velocidad. Se aproximaba el primer asalto. Si Kerim fallaba, si los tres hombres continuaban en el tren...

Pasaron de largo algunos vagones de mercancías arrastrados por una potente locomotora. Durante un momento se distinguieron las siluetas de unos cobertizos de carga. Con un molesto ruido metálico en los fuelles de unión entre los vagones, el Orient Express entró en agujas y tomó otra línea alejándose de la principal. Luego aparecieron cuatro vías entre las que crecía la hierba y, muy cercano ya, un desierto andén. Cantó un gallo. El expreso avanzó lentamente y luego, con un suspiro de frenos hidráulicos y fuerte escape de vapor, se detuvo. La joven se agitó en su sueño. Bond colocó delicadamente su cabeza sobre la almohada, se levantó y salió al pasillo.

Era una típica estación balcánica, una fachada severa de piedra picada, un extraño andén cubierto por el polvo, que estaba al mismo nivel que el suelo, de forma que, para bajar del tren, era preciso dar un salto; algunos pollos que picoteaban aquí y allá, y unos cuantos funcionarios mal ataviados y sin afeitar, unos hombres que ni siquiera trataban de ser importantes. Hacia el lado de los vagones de tercera, una multitud de campesinos, cargados con paquetes y cestas, esperaba el examen de aduana y del pasaporte para, a continuación, volver a subir al tren y mezclarse de nuevo con la masa que lo abarrotaba.

Al otro lado del andén, Bond vio una puerta cerrada con un rótulo sobre ella que decía: «POLIS». A través de los sucios cristales de la ventana, junto a la puerta, Bond distinguió la cabeza y los hombros de Kerim.

—*Passeports. Douanes!*

Un hombre vestido de paisano y dos policías uniformados de verde oscuro, con pistoleras colgadas de negros cinturones, entraron en el pasillo. El revisor de los coches cama les precedía llamando a las puertas.

En la número doce, el revisor pronunció un discurso en turco, con tono indignado, mostrando un montón de billetes y pasaportes y barajándolos como si fuesen naipes. Cuando terminó, el hombre vestido de paisano hizo una señal indicando a los agentes que avanzaran, llamó suavemente a la puerta y, cuando ésta se abrió, penetró en el interior. Los dos policías permanecieron inmóviles en la entrada.

Bond se acercó. Oyó hablar en un desastroso alemán. Una voz era fría, la otra exteriorizaba temor y excitación. Faltaban el billete y el pasaporte de *herr* Kurt Goldfarb. ¿Los había retirado *herr* Goldfarb de la cabina del revisor? No. ¿Los había entregado de verdad al revisor? Naturalmente. El asunto era lamentable. Habría que realizar una investigación. Sin duda, la delegación alemana de Estambul podría solucionarlo. (Bond sonrió ante la sugerencia.) Mientras tanto, y lamentándolo mucho, *herr* Goldfarb no podía continuar el viaje. Pero, por supuesto, podría hacerlo al día siguiente. Su equipaje sería trasladado a la sala de espera.

El hombre de la MGB que salió al pasillo era el caucasiano de piel oscura, el menos importante de los tres. La cara, ya lívida, aparecía gris por el pánico. Estaba despeinado y solamente vestía los pantalones del pijama. Pero no hubo nada de cómico en su desesperada prisa a lo largo del pasillo. Pasó velozmente junto a Bond. Se detuvo ante la puerta número seis y enderezó el cuerpo. Llamó a la puerta haciendo un verdadero esfuerzo por serenarse. La puerta se abrió, todavía con la cadena de seguridad, y Bond vio una nariz gruesa y parte de un mostacho. Se soltó la cadenilla de seguridad y Goldfarb entró. Hubo un silencio durante el cual el hombre de paisano examinó los documentos de dos ancianas francesas que viajaban en los departamentos nueve y diez. Después le tocó el turno a los papeles de Bond. El funcionario apenas miró el pasaporte de este último. Lo cerró de golpe y lo entregó al revisor.

—¿Viaja usted con Kerim Bey? —preguntó en francés, mirando hacia el exterior.

—Sí.

—*Merci, monsieur. Bon voyage.*

El hombre le saludó y luego llamó con insistencia a la puerta número seis. Ésta se abrió y el hombre entró en el departamento.

Cinco minutos más tarde la puerta se abrió con violencia. El funcionario, adoptando en aquel momento un gesto de autoridad, hizo una seña a los dos policías. Éstos se acercaron y el hombre les habló ásperamente, en turco. Luego se volvió hacia el departamento.

—Considérese detenido, *mein herr*. En Turquía la tentativa de soborno de funcionarios es un grave delito.

Goldfarb exclamó algo con su mal alemán. Luego pronunció con tono airado una frase en ruso. Un Goldfarb diferente, un Goldfarb con ojos de demente, salió del departamento para caminar como un ciego por el pasillo hasta el departamento número doce. Un policía se situó a la entrada, esperando.

—Su documentación, *mein herr*. Haga el favor de venir. He de verificar esta fotografía. —El hombre vestido de paisano alzó el pasaporte alemán hacia la luz. Luego añadió—: Más adelante por favor.

De mala gana, y con su pálido rostro congestionado por la ira, el hombre de la MGB, que se hacía llamar Benz, salió al pasillo ataviado con una elegante bata de seda. Los ojos castaños y de dura expresión miraron a Bond, ignorándole.

El hombre de paisano cerró el pasaporte y lo entregó al revisor.

—Sus documentos están en orden, *mein herr*. Y ahora, por favor, el equipaje.

Entró en el departamento seguido por el segundo policía. El hombre de la MGB dio la espalda a Bond y observó el registro.

Bond notó el bulto bajo la bata de seda, bajo el brazo izquierdo, y las arrugas de un cinturón rodeando el cuerpo. Se preguntó si debía advertir de aquello al hombre de paisano. Decidió que sería mejor mantener la calma. Podían retenerle como testigo.

El registro del equipaje terminó. El hombre de paisano saludó fríamente y avanzó por el pasillo. El agente de la MGB entró de nuevo en el departamento número seis cerrando la puerta con fuerza.

«Es una lástima —pensó Bond—. Uno que ha escapado.»

Una vez más observó el exterior desde la ventanilla. Un tipo corpulento con sombrero gris y un forúnculo en la nuca era escoltado en aquel momento hasta la entrada del lugar señalado con el rótulo «POLIS». Al final del pasillo se cerró ruidosamente una puerta. Goldfarb, acompañado por el policía, se apeó también del tren. Con la cabeza inclinada, atravesó el polvoriento andén y desapareció por la misma puerta.

Silbó la locomotora con una nueva tonalidad, el sonido alegre y estridente de un maquinista griego. Se cerró la puerta del vagón cama. El hombre de paisano y el segundo policía también se encaminaron hacia el mismo edificio. El jefe de estación, junto a la locomotora, consultó su reloj y alzó la bandera roja. Hubo un tirón y la locomotora comenzó a reducir el volumen de sus bufidos hasta que la sección delantera del Orient Express comenzó a moverse. La otra sección, la que tomaría la ruta norte a través del Telón de Acero, por Dragoman, en la frontera búlgara, a ochenta kilómetros de distancia, quedó junto al polvoriento andén, esperando.

Bond bajó la ventanilla y lanzó una última mirada a la frontera turca, donde dos hombres se hallarían en aquel instante sentados en una desnuda habitación, bajo el peso de una acusación que equivalía a una sentencia de muerte. «Dos pájaros de un tiro», pensó Bond. De tres, dos. El pronóstico parecía mucho más favorable.

Contempló el desierto andén con sus pollos y la negra y pequeña figura del guardián, hasta que el tren entró en agujas y tomó de nuevo la vía principal. Miró hacia la lejanía contemplando el paisaje reseco y desagradable, bajo el sol que se elevaba sobre la llanura turca. El día iba a ser muy hermoso.

Bond retiró la cabeza del aire fresco y dulce de la mañana y cerró la ventanilla de golpe.

Había tomado una decisión. Se quedaría en el tren a esperar lo que ocurriera.

# 23

# Fuera de Grecia

Un café caliente en la pequeña y pobre cantina de Pithion (no habría coche restaurante hasta el mediodía), una visita sin complicaciones a la aduana y al control griego de pasaportes y, acto seguido, se recogieron las camas mientras el tren se dirigía hacia el sur, al golfo de Enez, en la entrada del mar Egeo. En el exterior existía más luz y color. El aire era más seco. Los hombres que estaban en las estaciones y en los campos presentaban un aspecto más apuesto. Los girasoles, el maíz, las viñas y el tabaco maduraban al sol. Como había dicho Darko, era otro día.

Bond se lavó y afeitó bajo la divertida mirada de Tatiana. La muchacha pareció aprobar el hecho de que Bond no se pusiera brillantina en el cabello.

—Es una sucia costumbre —comentó—. Me habían dicho que muchos europeos lo hacían así. En Rusia ni se soñaría con ello. Ensucia las almohadas. Pero es muy extraño que en Occidente no uséis perfume. Todos nuestros hombres lo usan.

—Nos lavamos —replicó Bond secamente.

Mientras la joven protestaba vehementemente, sonó una llamada en la puerta. Era Kerim. Bond le dejó entrar. Kerim se inclinó cortésmente ante la muchacha.

—Simpática escena familiar —dijo alegremente al instalarse en un rincón cerca de la puerta—. Nunca he visto a una pareja de espías tan simpática.

Tatiana le miró con ojos brillantes y replicó fríamente:

—No estoy acostumbrada a las bromas occidentales.

La desarmó la carcajada de Kerim.

—Ya se acostumbrará, querida. Inglaterra es un país con un formidable sentido del humor. Allí se considera idóneo bromear sobre cualquier cosa. Yo también aprendí a bromear. Es lo mismo que engrasar las ruedas del carro. Esta mañana me divertí mucho. ¡Esos pobres diablos en Uzunkopru! Me agradaría estar allí cuando la policía telefonee al Consulado alemán de Estambul. Ése es el mayor inconveniente de los pasaportes falsos. No son difíciles de hacer, pero es casi imposible falsificar también el certificado de nacimiento y los archivos del país que se supone los ha extendido. Me temo que las carreras de sus dos camaradas han llegado a su fin, un fin bien triste, señora Somerset.

—¿Cómo lo consiguió? —preguntó Bond anudándose la corbata.

—Dinero e influencia. Quinientos dólares al revisor. Un elocuente discurso a la policía. ¡Fue una verdadera suerte que nuestro amigo intentara sobornar al inspector! Y en verdad que es una pena que ese astuto Benz, que está ahí al lado —dijo

Kerim señalando con una mano hacia la pared—, no se viese complicado en la maniobra. No pude emplear el truco del pasaporte dos veces. Tendremos que cazarle de alguna otra manera. El hombre de los forúnculos fue fácil. No sabía hablar alemán y viajar sin billete es cosa grave. ¡Ah, bien! El día ha comenzado maravillosamente. Hemos ganado el primer asalto, pero es seguro que nuestro amigo Benz, a partir de este momento, se mostrará sumamente cuidadoso. Sabe contra lo que tiene que luchar. Quizá sea mejor. Hubiese sido una tremenda molestia tener que mantenerles a ustedes dos ocultos todo el día. Ahora podemos movernos, incluso almorzar juntos, mientras no olviden llevar consigo las joyas de la familia. Hemos de estar atentos para que ese tipo no telefonee desde ninguna estación, aunque dudo mucho que se las pudiera arreglar con las centralitas griegas. Quizá esperará hasta que estemos en Yugoslavia. Pero allí tengo mi máquina. Si lo necesitamos, lograremos refuerzos. Ha de ser un viaje muy interesante. Siempre hay muchas emociones en el Orient Express —Kerim se puso en pie y abrió la puerta— y aventuras amorosas —añadió sonriendo—. Les vendré a buscar a la hora del almuerzo. La cocina griega es peor que la turca, pero ¡qué le vamos a hacer! Incluso mi estómago está al servicio de la reina.

Bond se levantó y cerró la puerta. Tatiana dijo de repente:

—¡Tu amigo no es *kulturny*! Es desleal al mencionar así a tu reina.

Bond tomó asiento a su lado y respondió pacientemente:

—Tania, ése es un hombre maravilloso. También es un buen amigo. En lo que a mí concierne, puede decir todo cuanto le venga en gana. Tiene celos de mí. Le agradaría tener a una muchacha como tú. De manera que lo que hace es halagarte. Es una forma de flirtear. Debías tomar sus palabras como un cumplido.

—¿Lo crees así? —interrogó Tatiana, mirándole con sus ojos azules muy abiertos—. Pero... lo que dijo sobre su estómago y la reina de tu país; es un poco ordinario, rudo. En Rusia se consideraría grave o, al menos, como malos modos.

Todavía estaban discutiendo cuando el tren se detuvo en la estación de Alexandropolis, un lugar requemado por el sol y lleno de moscas. Bond abrió la puerta del pasillo y el sol entró en el departamento al reflejarse sobre un mar pálido que, en el cercano horizonte, parecía formar los colores de la bandera griega al unirse con el cielo.

Almorzaron con la pesada maleta bajo la mesa, entre los pies de Bond. Kerim inmediatamente hizo amistad con la muchacha. El hombre de la MGB llamado Benz evitó el restaurante. Le vieron en el andén comprando bocadillos y cerveza, que se expendían en un carrito. Kerim sugirió que le propusieran ser el cuarto jugador en una partida de bridge. Bond se sentía muy cansado, y su cansancio fue precisamente lo que le hizo recordar que estaban convirtiendo aquel viaje peligroso en un auténtico picnic. Tatiana se dio cuenta de su silencio. Se puso en pie y declaró que deseaba reposar. Cuando salieron del vagón restaurante, oyeron cómo Kerim llamaba al camarero y, con tono alegre, pedía brandy y cigarros.

De regreso al departamento, Tatiana dijo con firmeza:

—Ahora serás tú quien duerma.

Corrió la cortina para evitar el reflejo de la luz viva de la tarde. La cabina se convirtió inmediatamente en una caverna subterránea llena de luz verdosa. Bond atrancó las puertas y entregó la pistola a la joven. Luego se tendió apoyando la cabeza sobre el regazo de Tatiana, para quedarse casi dormido en el acto.

El largo tren serpenteaba por la parte norte de Grecia, al pie de las montañas de Rhodope. Llegaron a Xanthi y después pasaron por Drama y Serrai hasta alcanzar la región montañosa de Macedonia; la línea giró entonces en dirección sur, hacia Salónica.

Oscurecía cuando Bond despertó en la suave cuna del regazo de la joven. Acto seguido, como si Tatiana hubiese estado esperando aquel momento, le cogió la cara entre las manos y, mirando fijamente sus ojos, le preguntó con tono de urgencia:

—*Duschka*, ¿cuánto durará esto?

—Mucho tiempo —respondió Bond cuyos pensamientos aún se hallaban nublados por el sueño.

—Pero, ¿cuánto tiempo?

Bond miró también los ojos bellos y cargados de angustia. Hizo un esfuerzo por ahuyentar el sueño de su mente. Era imposible ver más allá de los tres días que les quedaban de tren antes de llegar a

Londres. Era preciso admitir el hecho de que aquella muchacha era un agente enemigo. Los sentimientos que él pudiese albergar no tendrían interés alguno durante los interrogatorios del Servicio y de los ministerios. Otros Servicios de Seguridad desearían saber qué tenía que decirles aquella joven sobre la máquina que había manejado. Probablemente, en Dover, Tatiana sería trasladada a La Jaula, la casa privada y bien vigilada cerca de Guildford, donde la instalarían en una cómoda habitación, aunque bien provista de micrófonos. Y los eficientes tipos vestidos de paisano llegarían hasta allí uno por uno para visitarla, sentarse y charlar con ella mientras la grabadora seguiría girando en la estancia de la planta inferior. Luego, las cintas se transcribirían y pasarían por el filtro de alguna otra nueva investigación, con el objeto de captar las contradicciones en que hubiera incurrido la joven. También era posible que llevaran a alguna chivata... una joven rusa, una muchacha bonita, quien se compadecería de Tatiana por el trato que estaba recibiendo y sugeriría algunos medios para escapar, para convertirse en agente doble, o para recoger información «inofensiva» que transmitir a sus familiares. Aquello podía continuar durante semanas, e incluso meses. Mientras tanto, Bond sería alejado de ella muy discretamente, a menos que los interrogadores estimaran que podían lograr más información explotando los sentimientos de ambos. Y después, ¿qué? El nombre cambiado, la oferta de una nueva vida en Canadá, los miles de libras al año que entregarían a la muchacha procedentes de un fondo secreto... ¿y dónde estaría él cuando todo hubiese acabado? Con toda seguridad, en el otro extremo del mundo. Y si todavía se hallaba en Londres, ¿qué sentiría por él aquella muchacha, después de la perfecta criba realizada durante los interrogatorios? ¿Hasta qué punto odiaría o menospreciaría a los ingleses después de haber pasado por todo aquello? Y pensando las cosas dos veces, ¿qué quedaría entonces de su amor por ella?

—*Duschka* —repitió la muchacha—. ¿Cuánto tiempo?

—Tanto como sea posible. Dependerá de nosotros. Habrá mucha gente que..., que interferirá. Nos separarán. No será siempre como ahora... Dentro de pocos días tendremos que enfrentarnos con el mundo, y no será cosa fácil. Sería estúpido decirte otra cosa.

Se serenó el rostro de Tatiana. Luego sonrió.

—Es verdad. No te haré más preguntas ridículas. Pero no podemos desperdiciar estos días.

La muchacha movió la cabeza, se levantó y, a continuación se tendió junto a Bond.

Una hora más tarde, cuando Bond se hallaba en el pasillo, Darko Kerim apareció repentinamente a su lado. Estudió el rostro de Bond. Luego dijo con ironía:

—No debería usted dormir tanto. Se ha perdido el histórico paisaje de la Grecia septentrional. Ha llegado la hora del *premier service*.

—No piensa usted más que en comer —dijo Bond. Luego señaló con un movimiento de cabeza hacia atrás y preguntó—: ¿Cómo va nuestro amigo?

—No se ha movido. El revisor ha estado vigilando por mí. Ese hombre llegará a ser el revisor más rico de la compañía de coches cama. Quinientos dólares por los documentos de Goldfarb y ahora cien dólares más diarios hasta el final del viaje. —Kerim sonrió y añadió—: Le dije que incluso podría conseguir una medalla por sus servicios a Turquía. Cree que perseguimos a una banda de contrabandistas. Siempre utilizan este tren para llevar opio turco a París. No se ha sorprendido lo más mínimo, pero sí está contento con su recompensa. Y ahora, ¿ha conseguido alguna cosa más de esa princesa rusa que está ahí dentro? Me siento un poco intranquilo. Hay demasiada calma. Puede que sea verdad, como dice la chica, que los dos hombres que hemos dejado atrás se dirigieran inocentemente a Berlín. Este Benz probablemente no sale de su departamento porque nos tiene miedo. Todo marcha bien en nuestro viaje. Y aun así, aun así... —Kerim movió la cabeza con gesto de duda. Hubo un silencio y después continuó—: Estos rusos son grandes jugadores de ajedrez. Cuando quieren llevar a cabo un complot lo hacen a la perfección. Planean minuciosamente la partida, y los movimientos del enemigo se prevén y se contrarrestan. En el fondo, tengo el presentimiento de que usted, yo y la muchacha somos peones en un inmenso tablero y que se permiten nuestras jugadas porque no ofrecen el menor peligro para la partida rusa.

—Pero ¿cuál es el objeto del complot? —preguntó Bond mirando a la oscuridad de la noche como si hablara a su imagen reflejada en el cristal de la ventanilla—. ¿Qué desean alcanzar? Siempre volvemos a lo mismo. Por supuesto, hemos sospechado una conspiración y hasta es posible que la muchacha ignore en lo que está metida. Sé que aún me oculta algo, pero, en mi opinión, se trata de pequeños secretos que ella cree son poco importantes. Asegura que me lo contará todo cuando lleguemos a Londres. ¿Todo? ¿Qué quiere decir con eso? Insiste en que debo tener fe... y que no hay peligro de ninguna clase. —Hubo un silencio y Bond miró a Darko para añadir—: Debe usted admitir que hasta ahora la muchacha hace honor a sus palabras.

No había ningún entusiasmo en los ojos de Kerim. No dijo nada. Bond se encogió de hombros.

—Admito haberme enamorado —añadió—, pero no soy un estúpido, Darko. He estado buscando una clave, algo que nos pudiese ayudar. Ya sabe usted que se pueden decir muchas cosas cuando se derriban muchas barreras. Bien, pues en este caso ya han caído y sé que esa chica dice la verdad. Al menos en un noventa por ciento. Y sé que piensa que el resto no tiene importancia. Si está mintiendo, también se está engañando a sí misma. Es probable que suceda eso en la analogía que expuso usted sobre el ajedrez, pero, aun así, volvemos a la pregunta: en conjunto, ¿a favor de quién está? —Hubo otro silencio y el tono de voz de Bond se endureció—. Y si le interesa a usted saberlo, todo cuanto pido es continuar con la partida hasta que lo hayamos averiguado.

Kerim sonrió ante la mirada de obstinación de Bond. Luego se echó a reír repentinamente.

—Amigo mío, si de mí dependiese, me bajaría del tren en Salónica, con la máquina e incluso con la muchacha, aunque ésta no sea tan importante. Alquilaría un coche hasta Atenas y tomaría el primer avión que saliera para Londres. Pero yo no me he educado como un *jugador* —comentó Kerim irónicamente—. Esto no es un juego para mí. Es un trabajo. Para usted es diferente. Usted es jugador. M también lo es. De otra manera no le hubiera concedido carta blanca. M también desea saber cuál es la solución de este jeroglífico. Pues que así sea. Pero a mí lo que me agrada es jugar sobre seguro, dejando el menor margen posible al azar. Usted piensa que las apuestas están a su favor, ¿lo cree así? —Darko se detuvo para mirar a Bond directamente. Luego su tono de voz se hizo insistente—: Escuche, amigo mío. Esto es como una mesa de billar. Una mesa bonita, plana, verde..., usted ha tocado su bola blanca que rueda fácilmente y en silencio hacia la roja. El agujero está a un lado. Fatal e inevitablemente golpeará usted la roja y ésta caerá en el agujero. Es la ley de la mesa de billar. Pero fuera de la órbita de estas cosas, el piloto de un avión a reacción se ha desmayado y el aparato cae en dirección a la mesa de billar, o una cañería de gas está a punto de explotar, o un rayo a punto de caer. Y el edificio se derrumba sobre usted y sobre la mesa de billar. Entonces, ¿qué ha ocurrido con la bola blanca que tenía que tocar a la roja, y a la roja que no podía caer sino en el orificio? La bola blanca no podía fallar de acuerdo con las reglas del billar. Pero estas leyes no son las únicas, y las que rigen el avance de este tren y el de usted hacia su destino tampoco son las únicas leyes en esta partida tan singular. —Kerim guardó silencio. Luego se encogió de hombros como si tratara de disculparse o quitar importancia a su arenga. Después continuó—: Ya conoce usted estas cosas, amigo mío. Con toda esta charla me ha entrado sed. Procure que esa muchacha se dé prisa e iremos a cenar. Pero atención a las sorpresas, por favor. —Con un dedo trazó una cruz en el centro de su chaqueta—. No hago esta señal sobre el corazón —añadió—. Sería demasiado serio. Pero sí la hago sobre el estómago y así, al menos para mí, será un juramento importante. Hay sorpresas en perspectiva para usted y para mí. El gitano nos aconsejó que estuviéramos atentos. Ahora yo digo lo mismo. Podemos jugar al billar, pero hemos de estar pendientes del mundo exterior, el de fuera de la sala de billar. Me lo dice... mi nariz, amigo mío. —El estómago de Kerim hizo un ruido de indignación, como el de un olvidado auricular telefónico que recibiera una colérica llamada desde el otro extremo del hilo—. ¡Vaya! ¿Qué le decía yo? Debemos ir a comer algo.

Acababan de cenar cuando el tren entró en el odioso y moderno nudo ferroviario de Tesalónica. Cargando Bond la pequeña maleta, atravesaron el pasillo y se separaron para pasar la noche.

—Pronto nos volverán a molestar —advirtió Kerim—. A la una llegaremos a la frontera. Los griegos no ponen dificultades pero a los yugoslavos les agrada despertar a todo el que duerma. Si les molestan demasiado, llámenme. Incluso en su país hay nombres que puedo mencionar. Estoy en el segundo departamento del próximo vagón. Lo ocupo yo solo. Mañana me mudaré a la cama de nuestro amigo Goldfarb, en el número doce. Por el momento, la primera clase es un lugar adecuado.

Bond dormitaba a medias mientras el tren atravesaba el valle de Vardar, bajo el claro de luna, en dirección al sur de Yugoslavia. Tatiana dormía nuevamente con la cabeza apoyada sobre sus rodillas. Bond pensaba en lo que le había dicho Kerim. Se preguntaba si podría hacer regresar a aquel hombre corpulento a Estambul una vez hubieran llegado sin novedad a Belgrado. Era injusto arrastrarle a través de toda Europa en una aventura fuera de su territorio y por la cual sentía pocas simpatías. Evidentemente, Darko sospechaba que él se había enamorado perdidamente de la muchacha y, en consecuencia, no veía tan claro el resultado final de la operación. Bien, había gran parte de verdad en todo aquello. No cabía la menor duda de que sería más seguro bajar del tren y seguir otro camino hacia Inglaterra. Pero Bond admitía que no deseaba huir de aquel complot, si en realidad se trataba de un complot. Si no lo era, tampoco podía soportar la idea de sacrificar los otros tres días que podía pasar en compañía de Tatiana. M había dejado en sus manos toda posible decisión. Y como había dicho Darko, M también deseaba terminar la partida. Perversamente M quería saber a qué obedecía todo aquello. Bond arrinconó en su mente el problema. El viaje iba bien. Y una vez más pensó: «¿Por qué sentir temor?».

Diez minutos después de haber llegado a la estación fronteriza griega de Idomeni sonó una urgente llamada en la puerta. La muchacha se despertó. Bond apartó a un lado su cabeza y acercó un oído a la puerta.

—¿Quién es? —preguntó.

—*Le conducteur, monsieur*. Ha habido un accidente. Su amigo Kerim Bey.

—Espere un momento —replicó Bond con vehemencia. Introdujo la Beretta en su pistolera y se puso la chaqueta. Luego abrió la puerta con violencia.

—¿Qué ocurre?

El rostro del revisor aparecía lívido bajo la luz del pasillo.

—Venga —respondió el hombre corriendo ya hacia la primera clase.

Ante la puerta abierta del segundo departamento había un grupo de funcionarios de pie, mirando.

El revisor cedió el paso a Bond. Éste avanzó y miró.

Se le erizaron los cabellos. Sobre el asiento de la derecha había dos cuerpos tendidos. Estaban rígidos, en una forzada postura de lucha que hubiera servido para la escena de una película.

Debajo se hallaba Kerim, con sus rodillas alzadas en un último esfuerzo por levantarse. De su cuello, a la altura de la vena yugular, sobresalía el mango de una daga. Tenía la cabeza echada hacia atrás, y los ojos, apagados y estriados de sangre, miraban a la noche. La boca esbozaba un rictus final de rabia. Un fino reguero de sangre se deslizaba por el mentón.

Sobre la mitad de su cuerpo descansaba el voluminoso cadáver del hombre de la MGB llamado Benz, sujeto firmemente por un brazo de Kerim, que le rodeaba el cuello. Bond vio el ángulo del bigote a lo Stalin y un lado del ennegrecido rostro. El brazo derecho de Kerim reposaba sobre la espalda del individuo como por casualidad. La mano se cerraba sobre el mango de un gran puñal. Bajo la mano y sobre la chaqueta se extendía una gran mancha de sangre.

Bond dejó volar su imaginación. Fue como si presenciara una película. Darko dormido; el hombre introduciéndose silenciosamente en el departamento, dos pasos más hacia delante y el golpe rápido a la yugular. Después, los violentos espasmos del moribundo durante los cuales pudo alzar un brazo con el que todavía tuvo fuerzas para atraer hacia sí a su enemigo y clavarle un puñal a la altura de la quinta costilla.

¡Aquel hombre maravilloso que llevaba el sol consigo! Ahora todo había terminado. Estaba muerto.

Bond dio media vuelta bruscamente para no ver más a la persona que había dado la vida por él.

Prudentemente, sin comprometerse, comenzó a hacerse preguntas.

# 24

# Fuera de peligro

El Orient Express entró lentamente en Belgrado a las tres en punto de la tarde, con media hora de retraso. Habría una demora de ocho horas mientras la otra sección del tren atravesaba el Telón de Acero desde Bulgaria.

Bond miraba a la gente esperando la llamada en la puerta que anunciaría la llegada del hombre de Kerim. Tatiana se hallaba junto a la puerta envuelta en su abrigo, contemplando a Bond, y preguntándose si éste volvería a ella.

Lo había visto todo desde la ventanilla: los alargados bultos que sacaron del tren, los relámpagos de las cámaras fotográficas de la policía, los ampulosos gestos del *chef de train* intentando terminar precipitadamente con las formalidades, y la alta figura de Bond, erguido, duro y frío como el cuchillo de un carnicero, yendo de acá para allá.

Bond había regresado al departamento para tomar asiento a su lado. Acto seguido, había iniciado un interrogatorio agudo, casi brutal. Ella había luchado desesperadamente, ciñéndose a su historia fríamente, pues sabía que si en aquellos momentos se lo contaba todo, si le decía que la SMERSH estaba implicada en todo aquello, con seguridad le perdería para siempre.

Ahora se encontraba sentada y tenía miedo, miedo de la tela de araña en que había caído, miedo de lo que podría haber tras las mentiras dichas en Moscú y, sobre todo, miedo a perder a aquel hombre que, de repente, se había convertido en la luz de su vida.

Sonó una llamada en la puerta. Bond se levantó a abrir. Un hombre rudo, con aspecto de buen humor y con los mismos ojos azules de Kerim, entró en el departamento.

—Stefan Trempo, para servirle —dijo con una amplia sonrisa—. Pero me llaman Tempo. ¿Dónde está el jefe?

—Siéntese —dijo Bond.

En el acto pensó para sí: «Éste es otro de los hijos de Kerim».

El hombre les miró fijamente. Luego tomó asiento entre ambos. Su rostro mostraba ahora una expresión de abatimiento. Aquellos ojos tan brillantes miraban a Bond con una terrible intensidad en la que se mezclaban el temor y la sospecha. Su mano derecha, quizá obedeciendo a un instinto, se movió hacia el bolsillo de la chaqueta.

Cuando Bond terminó, el hombre se puso en pie. No hizo ninguna pregunta. Solamente dijo:

—Gracias, señor. Por favor, acompáñeme. Iremos a mi piso. Hay mucho que hacer.

Salió al pasillo y allí permaneció inmóvil, dándoles la espalda y mirando hacia las vías. Cuando salió la muchacha, el hombre caminó por el pasillo sin mirar hacia atrás. Bond siguió a la joven cargado con la pesada maleta y su cartera de mano.

Atravesaron el andén y salieron a la plaza de la estación. Lloviznaba. La larga columna de taxis medio desvencijados y los modernos edificios de monótonas líneas resultaban deprimentes. El hombre abrió la portezuela trasera de un viejo Morris Oxford. Luego tomó asiento ante el volante. Avanzando a trompicones sobre el desigual empedrado desembocaron en una avenida asfaltada y resbaladiza, y luego continuaron el viaje durante un cuarto de hora por calles anchas y casi desiertas. Vieron a pocos peatones y no más de un puñado de coches.

Se detuvieron en una calle empedrada. Tempo les condujo a través de una ancha puerta perteneciente a una casa de apartamentos y luego ascendieron dos tramos de escalones en los que dominaba el olor típico de los Balcanes: hedor a sudor rancio, tabaco y coles. El hombre abrió una puerta y les hizo pasar a un apartamento de dos habitaciones amuebladas de forma realmente estrambótica, con cortinas rojas corridas que dejaban ver las ventanas del otro lado de la calle, aunque no su interior. Sobre el aparador había una bandeja con varias botellas sin abrir, vasos y platos con fruta y bizcochos..., la bienvenida para Darko y sus amigos.

Tempo hizo un gesto ambiguo señalando la bebida.

—Haga el favor, señor, usted y la señora. Como si estuviesen en su casa. Hay cuarto de baño. Seguramente les agradará bañarse. Si me perdonan... tengo que telefonear.

El rostro del hombre estaba a punto de perder su impasibilidad. Entró apresuradamente en el dormitorio y cerró la puerta a su espalda.

Siguieron dos horas vacías durante las cuales Bond estuvo sentado contemplando por la ventana la pared de enfrente. De vez en cuando se ponía en pie, paseaba por la estancia y volvía a sentarse. Durante la primera hora, Tatiana también permaneció sentada hojeando unas revistas. Después, repentinamente, se levantó y se encerró en el cuarto de baño. Bond oyó cómo caía el agua en la bañera.

Aproximadamente a las seis, Tempo salió del dormitorio. Dijo a Bond que se ausentaba.

—Hay comida en la cocina. Regresaré a las nueve y les llevaré al tren. Por favor, considérense en su casa.

Sin esperar respuesta por parte de Bond, salió y cerró la puerta del piso suavemente. Bond oyó sus pisadas en los escalones, el ruido metálico de la puerta de la calle y, finalmente, cómo arrancaba el coche.

Bond entró en el dormitorio, se sentó en el borde del lecho, tomó el teléfono y habló en alemán solicitando una conferencia con Londres.

Media hora más tarde escuchó la voz tranquila de M.

Bond habló como un viajante que charlaba con el director gerente de la Universal Export. Dijo que su colega se había puesto muy enfermo. ¿Había nuevas instrucciones?

—¿Muy enfermo?

—Sí, señor. Mucho.

—¿Y la otra firma?

—Eran tres, señor. Uno de ellos adquirió la misma enfermedad. Los otros dos no se sintieron bien viajando por Turquía. Nos dejaron en Uzunkopru... en la frontera.

—¿De manera que la otra empresa se ha retirado?

Bond imaginaba las facciones de M al recibir la información. Se preguntó si el ventilador estaba girando lentamente en el techo del despacho, si M sostenía su pipa en la mano y si el jefe de Estado Mayor estaba escuchando por la otra línea.

—¿Cuáles son sus ideas? ¿Le agradaría a usted y a su esposa llegar a casa por otra vía?

—Me parece que debe decidirlo usted, señor. Mi esposa se encuentra bien. Las muestras están en buenas condiciones. No veo razón para que se deterioren. Todavía ansío terminar el viaje. De lo contrario, seguirá siendo territorio desconocido. No sabremos qué posibilidades hay.

—¿Desea que otro viajante le ayude en algo?

—No lo creo necesario, señor. Como usted quiera.

—Lo pensaré. ¿De forma que desea usted terminar esta campaña de ventas?

Bond veía brillar los ojos de M con la misma perversa curiosidad y la misma ansia que él sentía.

—Sí, señor. Ahora que estoy a medio camino, me parece una lástima no acabar toda la ruta.

—Bien, entonces adelante. Pensaré si es necesario que otro viajante le eche una mano en el trabajo. —Hubo un breve silencio al otro extremo de la línea y luego M preguntó—: ¿Nada más?

—No, señor.

—Adiós, entonces.

—Adiós, señor.

Bond colgó el auricular. Tomó asiento de nuevo contemplándolo pensativamente. De repente deseó haber estado de acuerdo con M sobre el hecho de enviarle refuerzos, por si las cosas se ponían feas otra vez. Se puso en pie. Al menos pronto estarían fuera de aquellos malditos Balcanes y entrarían en Italia. Después Suiza y Francia, entre amigos, lejos de aquellas tierras donde era preciso ocultarse.

Y la muchacha, ¿qué pensar de ella? ¿Podía culparla de la muerte de Kerim? Bond se acercó hasta la cercana estancia y una vez más permaneció junto a la ventana, mirando al exterior, haciéndose mil preguntas, estudiando detenidamente todo cuanto había ocurrido, cada expresión y gesto de la joven desde que había oído su voz por vez primera aquella noche del Kristal Palas. No. Sabía que no podía culparla. Si era una agente, lo era inconscientemente. No había en todo el mundo una muchacha de su edad que hubiese podido desempeñar aquel papel, si en verdad lo estaba haciendo así, sin traicionarse a sí misma. La joven le gustaba. Y Bond era un hombre que tenía fe en su intuición. Además, con la muerte de Kerim, aquel complot, o lo que fuese, ¿no había llegado a su fin? Un día averiguaría de qué se había tratado. Por el momento estaba seguro: Tatiana no formaba parte de él conscientemente.

Ya decidido, Bond se dirigió al cuarto de baño y llamó a la puerta.

Cuando la joven salió, Bond la abrazó y la estrechó entre sus brazos para besarla. Tatiana se ciñó a él. Permanecieron en pie e inmediatamente sintieron retornar el primitivo ardor que en aquellos instantes alejaba la frialdad nacida con la muerte de Kerim.

Tatiana se apartó de él y miró su rostro. Alzó una mano y apartó el mechón de cabellos que caía sobre su frente.

El rostro de la muchacha se animó.

—Me alegro de que hayas vuelto, James —dijo, añadiendo al cabo de un par de segundos con toda naturalidad—. Y ahora debemos comer y beber. Comenzar nuevamente nuestras vidas.

Más tarde, después del Slivovic, el jamón ahumado y los melocotones, regresó Tempo y les acompañó hasta la estación donde esperaba el expreso bajo las potentes luces de los arcos voltaicos. Se despidió de ambos rápida y fríamente, y se esfumó en el andén, de regreso a su oscura existencia.

Puntualmente, a las nueve, la nueva locomotora silbó de forma diferente a las anteriores y arrastró el largo tren hacia el valle de Sava, lugar que debían atravesar durante toda la noche. Bond se acercó hasta la cabina del revisor para sobornarle y examinar los pasaportes de los nuevos viajeros.

Conocía la mayor parte de los indicios que era preciso tener en cuenta para identificar pasaportes falsos: la escritura un tanto borrosa, los sellos excesivamente nítidos, restos de antigua goma de pegar en los bordes de la fotografía, las ligeras transparencias sobre las páginas donde las fibras del papel habían sufrido leves deterioros para alterar una letra o un número..., pero los cinco nuevos pasaportes, tres americanos y dos suizos, parecían totalmente inocentes. Los documentos suizos, favoritos para los falsificadores rusos, pertenecían a un matrimonio con más de setenta años de edad, y Bond, finalmente, los entregó al revisor para regresar al departamento y prepararse para otra noche con la cabeza de Tatiana sobre sus rodillas.

Llegaron a Vincovci y luego a Brod, y después, ante un resplandeciente amanecer, apareció el feo contorno de Zagreb. El tren paró entre hileras de oxidadas locomotoras que habían sido requisadas por los alemanes y que todavía permanecían allí, olvidadas entre los hierbajos del apartadero. Bond leyó la placa de una de ellas —BERLINER MACHINEN-BAU GMBH— mientras se desplazaban a través del cementerio de hierro. Su largo cañón negro había sido agujereado con balas de metralleta. Bond oyó el grito del piloto y visualizó los brazos levantados del maquinista. Por un momento, evocó nostálgica e irracionalmente la excitación y el alboroto que reinaban en la guerra *caliente*, comparadas con las escaramuzas subterráneas a las que se dedicaba desde que la guerra se había vuelto fría.

El tren pasó repiqueteando entre las montañas de Eslovenia, donde los manzanos y los chalets eran casi austriacos. Siguieron su camino a través de Ljubliana. La joven se despertó. Desayunaron huevos fritos, pan moreno y un café que era más que nada achicoria. El vagón-restaurante estaba lleno de ingleses sonrientes y turistas americanos de la costa del Adriático. Bond pensó, dándole un vuelco el corazón, que por la tarde estarían en la frontera con el oeste de Europa y que una tercera noche peligrosa habría pasado.

Bond durmió hasta Sezana. Subieron al tren unos yugoslavos vestidos de paisano, de facciones duras. Luego Yugoslavia quedó atrás y, al llegar Poggioreale, también llegó el primer sabor de la vida dulce, la charla alegre de los funcionarios italianos y los rostros agradables que miraban desde los andenes. La nueva máquina Diesel silbó con alegría, se agitó un mar de manos y el tren cobró velocidad suavemente, hacia Trieste, que resplandecía en la distancia hacia el maravilloso azul del Adriático.

«Lo hemos conseguido —pensó Bond—. Creo que realmente lo hemos logrado.»

Borró de su cabeza el recuerdo de los últimos tres días. Tatiana vio cómo las tensas líneas de su cara se relajaban. Se acercó y cogió su mano. Él se movió y se sentó junto a ella. Contemplaron las alegres villas de la Corniche, los veleros y la gente haciendo ski acuático.

El tren cruzó algunos cambios de agujas y entró suavemente en la estación de Trieste. Bond se puso en pie para abrir la ventanilla y ambos contemplaron el exterior. De repente Bond se sintió muy feliz. Rodeó con un brazo la cintura de la muchacha y la ciñó contra sí.

Continuaron observando a la multitud que estaba de vacaciones. El sol se filtraba a través del encristalado techo de la estación. La brillante escena contrastaba con las tierras oscuras y tristes que acababan de abandonar, y Bond contempló, casi con sensual placer, a la gente que, ataviada con colores alegres, atravesaba los andenes soleados, mientras que los que habían terminado sus vacaciones, todavía quemados por el sol, se afanaban en hallar una plaza en el tren.

Un rayo de sol iluminó la cabeza de un hombre que parecía un personaje típico de aquel mundo feliz. La luz se reflejó brevemente sobre los rubios cabellos bajo una gorra y sobre un rubio bigote. Quedaba aún mucho tiempo para tomar el tren. El hombre caminaba sin prisa. Por la mente de Bond cruzó la idea de que era inglés. Quizá, tal idea se debía a la familiar forma de la gorra Kangol; al impermeable marrón, muy usado (insignia del turista inglés); o, posiblemente, a los pantalones de franela gris y a los zapatos marrones deslucidos. Pero fuera quien fuese, la mirada de Bond se sintió atraída hacia aquella figura, como si se tratara de alguien conocido, a medida que el hombre se fue aproximando por el andén.

El hombre cargaba con una maleta Revelation muy usada y bajo el brazo sostenía un grueso libro y algunos periódicos. «Parece un atleta —pensó Bond—. Tiene espaldas anchas y un rostro lleno de salud, las características de un jugador profesional de tenis que regresa a casa tras celebrar algunos campeonatos en el extranjero.»

El hombre se acercó más. En aquel momento miró directamente a Bond. ¿Reconociéndole? Bond hizo memoria. ¿Conocía a aquel hombre? No. Hubiese recordado aquellos ojos que miraban tan

fríamente bajo unas pestañas claras. Eran ojos opacos, casi muertos. Los ojos de un ahogado. Pero parecían guardar algún mensaje para él. ¿De qué se
trataba? ¿Identificación? ¿Advertencia? ¿O únicamente era una reacción defensiva ante la mirada de
Bond?

El hombre llegó hasta el coche cama. En aquel
momento su mirada estaba fija en el tren. Pasó de
largo, despacio, sin que sus zapatos hicieran el menor ruido. Bond vio cómo asía el pasamanos y saltaba ágilmente al interior del vagón de primera clase.

De repente, Bond supo lo que significaba la mirada del hombre y quién era. ¡Por supuesto! Aquel
hombre pertenecía al Servicio. Al final M había decidido enviar un refuerzo. ¡Ése era el mensaje de los
extraños ojos! Bond hubiese apostado en aquel instante cualquier cosa a que el hombre intentaría muy
pronto establecer contacto.

¡Únicamente M sería capaz de tomar tantas
precauciones para estar seguro!

# 25

# Una corbata con nudo Windsor

Para hacer que el contacto fuera más fácil, Bond salió al pasillo. Recordó todos los detalles del código del día, unas cuantas frases inofensivas cambiadas el primer día de cada mes y que servían de identificación entre los agentes británicos.

El tren dio un tirón y luego salió lentamente de la estación. Al final del pasillo, la puerta de comunicación se cerró con fuerza. No hubo sonido de pasos pero, repentinamente, la ventanilla reflejó un rostro tostado por el sol.

—Perdone, ¿tiene usted una cerilla?

—Uso encendedor —replicó Bond entregándole su desgastado Ronson.

—Mejor todavía.

—Hasta que se estropean.

Bond miró el rostro del hombre, esperando una sonrisa al final de la pueril frase ritual: «¿Quién es? Pase».

Los gruesos labios sólo se distendieron una décima de segundo. No había resplandor alguno en los ojos, de un azul muy claro.

El hombre se había quitado el impermeable. Sobre los pantalones de franela usaba una chaqueta de tweed marrón rojiza, una camisa amarilla de verano Viyella, y la corbata azul oscuro con rayado en zigzag de los Ingenieros Reales. Usaba el nudo de corbata al estilo Windsor. Bond desconfiaba de todo el que llevara tal clase de nudo. Denunciaba excesiva vanidad. A menudo era la marca de un petimetre. Bond decidió olvidar tal prejuicio. En el dedo meñique de la mano derecha, que apoyaba sobre una barra de la ventanilla, lucía un sello de oro con un emblema indescifrable. Del bolsillo superior de la chaqueta asomaba un pañuelo de seda roja. En la muñeca izquierda usaba un viejo reloj de plata con desgastada correílla.

Bond conocía el tipo..., escuela privada de segunda clase y, más tarde, *cazado* por la guerra. Posiblemente policía en campaña. Ninguna idea sobre qué hacer después, de forma que había permanecido con las fuerzas de ocupación. Al principio con la policía militar, después, cuando los superiores se fueron a casa licenciados, hubo ascensos en uno de los Servicios de Seguridad. Luego el traslado a Trieste, donde había cumplido bastante bien. Había deseado quedarse para evitar los rigores del clima inglés. Era también muy probable que tuviese alguna amiga o que hubiera contraído matrimonio con una italiana. El Servicio Secreto necesitaba un hombre en Trieste que, tras la retirada, se había convertido en un enclave de poca importancia. Aquel tipo se prestaba para el cargo. Le aceptaron. Haría trabajos de rutina, dispondría de contactos de poca categoría entre la policía italiana y yugoslava y sus redes de Inteligencia. Mil libras al año. Una buena vida sin esperar gran cosa más. Entonces, inesperadamente, le había llegado aquel trabajo. Debía de haber experimentado una gran sorpresa al recibir uno de aquellos mensajes *urgentísimos*. Probablemente se mostraría un tanto avergonzado o cohibido ante Bond. Un rostro extraño. Sus ojos parecían los de un loco. Pero así ocurría con aquella gente que trabajaba secretamente en el extranjero. Era preciso estar un poco loco para hacerse cargo de tales obligaciones. Era un tipo muy fuerte, quizá un poco estúpido. Pero muy útil como guardián. M había recurrido a la persona que tenía más a mano y le había ordenado que se uniera al grupo del tren.

Todo esto pasó por el cerebro de Bond al fotografiar en su memoria la impresión que le producían las ropas del hombre y su aspecto general. Luego dijo:

—Me alegra verle. ¿Cómo ocurrió?

—Recibí un mensaje. A última hora de ayer. Directo de M. Me quedé congelado, de verdad, amigo.

Curioso acento. ¿Qué era? Una especie de canto irlandés, pero vulgar. Y algo más que Bond no podía definir. Quizá se debía al hecho de haber vivido demasiado tiempo en el extranjero y estar hablando siempre otras lenguas. Y aquella expresión de «amigo» al final. Timidez.

—Lo comprendo —replicó Bond con simpatía—. ¿Qué decía?

—Nada más que cogiera esta mañana el Orient Express y me pusiera en contacto con un hombre y una joven del vagón que hace todo el trayecto. Más o menos describía su aspecto personal. Luego debía unirme a ustedes y acompañarles hasta llegar a París. Eso es todo, amigo.

¿Había cierto tono defensivo en su voz? Bond le miró de soslayo. Los ojos claros también se encontraron con los suyos. En ellos brilló momentáneamente una chispa rojiza. Fue como si, por un momento, se hubiera abierto la puerta de un horno. Murió el súbito resplandor. Se había cerrado nuevamente el interior del hombre. Los ojos, una vez más, aparecían opacos; eran los de un introvertido, los de un hombre que raramente contempla el mundo exterior, sino que, por el contrario, inspecciona constantemente la escena que tiene lugar en su interior.

«No me cabe la menor duda de que está un poco loco —pensó Bond, sorprendido de haber corroborado su pensamiento—. Quizá debido a algún shock o a que es esquizofrénico. ¡Pobre muchacho! Con ese cuerpo tan formidable.» Era seguro que algún día la locura afloraría. Siempre sucedía lo mismo. En consecuencia, sería mejor aconsejar al jefe de personal que revisara su ficha médica. Pero ¿cómo se llamaba?

—Está bien. Me alegro de que nos acompañe. Probablemente no tendrá usted mucho trabajo. Iniciamos el viaje con tres comunistas que fueron nuestra sombra. Nos hemos desembarazado de ellos, pero puede que haya más, o que suban otros al tren. Tengo que llevar a esa muchacha a Londres sin que sufra el menor daño. Prefiero que esté usted cerca, y esta noche la pasaremos juntos y compartiendo la vigilancia. Es la última y no quiero correr riesgos. ¡Ah! Me llamo James Bond y viajo como David Somerset. La que está ahí dentro es Caroline Somerset.

El hombre introdujo una mano en su bolsillo y extrajo una cartera que parecía contener gran cantidad de dinero. Luego sacó una tarjeta de visita y se la entregó a Bond. En ella se leía: «Capitán Norman Nash», y en el ángulo superior de la izquierda: «Royal Automobile Club».

Cuando Bond se la guardó en un bolsillo, pasó la yema de un dedo por su superficie. Estaba grabada en relieve.

—Gracias —dijo—. Bien, Nash, venga a conocer a la señora Somerset. No hay razón para que no viajemos más o menos juntos.

Bond sonrió para animarle. Una vez más se extinguió rápidamente la chispa roja que brilló en los claros ojos de Nash. Los labios esbozaron algo que se parecía a una sonrisa bajo el dorado bigote.

—Encantado, amigo.

Bond se volvió hacia la puerta y llamó suavemente, pronunciando su nombre.

La puerta se abrió, Bond hizo una seña a Nash para que entrara y cerró la puerta inmediatamente.

La joven se sorprendió.

—Éste es el capitán Nash, Norman Nash. Ha recibido órdenes para que vigile.

—¿Cómo está usted?

La mano de la muchacha avanzó con recelo. El hombre la tocó brevemente. Su mirada era insistente. No dijo nada. La joven se echó a reír nerviosamente y preguntó:

—¿No se sienta?

—Bien..., gracias.

Nash lo hizo muy rígidamente en el borde de la banqueta. Pareció recordar algo, algo que uno hace cuando no se tiene nada que decir. Introdujo una mano en un bolsillo de la chaqueta y extrajo un paquete de Players.

—¿Usted... fuma?

Con el pulgar abrió el paquete y, empleando una uña limpia, arrancó el papel plateado y ofreció cigarrillos. La muchacha aceptó uno. La otra mano de Nash tendió el encendedor con la obsequiosa rapidez de un vendedor de automóviles.

Nash alzó los ojos. Bond se hallaba en pie, apoyado contra la pared, preguntándose cómo ayudaría aquel hombre turbado y cohibido. Nash extendió hacia él los cigarrillos y el encendedor como si ofreciera cuentas de vidrio a un jefe indígena.

—¿Y usted, amigo?

—Gracias —dijo Bond.

Odiaba el tabaco de Virginia, pero estaba dispuesto a hacer lo que fuera para que el hombre se sintiera cómodo. Tomó un cigarrillo y lo encendió. Evidentemente, en aquellos días, el Servicio tenía que conformarse con cualquier cosa que tuviera a mano. ¿Cómo diablos se las arreglaría aquel hombre para relacionarse con la sociedad semidiplomática de Trieste?

—Parece hallarse usted en buena forma, Nash. ¿Tenis?

—Natación.

—¿Hace mucho tiempo que vive en Trieste?

Una vez más surgió en los ojos claros la chispa roja.

—Debe de hacer unos tres años.

—¿Un trabajo interesante?

—A veces. Ya sabe usted lo que es esto, amigo.

Bond se preguntó qué hacer para que aquel individuo no le llamara «amigo». No halló la solución. Se hizo el silencio.

Sin duda, Nash consideró que había llegado su turno nuevamente. Buscó en un bolsillo y sacó un recorte de periódico. Pertenecía a la primera página del *Corriere della Sera*. Se lo entregó a Bond.

—¿Ha visto esto, amigo? —preguntó. Los titulares de prensa, grandes y negros sobre el papel de calidad inferior, aún estaban húmedos. Decían:

«TERRIBLE ESPLOSIONE IN ISTANBUL
UFFICIO SOVIETICO DISTRUTTO
TUTTI I PRESENTI UCCISI»

Bond no podía entender el resto. Dobló el recorte y se lo devolvió a Nash. ¿Cuántas cosas sabía aquel hombre? Mejor sería considerarle como un guardaespaldas y nada más.

—Mala suerte —dijo—. Supongo que habrá sido el gas.

Bond recordó el obsceno vientre de la bomba que colgaba del techo en la alcoba del túnel y los hilos que bajaban por la húmeda pared e iban a parar a la mesa de despacho de Kerim. ¿Quién habría hecho funcionar el conmutador la tarde anterior después de telefonear Tempo? ¿El jefe administrativo? ¿O quizá lo habían echado a suertes y, a continuación, se habían reunido todos para contemplar la mano que hizo descender el botón, y oído luego el terrible estrépito de la explosión en la calle de los Libros, sobre la colina? Con ojos que brillaban de odio. Las lágrimas se reservarían para la noche. Primero la venganza. ¿Y las ratas? ¿Cuántos miles habían muerto en el túnel? ¿A qué hora habría sido? Sobre las cuatro en punto de la tarde. Quizá los rusos celebraban allí su reunión en aquellos momentos. Tres muertos en la habitación. ¿Cuántos más en el resto del edificio? Amigos de Tatiana, quizá. No se lo diría. ¿Lo habría contemplado Darko desde el otro mundo? Bond creyó escuchar la gran carcajada que hacía retumbar las paredes. De todos modos, Kerim tampoco se había ido solo. Nash continuaba mirándole.

—Sí, casi aseguraría que fue un escape de gas —comentó con tono indiferente.

En el pasillo sonó una campanilla.

—*Deuxième Service, Deuxième Service, prenez vos places, s'il vous plaît.*

Bond miró a Tatiana. La joven tenía el rostro muy pálido. En sus ojos se leía el ruego de que la liberasen pronto de aquel hombre poco *kulturny*.

Bond preguntó:

—¿Vamos a comer algo?

La muchacha se puso en pie inmediatamente.

—¿Y usted, Nash? —añadió Bond.

El capitán Nash ya se había levantado, y respondió:

—Gracias, ya lo hice. Me gustaría echar una ojeada al tren. ¿El revisor...?

Nash hizo un gesto con dos dedos indicando dinero y Bond replicó:

—¡Oh, sí!, cooperará perfectamente. —Bond extendió un brazo y tomó la pesada maleta. Luego abrió la puerta y dijo a Nash—: Le veré más tarde.

El capitán Nash salió al pasillo y dijo:

—Eso espero, viejo amigo.

Giró a la izquierda y caminó moviéndose con facilidad a pesar del vaivén del tren, ambas manos metidas en los bolsillos, y la luz reflejándose en los rubios rizos de la parte posterior de la cabeza.

Bond siguió a Tatiana en dirección contraria. Los vagones estaban llenos de turistas que regresaban a casa. En los departamentos de tercera clase la gente se hallaba sentada sobre las maletas comiendo naranjas y bocadillos de salami, que sobresalía por los bordes del pan. Los hombres miraban atentamente a Tatiana mientras la joven se abría paso. Las mujeres clavaban sus ojos en Bond, apreciativamente, preguntándose, quizá, si haría bien el amor con aquella muchacha tan bella.

En el coche restaurante Bond pidió Americanos y una botella de Chianti Broglio. Llegaron los maravillosos entremeses europeos. Tatiana comenzó a mostrarse más alegre.

—Un tipo curioso este individuo —comentó Bond mientras contemplaba cómo elegía Tatiana los platos—. Me alegro de que haya venido. Podré dormir un poco. Cuando lleguemos a casa dormiré durante toda una semana.

Con tono indiferente la joven respondió:

—No me gusta. No es *kulturny*. Sus ojos no me inspiran ninguna confianza.

Bond se echó a reír.

—Para ti nadie es suficientemente *kulturny*.

—¿Ya le conocías?

—No, pero figura en la nómina.

—¿Cómo se llama?

—Nash. Norman Nash.

La joven deletreó el nombre con cierta dificultad.

—N-A-S-H..., ¿así?

—Sí.

Los ojos de la muchacha mostraron cierta sorpresa.

—Supongo que sabes lo que quiere decir en ruso. Nash significa «nuestro». En nuestros servicios un hombre es *nash* cuando es uno de los nuestros. Y cuando no lo es se le llama *svoi* porque pertenece al enemigo. Y este hombre se llama Nash. No es nada agradable.

Bond rió nuevamente.

—De verdad, Tatiana, que inventas extrañas razones cuando una persona no te resulta agradable. Nash es un nombre inglés muy común. Totalmente inofensivo. De todos modos, es un tipo bastante fuerte para lo que se exige de él.

Tatiana hizo una mueca y continuó comiendo.

Llegaron a la mesa unos *tagliatelli verdi* y, después, el vino y un delicioso escalope.

—¡Oh, es magnífico! —exclamó Tatiana—. Desde que salí de Rusia soy toda estómago. —Abrió mucho los ojos y añadió al cabo de un par de segundos—: No permitirás que engorde mucho, James. No debes permitírmelo porque luego no serviré para hacer el amor. Deberás tener cuidado o, de lo contrario, pasaré el día comiendo y durmiendo. ¿Me pegarás si como demasiado?

—Claro que lo haré.

Tatiana arrugó la nariz. Bond sintió el suave contacto de sus tobillos. Los grandes ojos de la joven le miraron con intensidad. Luego los párpados se cerraron con expresión de inocencia.

—Por favor, paga. Tengo sueño.

El tren estaba entrando en Maestre. Allí comenzaban los canales. Una góndola de carga llena de verduras se movía lentamente hacia la ciudad a través de una recta extensión de agua.

—¡Pero si llegaremos a Venecia dentro de un minuto! —protestó Bond—. ¿No quieres verla?

—Sólo será una estación más. Podré ver Venecia otro día. Por favor, James. —Tatiana se inclinó hacia él para tomarle una mano—. Dame lo que quiero. Tenemos poco tiempo.

Después, nuevamente la pequeña cabina, el aroma del mar que se filtraba por la ventanilla medio abierta, con la persiana bajada para evitar el viento. De nuevo, dos pilas de ropa descansaban en el suelo mientras dos cuerpos susurraban en el asiento y sus manos se buscaban lentamente, y el nudo del amor se formó, mientras el tren traqueteaba por entre la estación de Venecia. Lleno de ecos se oyó el último y desesperanzador gemido.

En el exterior de la minúscula cabina sonaba una auténtica confusión de gritos, ecos, ruidos metálicos y rápidos pasos, que fueron perdiendo poco a poco intensidad a medida que Bond y Tatiana se dormían.

Llegó Padua, y Vicenza, y un fabuloso crepúsculo sobre Verona, una puesta de sol en rojo y oro que se filtró por las estrechas rendijas de la persiana. Una vez más sonó en el pasillo la campanilla del mozo del restaurante. Despertaron. Bond se vistió para salir al pasillo y apoyarse sobre el pasamanos. Contempló cómo iba esfumándose la rosada luz sobre la llanura de Lombardía y pensó en Tatiana y en el futuro.

Sobre el cristal de la ventanilla y a su lado, apareció el cuerpo de Nash. Sus codos se tocaron.

—Creo que he localizado a uno más, amigo —dijo en voz baja.

Bond no mostró sorpresa alguna. Lo había supuesto. Esperaba que llegara aquella misma noche. Casi con indiferencia dijo:

—¿Quién es?

—No conozco su nombre, pero ha estado en Trieste una o dos veces. Tiene algo que ver con Albania. Puede que sea allí el jefe de delegación. Ahora viaja con pasaporte americano: Wilbur Frank, y se hace pasar por banquero. Está en el número nueve, junto a ustedes. No creo equivocarme, viejo amigo.

Bond miró los claros ojos que se destacaban sobre el tostado rostro. Una vez más acababa de abrirse la puerta del horno. Brilló la llama y se extinguió con la misma prontitud.

—Buena cosa que lo haya descubierto. Puede ser una noche difícil. Será mejor que, a partir de ahora, no se separe usted de nosotros. No debemos dejar sola a la muchacha.

—Eso mismo he pensado yo, viejo amigo.

La cena fue silenciosa. Nash tomó asiento al lado de la joven y durante todo el tiempo mantuvo sus ojos fijos en el plato. Manejaba el cuchillo como si fuera una estilográfica, y constantemente lo limpiaba sobre el tenedor. Era torpe en sus movimientos. A media comida trató de alcanzar el salero y volcó el vaso de Chianti de Tatiana. Se disculpó profusamente. Luego pidió otro vaso sin dejar de excusarse por su torpeza.

Llegó el café. Entonces le tocó a Tatiana mostrarse torpe. Volcó su taza. Se puso muy pálida y respiró fatigosamente.

—¡Tatiana!

Bond casi se puso en pie, pero fue Nash quien lo hizo rápidamente para echar una mano.

—La señora tiene náuseas —dijo—. Permítame... —Nash extendió un brazo para rodear la cintura de la joven y ayudarla a ponerse en pie. Luego añadió—: La llevaré a la cabina. Será mejor que cuide usted de la maleta. Hay que pagar la cuenta. Atenderé a la señora hasta que usted regrese.

—Estoy bien —dijo Tatiana con el tono de voz pastoso de quien pierde el conocimiento—. No te preocupes, James, me echaré un rato.

Apoyó la cabeza sobre un hombro de Nash. Éste sujetó con más fuerza su cintura y la condujo rápida y hábilmente por entre las mesas hasta abandonar el coche restaurante.

Bond, con impaciencia, llamó al camarero. «¡Pobre pequeña! —pensó—. Debe estar fatigada.» ¿Cómo no se le habría ocurrido pensar en toda la angustia que estaba pasando? Se maldijo a sí mismo por su egoísmo. Gracias al cielo que allí estaba Nash. Con toda su torpeza, era un tipo eficiente.

Bond pagó la cuenta. Tomó la pequeña maleta y atravesó tan rápidamente como pudo los pasillos abarrotados de gente.

Luego llamó suavemente a la puerta del número siete. Nash la abrió. Salió llevándose un dedo a los labios. Luego cerró la puerta a su espalda.

—Está algo desfallecida —dijo—. Ahora se encuentra mejor. Las camas estaban hechas. Se ha tendido en la litera superior. Me parece que todo esto ha sido demasiado para ella, amigo.

Bond asintió con un movimiento de cabeza. Entró en el departamento. Por debajo del abrigo de piel colgaba una mano pálida. Bond se puso en pie sobre la litera inferior y suavemente la colocó bajo el abrigo. La mano estaba muy fría. La joven no se movió en absoluto.

Bond bajó de la litera. Era mejor dejarla dormir. Luego salió al pasillo. Nash le miró con ojos carentes de expresión.

—Bien, supongo que debemos prepararnos para pasar la noche. Ya tengo mi libro —Lo mostró: *Guerra y paz*. Luego Nash agregó—: Hace años que intento acabarlo. Primero duerma usted, amigo. También parece agotado. Le despertaré cuando ya no aguante más con los ojos abiertos.

Acto seguido, hizo un movimiento con la cabeza señalando hacia la puerta número nueve.

—Aún no ha salido. No creo que nos esté preparando alguna mala pasada. —Nash se detuvo y, como si obedeciera a un segundo pensamiento, añadió—: Y, a propósito, ¿tiene usted pistola?

—Sí, ¿usted no?

Nash puso cara de circunstancias y respondió:

—No, no la tengo. Poseo una Luger en casa pero es muy voluminosa para esta clase de trabajo.

—Está bien, entonces le daré la mía. Venga... —repuso Bond de mala gana.

Entraron y Bond cerró la puerta. Sacó la Beretta y se la entregó a Nash.

—Ocho disparos —explicó—. Semiautomática. Tiene el seguro puesto.

Nash tomó la pistola y la sopesó profesionalmente en una mano. Luego hizo funcionar el seguro repetidas veces.

No le agradaba nada a Bond que otros tocaran su pistola. Sin ella se sentía completamente desnudo. Dijo casi con un gruñido:

—Es un poco ligera, pero mata si se apunta al lugar preciso.

Nash asintió con un movimiento de cabeza. Luego tomó asiento cerca de la ventanilla al final de la litera inferior.

—Estaré en este rincón —murmuró—. Buen campo de tiro.

Colocó el libro sobre el regazo y se instaló más cómodamente.

Bond se quitó la chaqueta y la corbata y dejó ambas prendas sobre la litera, a su lado. Luego se recostó en las almohadas apoyando los pies sobre la maleta que contenía la Spektor, situada en el suelo al lado de su cartera de mano. Cogió el libro de Ambler e intentó leer un poco. Tras unas cuantas páginas comprendió que era imposible concentrarse en la lectura. Dejó el libro abierto sobre su estómago y cerró los ojos. ¿Podría permitirse el lujo de dormir? ¿Debería tomar alguna precaución más?

¡Las cuñas! Bond tanteó en los bolsillos de su chaqueta buscándolas. Se puso en pie y las afirmó bajo las puertas. Luego se acostó de nuevo y apagó la lamparita de lectura que lucía sobre su cabeza.

La luz violeta de la cabina brillaba dulcemente.

—Gracias, viejo amigo —dijo el capitán Nash en voz baja.

El tren silbó y entró en un túnel.

# 26

# La botella que mata

Un ligero golpe en el tobillo despertó a Bond. No se movió. Sus sentidos se reanimaron como los de un animal. Nada había cambiado. Se oían los ruidos normales del tren, las ruedas devorando kilómetros, el ocasional crujido de las maderas, un suave tintinear en el estante del lavabo, sin duda debido al vaso y al cepillo de los dientes...

¿Qué le había despertado? El ojo espectral de la luz para dormir arrojaba su profunda sombra violeta sobre la pequeña cabina. De la litera superior no llegaba el menor ruido. Junto a la ventanilla, el capitán Nash seguía sentado en su puesto con el libro abierto sobre el regazo. Un fino rayo de luna caía directamente sobre una de las páginas.

Estaba mirando fijamente a Bond. Éste se dio perfecta cuenta de la intensidad de aquella mirada. Se separaron los oscuros labios y apareció una blanca dentadura.

—Siento molestarle, viejo amigo. Tengo ganas de charlar.

¿Qué había de nuevo en aquella voz? Bond apoyó los pies cuidadosamente sobre el suelo. Luego permaneció rígidamente sentado. El peligro, como un tercer hombre, se hallaba presente en el departamento.

—Muy bien —respondió Bond con tranquilidad.

¿Qué había en aquellas palabras que le habían provocado un súbito escalofrío? ¿Acaso era la nota de autoridad que dominaba en la voz de Nash? Inmediatamente se le ocurrió pensar que Nash se había vuelto loco. Era probable que en el departamento dominase la locura y no el peligro. Su intuición sobre aquel hombre no le había engañado. Sería cosa de desembarazarse de él en la próxima estación. ¿Hasta dónde habían llegado? ¿Cuándo alcanzarían la frontera?

Bond alzó una mano para consultar su reloj de pulsera. La luz violeta impedía distinguir los números fosforescentes. Bond se inclinó hacia el rayo de luna para ver mejor.

Desde el lugar donde estaba Nash llegó un agudo ruido. Bond sintió un golpe violento en su muñeca. Trocitos de cristal saltaron a su rostro. Su brazo quedó colgando tras haber sido lanzado contra la puerta. Inmediatamente se preguntó si sufría fractura de muñeca. Dejó colgar el brazo y flexionó los dedos. Podía moverlos todos.

El libro todavía se hallaba abierto sobre el regazo de Nash, pero, en aquel momento, una fina columna de humo surgía de la parte superior de su lomo y en la cabina se percibía un débil olor a fuegos artificiales.

La saliva se secó en la boca de Bond, como si hubiese tragado alumbre.

De forma que todo había sido una trampa. Y la trampa acababa de cerrarse. Moscú había enviado al capitán Nash. No le había enviado M. Y el agente de la MGB del número nueve, el hombre con pasaporte americano, era un mito. Bond había entregado a Nash su pistola e incluso atrancado las puertas para que el hombre se sintiera más seguro.

Bond se estremeció. No de temor, sino de disgusto.

Nash habló. Su voz ya no era un murmullo, ni su tono aceitoso. Era una voz fuerte y llena de confianza.

—Así nos ahorraremos grandes discusiones, viejo amigo. No es más que una pequeña demostración. Los que me conocen opinan que soy muy bueno con estos pequeños trucos. Hay aquí diez balas, dum-dum del 25. Se dispara con una batería eléctrica. Debe usted admitir que los rusos son magníficos en esta clase de trabajo. Lástima que su libro no sirva más que para leer, viejo amigo.

—¡Por amor de Dios, deje de llamarme viejo amigo!

En un momento en que había tantas cosas que saber, y tantas en qué pensar, aquélla fue la primera reacción de Bond ante la evidente catástrofe. Era la reacción del que, hallándose en una casa incendiada, se dedica a recoger los más triviales objetos para salvarlos de las llamas.

—Lo siento, viejo amigo. Es una costumbre. Forma parte de lo que hay que hacer para tener el aspecto de un podrido caballero. Como estas ropas. Todas son del departamento de disfraces. Dijeron que vestido así parecería un señor de arriba a abajo. Y así fue, ¿verdad? Pero vayamos al grano. Espero que le agradará saber a qué obedece todo esto y me alegrará decírselo. Aún disponemos de media hora antes de que usted desaparezca. Me producirá enorme alegría poder decir al famoso señor Bond del Servicio Secreto lo imbécil que es. Ya ve usted, viejo amigo, que no es tan bueno como cree. No es más que una marioneta rellena de serrín y a mí me han encargado vaciarla.

La voz era monótona y las frases se perdían en una nota muerta. Era como si a Nash le aburriese sobremanera el acto de hablar.

—Sí —replicó Bond—. Me gustaría saber de qué se trata. Puedo dedicarle esa media hora.

Desesperadamente, Bond se preguntó: «¿Había alguna manera de cazarle? ¿De hacerle perder el equilibrio?».

—No se engañe a si mismo, amigo —dijo una voz que no parecía interesarse por Bond ni por la amenaza de éste—. Va a morir dentro de media hora. En eso no hay equivocación posible. Jamás he cometido un error. De lo contrario, no tendría este empleo.

—¿Cuál es su empleo?

—Ejecutor en jefe de la SMERSH. —En el tono de voz del hombre había cierta satisfacción, cierto orgullo. Y, una vez más, el tono llegó a ser monótono—: Creo que ya conoce usted ese nombre, amigo.

¡SMERSH! ¿De forma que aquélla era la respuesta? Resultaba la peor de todas. ¿Y aquél era el jefe ejecutor? Bond recordó la chispa roja que brillaba en los ojos opacos. Un asesino. Un psicópata... maníaco depresivo, probablemente. Un hombre que realmente gozaba matando. ¡La SMERSH! Había encontrado un tipo magnífico. Bond recordó de repente lo que Vavra había dicho. A continuación, dio un palo de ciego:

—Nash, ¿influye la luna en usted?

Los oscuros labios se crisparon.

—Muy listo, señor del Servicio Secreto. ¿Cree que soy un imbécil? Si lo fuera no estaría donde estoy.

El tono despectivo de la voz indicó a Bond que acababa de tocar una cuerda sensible. Pero, ¿cómo lograr que el hombre perdiese el dominio de sí mismo? Quizá era mejor bromear y ganar algún tiempo... Quizá Tatiana...

—¿Qué papel desempeña la muchacha en todo esto? —preguntó.

—Parte del cebo —respondió Nash nuevamente con tono de aburrimiento—. No se preocupe. No se mezclará en nuestra conversación. Le administré un poco de droga cuando le serví aquel vaso de vino. Una droga fuerte. Estará fuera de combate toda la noche. Y, después, para todas las noches. No se preocupe, cuando usted se vaya, le hará compañía.

—¡Ah! ¿De verdad? —Bond alzó la dolorida mano hasta apoyarla en su regazo, al mismo tiempo que flexionaba los dedos para restaurar la circulación de la sangre. Luego añadió—: Muy bien, oigamos esa historia.

—Cuidado, viejo amigo. Nada de trucos. Si me disgusta el más leve de tus movimientos, recibirás una bala en el corazón —amenazó Nash tuteando a Bond—. Y si te mueves, será más rápido. Y no olvides quién soy. ¿Recuerdas tu reloj de pulsera? Nunca fallo. Ni una sola vez.

—¡Fantástico! —exclamó Bond con indiferencia—. Pero no temas nada. Tienes mi pistola, ¿no lo recuerdas? Sigue con tu historia.

—Muy bien, viejo amigo. Y no te rasques la oreja mientras hablo. O esto se disparará solo, ¿entendido? Bien, la SMERSH decidió liquidarte..., al menos creo que tal cosa la decidió algún pez gordo. Me parece que deseaban asestar un buen golpe al Servicio Secreto, bajarle un poco los humos. ¿Me comprendes?

—¿Por qué elegirme a mí?

—No me lo preguntes, viejo amigo. Pero dicen que gozas de buena reputación entre los tuyos. La forma en que serás liquidado lo echará todo por tierra. Han tardado tres meses en gestar este plan, pero hay que admitir que es una maravilla. Tiene que serlo forzosamente. En estos últimos tiempos, la SMERSH ha cometido uno o dos errores. Por ejemplo, aquel asunto de Joklov, ¿recuerdas la pitillera explosiva y demás? Confiaron el trabajo a un hombre que no servía. Tenían que haberlo dejado en mis manos. Yo no me habría pasado a los americanos. Pero, sigamos con lo nuestro. La cosa es que disponemos en la SMERSH de un formidable estratega, un tal Kronsteen. Un gran jugador de ajedrez. Pronosticó que la vanidad te perdería. Y también la codicia y lo absurda que era esta conspiración. Dijo que en Londres todos aceptaríais tal locura. Y así fue, ¿verdad, viejo amigo?

¿La habían aceptado? Bond recordó hasta qué punto los aspectos excéntricos de la historia habían despertado su curiosidad. ¿Y la vanidad? Sí, tenía que admitir que la idea de aquella muchacha rusa enamorada de él también fue un acicate. Por otra parte, estaba la Spektor. La máquina lo había decidido todo..., pura codicia por poseerla. Bond respondió con calma:

—Simplemente, nos interesó.

—Luego llegó la operación. Nuestro jefe de operaciones es todo un personaje. Yo diría que ha matado a más gente que nadie en el mundo. O, al menos, ha ordenado que la maten. Sí, es una mujer. Se llama Klebb, Rosa Klebb. Una bestia. Pero sin duda conoce perfectamente todos los trucos.

Rosa Klebb. ¡De forma que a la cabeza de la SMERSH figuraba una mujer! ¡Si él pudiera salir de aquel apuro e ir a por ella! Los dedos de la mano derecha de Bond se flexionaron suavemente.

La monótona voz del rincón continuó:

—Bien, ella fue la que encontró a esta muchacha, Romanova. La formó para el trabajo. Y, a propósito, ¿es buena?

¡No! Bond no podía creerlo. Aquella primera noche pudo haber sido escenificada. Pero ¿y después? No. Después las cosas habían sido reales. Aprovechó la oportunidad y se encogió de hombros. Era un gesto realmente exagerado. Para que el otro se acostumbrase a sus movimientos.

—¡Oh, bien! No me interesan personalmente esa clase de cosas. Pero han conseguido de vosotros dos unas fotografías muy buenas. —Nash se tocó el bolsillo de la chaqueta y añadió—: Una película completa en dieciséis milímetros irá a parar al bolso de la chica. Carnaza para los periódicos. —Nash se echó a reír y concluyó—: Por supuesto, tendrán que cortar algunas de las escenas más sabrosas.

El cambio de habitaciones en el hotel. La suite de la luna de miel. El gran espejo detrás de la cama. ¡Todo encajaba a la perfección! Bond sintió que las manos se le llenaban de sudor. Las enjugó en los pantalones.

—Tranquilo, viejo amigo. Casi me has puesto nervioso. Te dije que no te movieras, ¿lo recuerdas?

Bond apoyó ambas manos sobre el libro, que aún descansaba sobre su regazo. ¿Hasta qué punto podía ampliar aquellos pequeños movimientos? ¿Hasta dónde podría llegar?

—Sigue con tu historia —dijo—. ¿Sabía la chica que se estaban tomando esas fotografías? ¿Sabía que la SMERSH estaba implicada en todo esto?

Nash gruñó:

—Por supuesto que ella nada sabía sobre las fotos. Rosa no confiaba en ella en absoluto. Es una muchacha excesivamente emocional. Pero no sé mucho sobre eso. Todos trabajábamos en compartimentos estancos. Nunca vi a esa joven hasta hoy. Sólo sé lo que oí decir. Sí, desde luego, la chica sabía que trabajaba para la SMERSH. Se le ordenó llegar hasta Londres y espiar allí un poco.

«¡La muy estúpida —pensó Bond—. ¿Por qué no le había dicho que la SMERSH estaba complicada en todo aquello?» Probablemente temía pronunciar aquel nombre. Incluso imaginaría que Bond la habría hecho encerrar o algo por el estilo. Siempre había dicho que se lo contaría todo al llegar a Londres. Que debía tener fe y no temer nada. ¡Fe! ¡Cuando ni ella misma tenía la menor idea de lo que estaba ocurriendo! Bien, ¡pobre muchacha! La habían engañado igual que a él. Sin embargo, cualquier insinuación, cualquier clase de indicación hubiera salvado la vida de Kerim. Y la suya, y la de ella... No hubieran corrido tanto peligro.

—Entonces fue necesario liquidar a ese turco amigo vuestro. Imagino que la cosa no debió de ser muy fácil. Era un tipo duro. Supongo que su grupo fue el que voló nuestro centro en Estambul ayer tarde. Eso va a crear mucho pánico.

—Lo siento mucho.

—No lo sientas tanto, viejo amigo. El final de mi trabajo va a ser fácil. —Nash lanzó una ojeada a su reloj de pulsera y añadió—: Dentro de veinte minutos entraremos en el túnel del Simplon. Ahí es donde quieren que se lleve a cabo. Más carnaza para la prensa. Una bala para ti. Cuando entremos en el túnel. Una sola bala en el corazón. El sonido del túnel prestará una buena ayuda en el caso de que seas un tipo de esos que hacen mucho ruido al morir. Luego otra bala en la nuca de esa dama... con tu pistola... y su bonito cuerpo saltará por la ventanilla. Luego otra bala más para ti. Con tu pistola, por supuesto, y los dedos bien crispados alrededor de la

338

culata, tus dedos. Habrá muchos restos de pólvora en tu camisa. Suicidio. Eso es lo que parecerá en un principio. Pero habrá dos balas en tu corazón. Eso se sabrá más tarde. ¡Más misterio! De nuevo registrarán el Simplon. ¿Quién era el hombre del pelo rubio? Encontrarán la película en el bolso de la muchacha, y en tu bolsillo habrá una carta de amor que ella te escribió..., una carta un tanto amenazadora. El truco funcionará bien. La SMERSH la escribió. Dice que entregará la película a las autoridades a menos que te cases con ella. Que prometiste hacerlo si robaba la Spektor... —Nash se detuvo y añadió—: Y, a propósito de eso, viejo amigo, la Spektor es falsa... y peligrosa. Cuando vuestros expertos en cifrado comiencen a manejarla, les hará volar por los aires con dirección a la gloria eterna. —Nash rió entre dientes, con una risa de demente, y continuó—: La carta dice que todo cuanto ella puede ofrecerte es su cuerpo y la máquina. Con todos los detalles de lo que has hecho tú con ese cuerpo. ¡Todos esos detalles son magníficos! Así pues, ¿cuál será la versión de los periódicos...?, me refiero a los de la izquierda, que serán avisados para que salgan a esperar el tren. Viejo amigo, la historia será completa. Una bonita espía rusa asesinada en el túnel del Simplon, unas fotografías pornográficas, una máquina secreta para cifrar... un espía británico de apuesta presencia, con su carrera ya arruinada, asesina a su amante y se suicida. Sexo, espías, tren de lujo, el señor y la señora Somerset..., viejo amigo, se hablará de todo esto durante muchos meses. ¡Y se volverá a hablar del caso Joklov! Pero, en comparación, eso será una insignificancia. ¡Formidable golpe contra el famoso Servicio de Inteligencia! Su mejor hombre, el famoso James Bond. ¡Qué carnicería! Luego la máquina de cifrar que se convierte en mortal terremoto. ¿Qué dirá tu jefe de ti? ¿Y qué pensará el público? ¿Y el Gobierno? ¿Y los americanos? ¡Ya podrán hablar, ya, de seguridad todo lo que gusten! ¡Se habrán acabado los secretos atómicos! —Nash hizo otra pausa y dejó que Bond reflexionara. Luego, con cierto tono de orgullo, concluyó—: Viejo amigo, será la historia del siglo.

Sí, pensó Bond. Tenía mucha razón aquel pedazo de bestia. Los diarios franceses publicarían el asunto con tanto sensacionalismo que ya no habría forma de parar la marea. No les importaría llegar lejos con las fotografías y con lo que fuese. No existiría un solo periódico en el mundo que no lo publicara. ¡Y la Spektor! ¿Tendría suficiente intuición la gente de M o del Deuxième para sospechar que aquella máquina era un peligroso artefacto? ¿Cuántos de los mejores criptógrafos volarían con ella? ¡Dios! Tenía que salir de aquel callejón sin salida, pero ¿cómo?

El volumen de *Guerra y paz* aún estaba abierto ante él. El tren haría mucho ruido al entrar en el túnel. Entonces llegaría el momento del suave clic metálico y del balazo. Los ojos de Bond miraron en la penumbra color violeta midiendo la distancia y profundidad de la sombra en su rincón, bajo la litera. Recordaba con exactitud en qué punto del suelo se hallaba su cartera de mano. Intentó asimismo intuir qué haría Nash una vez hubiera disparado.

Bond dijo:

—Corriste mucho peligro al unirte a nosotros en Trieste. ¿Cómo sabías cuál era la clave del mes?

Nash lo explicó con paciencia:

—Me parece que no acabas de ver las cosas claras, viejo amigo. La SMERSH es muy buena..., realmente buena. No hay nada mejor. Conocemos vuestro código de cada año. Porque cada año perdéis a alguno de vuestros hombres, ya sea en Tokio o en otro lugar cualquiera. Luego la SMERSH se encarga de sacarle muchas cosas, entre ellas vuestro código anual. Pero casi siempre es el código lo que la SMERSH persigue. Después se comunica a todos los centros. Como verás, la explicación es fácil, viejo amigo.

Bond clavó las uñas en las palmas de sus manos.

—En cuanto se refiere a unirme a ti, en Trieste, viejo amigo, estás equivocado. Yo viajaba en el tren, en el vagón delantero. Me bajé cuando nos detuvimos y salí al andén. Te esperábamos en Belgrado. Sabíamos que llamarías a tu jefe, o a la Embajada, o a alguien. Durante semanas estuvimos interceptando aquel teléfono yugoslavo. Fue una pena que no entendiéramos el código o, más bien, el mensaje enviado a Estambul. Habría evitado los fuegos artificiales o, al menos, salvado a nuestros compañeros. Pero el objetivo principal eras tú, viejo amigo, y la verdad es que ya te teníamos perfectamente localizado. Desde el mismo momento en que bajaste del avión en Turquía ya eras un fiambre. Sólo era cuestión de fijar la hora de tu entierro. —Nash consultó de nuevo su reloj. Alzó la cabeza. Su dentadura reflejaba la luz violeta—. Ya queda poco, viejo amigo. Faltan sólo quince minutos para cerrar el grifo.

Bond pensó: «Sabíamos que la SMERSH era buena, pero no tanto». El conocimiento de tal hecho era vital. Era preciso, a toda costa, comunicar aquello. Tenía que hacerlo. El cerebro de Bond machacó una vez más todos los detalles de su plan, lamentablemente pobre y desesperado. Dijo:

—La SMERSH parece haber pensado en todo con mucho detalle. Pero queda una cosa...

—¿De qué se trata, viejo amigo? —interrogó Nash, todo oídos, pensando en el informe que debía presentar.

El tren comenzó a reducir su velocidad. Domodossola. La frontera italiana. ¿Y la aduana? Pero Bond recordó que para los vagones directos no había formalidad alguna hasta llegar a Francia, en la frontera, en Vallorbes. E incluso entonces, los coches cama quedarían al margen. Aquellos expresos atravesaban Suiza. Únicamente los viajeros que se apeaban en Brigue o en Lausanne pasaban por la aduana en tales estaciones.

—Vamos, ¿qué es, viejo amigo? —repitió Nash.

—No sin fumar un cigarrillo.

—Está bien, pero si haces un movimiento que no me guste, adelantaré la faena.

Bond introdujo la mano en el bolsillo de la cadera. Extrajo su amplia pitillera de metal oscuro. La abrió. Sacó un cigarrillo. Luego tomó de un bolsillo del pantalón el encendedor. Encendió el cigarrillo y guardó el encendedor. Dejó la pitillera sobre su regazo, junto al libro. Después apoyó una mano sobre el libro y la pitillera, como si lo hiciese para impedir que ambos objetos cayeran al suelo. Dio al cigarrillo una fuerte chupada. ¡Si la pitillera estuviera trucada con algún cohete de magnesio o algo por el estilo que pudiese arrojar al rostro de aquel psicópata! ¡Si el Servicio dedicara algún tiempo a inventar dispositivos de tal clase! Pero, al menos, había conseguido su objetivo sin que el hombre disparase sobre él. Era un comienzo.

—Verás —dijo Bond haciendo con el cigarrillo un movimiento en el aire para distraer la atención de Nash, al mismo tiempo que deslizaba la pitillera entre las páginas del libro—. Verás..., todo esto me parece muy bien, pero ¿y tú? ¿Qué piensas hacer cuando salgamos del Simplon? El revisor sabe que viajas con nosotros. Sin duda alguna te perseguirán, te buscarán.

—¡Oh... eso! —exclamó Nash con su tono aburrido—. Insisto en que aún no te has dado cuenta de que los rusos piensan en todos los detalles. Me apeo en Dijon y tomo un coche hasta París. Allí desapareceré. Un poco de drama al estilo de *El tercer hombre* no le irá mal a la historia. De todos modos no pensarán en mí hasta que te extraigan la segunda bala y no puedan encontrar la segunda pistola. Pero no me cogerán. De hecho tengo que acudir a una cita mañana a mediodía..., habitación 204 en el Ritz, para informar personalmente a Rosa Klebb. Desea acaparar para ella toda la gloria de esta operación. Después me convertiré en su chófer y partiremos hacia Berlín. Pensándolo bien, viejo amigo, puede que gracias a la influencia de Rosa Klebb consiga la Orden de Lenin. Una buena tajada, como vulgarmente se dice.

El tren comenzó a moverse. Bond se preparó, tenso. Al cabo de unos minutos llegaría el momento. ¡Qué forma de morir, si había de morir! Por su propia estupidez, una estupidez ciega, mortal. Y también mortal para Tatiana. ¡Con tantas oportunidades como había tenido para evitar aquel desastre! La presunción, la curiosidad y cuatro días de amor le habían llevado por un cómodo río en el que estaba destinado a naufragar. La parte más lamentable de todo el problema era el asunto de la SMERSH, el único enemigo que él había jurado derrotar dondequiera que le encontrara. Haremos esto y haremos lo otro. «Camaradas, es fácil contando con un estúpido vanidoso como ese Bond. Ya veréis cómo pica el cebo. Ya lo veréis. Os digo que es un estúpido. Todos los ingleses son unos estúpidos.» Y Tatiana, la tentación, ¡la adorable tentación! Bond pensó en su primera noche. Medias negras y cinta de terciopelo negro en el cuello. Y, mientras tanto, la SMERSH vigilaba, viéndole recorrer el camino que la organización había proyectado. Para ensuciarle..., para ensuciar también a M, que le había enviado a Estambul, y para ensuciar al Servicio que vivía del mito de su nombre. ¡Dios, qué mescolanza! ¡Si aquel embrión de plan le saliera bien!

En la cabeza del tren el ruido se hizo mucho más profundo.

Unos segundos más. Unos cuantos metros más.

La boca oval, entre las páginas del libro pareció abrirse más.

Al cabo de un segundo, la oscuridad del túnel impediría que la luz de la luna se reflejase sobre las páginas y la lengua azulada llegaría hasta Bond.

—¡Dulces sueños, bastardo inglés!

El ruido del tren llegó a ser un fuerte tronar.

Surgió una llamarada azul del lomo del libro.

La bala, dirigida al corazón de Bond, recorrió la corta trayectoria.

Bond cayó pesadamente al suelo y quedó tendido, iluminado por la fúnebre luz violeta.

# 27

# Cinco litros de sangre

Todo había dependido de la precisión del hombre. Nash había dicho que Bond recibiría una bala en el corazón. Y Bond había aceptado la aseveración de Nash asumiendo que la puntería del hombre era tan buena como él aseguraba. Y lo había sido.

Bond yacía como un muerto. Antes del disparo recordó todos los cadáveres que había visto..., cómo sus cuerpos adoptaban la postura de la muerte. En aquel momento yacía en el suelo como un muñeco roto, con los brazos y las piernas cuidadosamente extendidos.

Analizó sus sensaciones. Cuando la bala tocó el libro, sintió en las costillas la aguda punzada de una quemadura. La bala había atravesado la pitillera y después la otra mitad del libro. Sentía el escozor del plomo muy cerca del corazón. Asimismo, sentía un fuerte dolor en la cabeza, allí donde ésta había tocado la madera. El reflejo de luz violeta sobre las puntas de los zapatos que tenía delante le decía que no estaba muerto.

Como un arqueólogo, Bond exploró muy cuidadosamente la ruina de su cuerpo. La posición de sus extendidos pies. El ángulo de la rodilla, flexionada a medias, que le aguantaría cuando fuera necesario. La mano derecha, que parecía crisparse sobre su corazón, se hallaba a unos centímetros de distancia de la pequeña cartera de mano. Dejaría el libro que aún sostenía y alcanzaría las costuras laterales de la cartera tras las que se ocultaban los cuchillos de lanzamiento, dos instrumentos con hojas tan afiladas como una navaja de afeitar, aquellas armas blancas de las que él se había mofado cuando el Departamento le demostró su eficacia. Y su mano izquierda, que descansaba en el suelo como muerta, le serviría de apoyo para alzarse cuando fuera necesario.

Sobre su cabeza sonó un prolongado bostezo. Se movieron las puntas de los zapatos marrones. Bond contempló cómo se distendía levemente la piel de los zapatos cuando Nash se puso en pie. Al cabo de un minuto, y con la pistola de Bond en la mano, Nash se subiría a la litera inferior y buscaría la nuca de la muchacha entre la espesa mata de sus cabellos. Luego el cañón del arma quedaría apoyado allí donde hubiesen tanteado los dedos de Nash, y éste apretaría el gatillo. El ruido del tren ahogaría la detonación.

El fin de Tatiana parecía hallarse próximo. Bond trató desesperadamente de recordar la anatomía más elemental. ¿Dónde se encontraban los puntos mortales en la parte inferior del cuerpo? ¿Por dónde pasaba la arteria principal? La femoral. Por el interior del muslo. ¿Y dónde se hallaba la ilíaca externa, o como se llamara, que luego se convertía en la femoral? En medio de la ingle. Si no acertaba con las dos arterias, mal asunto. Bond no se hacía la menor ilusión de vencer a aquel hombre en una pelea sin armas. La primera puñalada debía ser decisiva.

Los zapatos se movieron nuevamente. Se orientaban hacia la litera. ¿Qué estaba haciendo el tipo? No se oía nada, excepto el ruido del tren que atravesaba el Simplon... a través del corazón del Wasenhorn y Monte Leone. Tintineó el vaso con el cepillo de dientes en su estantería. Y crujió la madera de las paredes. En un radio de cien metros, a ambos lados de aquella celda de la muerte, dormían muchas personas, o quizá se hallaban despiertas, desveladas, pensando en sus vidas y amores, haciendo pequeños proyectos y preguntándose qué les esperaría en la estación de Lyon. Y, mientras tanto, a todo lo largo del pasillo, la muerte avanzaba junto a ellas por el mismo negro agujero de la montaña, detrás de la potente Diesel, deslizándose sobre los mismos raíles.

Un zapato marrón abandonó el suelo. El cuerpo debía pasar sobre la cabeza de Bond y, en aquel momento, el vulnerable arco quedaría al descubierto.

Los músculos de Bond se encogieron como los de una serpiente. Su mano derecha avanzó unos centímetros hacia la dura costura del borde de la cartera de mano. Presionó hacia un lado. Notó el estrecho mango del cuchillo. Lo extrajo a medias de la ingeniosa vaina, sin mover para nada el brazo.

El talón del zapato abandonó el suelo. La punta se dobló soportando todo el peso del cuerpo. Luego desapareció el otro pie.

«Mueve el cuerpo suavemente hacia aquí, apóyate allá, agarra con fuerza el cuchillo para que no se desvíe ni tropiece con un hueso, y después...»

Con una violenta torsión de su cuerpo, Bond se puso de pie. Brilló el cuchillo.

Empuñando el acero, Bond impulsó el cuchillo con toda la fuerza de su brazo y su hombro. Los nudillos de su mano tocaron la franela. Aguantó el cuchillo y luego lo hundió más aún.

Bond oyó un grito horrible. La Beretta cayó al suelo. A continuación, soltó forzosamente el cuchillo cuando Nash, en plena convulsión, cayó sobre el piso.

Bond había previsto la caída, pero cuando se desviaba hacia un costado, una mano le arrojó con fuerte impulso sobre la litera inferior. Antes de que pudiese reaccionar, el terrible rostro se alzó desde el suelo, con los ojos y los dientes reflejando el color violeta de la bombilla. Lentamente, las dos manos del moribundo se alzaron para asirle.

Bond, todavía tendido casi de espaldas, propinó a ciegas un fuerte puntapié. El zapato golpeó con fuerza en algún lugar, pero inmediatamente el pie quedó atrapado. El moribundo se lo retorció y Bond cayó hacia un lado.

Los dedos de Bond buscaron un punto de apoyo en el armazón de la litera. En aquel instante, la otra mano de Nash le cogía por el muslo. Las uñas se clavaron en su carne.

Sintió que su enemigo le arrastraba hacia él. Muy pronto le mordería. Bond golpeó con su pierna libre. Fue inútil. Nash continuaba arrastrándole.

De repente, los dedos de Bond tropezaron con algo duro. ¡El libro! ¿Cómo funcionaba? ¿Cómo se colocaba? ¿Dispararía contra sí mismo o contra Nash? Desesperadamente, Bond lo dirigió hacia el rostro cubierto por el sudor. Luego presionó sobre la base del lomo.

Clic. Bond sintió el retroceso. Clic-clic-clic-clic. A continuación, notó el calor bajo sus dedos. Las manos que asían sus piernas se aflojaron. El brillante rostro caía hacia atrás. De la garganta de Nash surgió un horrible gorgoteo. Después el cuerpo cayó hacia delante y la cabeza chocó contra la madera

Bond permaneció inmóvil, jadeando entre los apretados dientes. Miró hacia la luz violeta que alumbraba sobre la puerta. Notó que el filamento variaba su intensidad. Se le ocurrió pensar que la dínamo del tren debía padecer algún defecto. Parpadeó para forzar la vista y mirar de nuevo a la luz. El sudor se deslizaba por su frente escociendo en sus ojos. Permaneció inmóvil sin hacer nada.

Comenzó a cambiar el atronador galopar del tren. Sonaba más hueco. Con un bramido final, el Orient Express salió al claro de luna y aminoró su velocidad.

Bond se puso en pie trabajosamente y tiró del borde de la persiana. Vio almacenes y vías muertas. Las luces brillaban limpiamente sobre los raíles. Eran luces poderosas, magníficas. Las luces de Suiza.

El tren se detuvo suavemente.

En medio del silencio que reinaba, un ruido llegó desde el suelo. Bond se maldijo a sí mismo por no haber tomado más precauciones. Se inclinó y tomó el libro apuntando hacia delante por si era preciso. Sus dedos tocaron la yugular. Ningún latido. El hombre estaba muerto. El cadáver reposaba en paz.

Bond tomó asiento en el borde de la litera inferior y esperó con impaciencia a que el tren se pusiera de nuevo en marcha. Había muchas cosas que hacer. Antes de atender a Tatiana, era preciso realizar algo importante, hacer un poco de limpieza.

Con un fuerte tirón, el convoy rodó suavemente una vez más. Muy pronto el tren trazaría un zigzag para llegar a los Alpes y entrar en el cantón de Valais. Las ruedas sonaron de otra manera, como si se alegrasen de haber abandonado el largo túnel.

Bond se puso en pie y, pasando sobre las piernas extendidas del hombre, encendió la luz.

¡Qué carnicería! La cabina parecía un matadero. ¿Qué cantidad de sangre contenía el cuerpo humano? Lo recordó: cinco litros aproximadamente. Bien, muy pronto toda aquella sangre se hallaría en el suelo. ¡Mientras no saliera hasta el pasillo! Bond hizo pedazos las ropas de la litera inferior y comenzó a trabajar.

Finalmente, la labor estuvo acabada: las paredes limpias, cubierto el cadáver que yacía en el suelo y las maletas preparadas para bajar en Dijon.

Bond bebió una botella entera de agua. Luego se subió en la litera inferior para sacudir por el hombro a Tatiana.

No hubo respuesta. ¿Habría mentido Nash? ¿Habría envenenado a la muchacha?

Bond pasó una mano por su nuca. Estaba caliente. Luego buscó el lóbulo de una oreja y lo pellizcó. La muchacha se agitó lanzando un gemido. Una vez más Bond pellizcó, oyendo por fin un ahogado murmullo:

—¡No...!

Bond sonrió. Sacudió a Tatiana. Continuó moviéndola hasta que, lentamente, se volvió de lado. Los ojos azules y aún drogados de la joven se clavaron en los suyos. Luego volvieron a cerrarse.

—¿Qué sucede? —preguntó la muchacha con voz soñolienta.

Bond le habló, la amenazó, e incluso la maldijo. Después la sacudió con más fuerza. Finalmente, la joven se sentó en la litera.

Tatiana le miró con ojos sin expresión. Bond le colocó ambas piernas fuera de la litera, colgando hacia el exterior. Luego la ayudó a bajar a la litera inferior.

Tatiana tenía un aspecto terrible. La boca como muerta, los ojos soñolientos y los cabellos extrañamente húmedos. Bond comenzó a limpiarla con una toalla húmeda y después la peinó.

Alcanzaron Lausanne y, finalmente, la frontera, en Vallorbes. Bond dejó a Tatiana y salió al pasillo, por precaución. Pero los funcionarios de aduanas y pasaportes pasaron de largo a su lado dirigiéndose hacia el departamento del revisor. Luego, tras cinco interminables minutos, abandonaron el tren.

Bond regresó al departamento. Tatiana dormía otra vez. Consultó el reloj de Nash, que en aquel

352

momento ya se hallaba en su propia muñeca. Las 4.30. Otra hora para llegar a Dijon. Bond se puso a trabajar.

Finalmente, Tatiana abrió los ojos. Sus pupilas parecían aún más centradas. Dijo:

—Ya está bien, James.

Cerró los ojos nuevamente. Bond enjugó el sudor que le cubría el rostro. Llevó las maletas, una por una, hasta el final del pasillo y las amontonó junto a la portezuela de salida. Después fue a ver al revisor y le dijo que la señora no se sentía bien y que dejarían el tren en Dijon. Acto seguido, le dio otra propina.

—No se moleste —añadió Bond—. He llevado todo el equipaje hasta la plataforma para no molestar a madame. Mi amigo, ese señor del pelo rubio, es médico. Ha estado con nosotros toda la noche. Le dejé dormir en mi litera. Ahora se encuentra muy cansado. Sería muy conveniente que no se le despertara hasta que falten diez minutos para llegar a París.

—*Certainement, monsieur*.

El revisor no había visto tanto dinero desde los buenos tiempos en que los millonarios viajaban en tren. Entregó a Bond el pasaporte y los billetes. El tren comenzó a perder velocidad.

—*Voilà que nous y sommes*.

Bond regresó al departamento. Obligó a Tatiana a ponerse en pie y la acompañó por el pasillo, cerrando antes la puerta del departamento. Junto a la litera quedaba el cadáver de Nash, bien cubierto por una sábana.

Bajaron los escalones del tren y, por fin, se encontraron en el andén, sobre la dura tierra, sobre la

maravillosa e inamovible tierra. Un mozo uniformado de azul tomó el equipaje.

El sol comenzaba a salir. A aquella hora de la
mañana había muy pocos viajeros despiertos. Solamente unos cuantos en tercera clase que habían pasado una mala noche sobre sus duros asientos. Aquel
grupo de viajeros de tercera fueron los únicos que
vieron cómo se apeaba del tren un hombre que ayu-
daba a una joven. Ambos abandonaban aquel vagón
con románticos rótulos en sus costados, dirigiéndose, acto seguido, hacia la puerta sobre la cual cam-
peaba otro rótulo: «SALIDA».

# 28

## «La tricoteuse»

El taxi se detuvo en la entrada del hotel Ritz, en la rue Cambon.

Bond consultó el reloj de Nash. Las 11.45. Había que ser puntual. Sabía perfectamente que si un espía ruso llegaba unos minutos antes o después a una cita, ésta quedaba automáticamente cancelada. Pagó el taxi y entró por la puerta de la izquierda que conducía al bar del Ritz.

Bond pidió un vodka doble con martini. Bebió la mitad del combinado. Se sentía magníficamente bien. Súbitamente, los últimos cuatro días, y particularmente la última noche, se habían esfumado del calendario. Ahora era el mismo de siempre, actuando por su cuenta, corriendo su propia aventura. Había tomado todas las precauciones posibles. La muchacha dormía en la Embajada.

La Spektor, todavía cargada con explosivos, se hallaba en manos de los especialistas del Deuxième Bureau. Había hablado con su antiguo amigo René Mathis, en aquel momento jefe del Deuxième, y el conserje de la entrada del Ritz recibió instrucciones de entregarle una llave sin hacer preguntas.

René estaba contento de cooperar con Bond una vez más en *une affaire noire*. «Ten confianza, *cher* James —había dicho—. Seguiré al pie de la letra todas tus misteriosas órdenes. Más tarde me explicarás el asunto. Dos individuos de la tintorería, cargados con una gran cesta de ropa, llegarán a la habitación número 204 a las doce y cuarto. Les acompañaré vestido de chófer del camión de reparto. Hemos de llenar la cesta y trasladarla a Orly donde esperaremos a un avión Canberra de la RAF que tomará tierra a las dos en punto. Entregaremos la cesta. Ropa sucia de Francia que se trasladará a Inglaterra, ¿no es así?»

El jefe de la Sección F había telefoneado a M y leído el informe de Bond. Luego solicitó el Canberra. No, no podía adivinar para qué serviría. Bond solamente se había presentado para entregar a la muchacha y la Spektor. Después, había devorado un gran desayuno y abandonado la Embajada diciendo que volvería después del almuerzo.

Bond consultó de nuevo el reloj. Terminó su martini. Lo pagó y salió del bar. Se dirigió hacia la conserjería.

El conserje le miró con atención y le dio la llave. Bond caminó hacia el ascensor, entró en él y oprimió el botón de la tercera planta.

La puerta del ascensor se cerró a su espalda. Bond avanzó lentamente a lo largo del pasillo mirando los números de las puertas.

La 204. Introdujo la mano en un bolsillo de la chaqueta y la apoyó sobre la culata de la Beretta. La pistola estaba en su cintura, sujeta por el cinturón del pantalón. Sintió el metal caliente del silenciador sobre su estómago.

Llamó a la puerta una sola vez, con la mano izquierda.

—¡Adelante!

Era una voz temblorosa. La voz de una mujer de cierta edad.

Bond giró el pomo de la puerta. Estaba abierta. Guardó la llave en el bolsillo y, con un rápido movimiento, abrió la puerta y luego la cerró tras de sí.

Era una sala de estar típica del Ritz, extremadamente elegante, amueblada al estilo Imperio. Las paredes eran blancas y las cortinas y tapizados de las sillas mostraban diminutas rosas sobre fondo también blanco. La alfombra era de color rojo burdeos.

Donde daba el sol, y en un bajo sillón junto a un escritorio Directoire, estaba sentada una anciana menuda, haciendo punto.

Continuó sonando el canto metálico de las agujas de hacer punto. Los ojos, tras unas gafas bifocales ligeramente azuladas, examinaron a Bond con curiosidad cortés.

—*Oui, monsieur?*

La voz era profunda y áspera. El rostro, muy empolvado bajo el cabello blanco, sólo expresaba el interés propio de la buena educación.

—Mi nombre es Bond, James Bond.

—Y yo, señor, soy la condesa Metterstein. ¿Qué puedo hacer por usted? —El francés que hablaba la dama era un tanto áspero. Podía ser suiza o alemana. Las agujas de hacer punto no se detenían.

La mano de Bond, bajo la chaqueta y sobre la culata de la pistola, estaba más tensa que el acero. Con los ojos entornados observó la estancia y luego los clavó en la anciana.

¿Se habría equivocado? Probablemente aquélla no era la habitación que buscaba. ¿Presentaría excusas y se retiraría? ¿Acaso aquella mujer podía pertenecer a la SMERSH? Tenía todo el aspecto de la rica y respetable viuda que se alojaba en el Ritz y dejaba correr el tiempo haciendo punto. La clase de dama que dispondría de mesa y camarero especiales en un rincón del restaurante... no, por supuesto, en el *grill-room*. La clase de señora que después de comer echaría una siestecita tras la cual un elegante coche negro, con neumáticos de laterales blancos, la llevaría a una sala de té de la rue Berri, donde se reuniría con otras damas de su misma clase. El vestido negro pasado de moda, con encaje en el escote y muñecas, la fina cadena de oro que colgaba sobre sus senos sin forma alguna y de la que pendían unos plegados impertinentes, los pequeños pies embutidos en unas botas de fina piel abotonadas hasta más arriba del tobillo, y que apenas tocaban el suelo. ¡No podía ser la Klebb! Bond se había equivocado de número. Sintió la transpiración bajo los sobacos. Sin embargo, tenía que acabar la escena.

—Me temo que el capitán Nash ha sufrido un accidente y no vendrá hoy. He venido yo en su lugar —dijo.

¿Se entornaron los ojos de la anciana tras los azulados lentes?

—No tengo el placer de conocer al capitán, *monsieur*. Ni a usted. Por favor, tome asiento y explíqueme qué desea.

La mujer inclinó la cabeza unos dos centímetros hacia la silla de alto respaldo que había junto al escritorio.

No se le podía achacar ninguna falta. La delicadeza era auténtica. Conquistaba en el acto. Bond atravesó la estancia y se sentó. En aquel instante se hallaba a unos dos metros de distancia de ella. En el escritorio no había nada, excepto un antiguo teléfono, y, al alcance de su mano, un timbre con botón de marfil.

Bond estudió el rostro de la mujer detenidamente. Era un rostro feo, de viejo sapo, oculto bajo los polvos y bajo la estirada cabellera blanca. Los ojos tenían un color castaño tan claro que casi eran amarillos. Los pálidos labios estaban húmedos bajo la sombra de nicotina que ensuciaba un tenue bigote. ¿Nicotina? ¿Dónde estaban sus cigarrillos? Allí no se veía ningún cenicero..., ni la estancia olía a tabaco.

La mano de Bond se crispó una vez más sobre la culata de la pistola. Miró hacia la bolsa de hacer punto y al trozo de labor en el que la mujer trabajaba. Las agujas metálicas. ¿Qué había de extraño en ellas? Los extremos aparecían decolorados, como si hubiesen estado expuestos al fuego. ¿Acaso las agujas de hacer punto eran todas así?

—*Eh bien, monsieur?*

¿Existía un tono cáustico en la voz? ¿Habría observado algo en las facciones de Bond?

Este último sonrió. Tenía todos sus músculos tensos, esperando cualquier movimiento, cualquier truco.

—No vale la pena —repuso alegremente, jugueteando—. Usted es Rosa Klebb. Y es también el jefe de Otdyel II de la SMERSH. Es torturadora y asesina. Quería usted matarme lo mismo que a la joven Romanova. Me alegro de conocerla al fin.

Los ojos de la mujer no habían cambiado. La voz era cortés y paciente. Extendió una mano hacia el timbre.

—Señor, me temo que es usted un perturbado. Llamaré al *valet de chambre* para que le acompañe a la puerta.

Bond nunca supo lo que salvó su vida. Quizá fue la repentina visión del timbre, que no estaba conectado por cables ni a la pared ni al pavimento. Quizá fue también el repentino recuerdo de que le contestó en inglés «¡Adelante!» cuando llamó a la puerta. Pero cuando el dedo de la mujer se extendió, Bond se lanzó hacia un lado, fuera de la silla.

Cuando Bond tocó el suelo, oyó un ruido seco, como si se rasgase ropa. A su alrededor saltaron numerosas astillas. La silla también cayó sobre la alfombra.

Bond giró velozmente con la pistola en la mano. Por el rabillo del ojo vio cómo salía una nubecilla de humo por la boca del *teléfono*. Al cabo de medio segundo, la mujer estaba sobre él blandiendo las agujas de hacer punto.

Intentó clavárselas en las piernas. Bond la golpeó con ambos pies y la arrojó hacia un lado. ¡Había apuntado a sus piernas! Al incorporarse sobre una rodilla, Bond supo lo que significaba el extraño color de los extremos de las agujas. Era veneno. Probablemente uno de los venenos alemanes que atacaban el sistema nervioso. Todo cuanto ella tenía que hacer era arañarle, incluso a través de la ropa.

Bond se puso en pie. La mujer iba hacia él de nuevo. Bond peleó silenciosamente con su pistola. Se había atascado el silenciador. Hubo como una especie de relámpago. Bond lo esquivó. Una de las agujas chocó contra la pared, tras él, y aquella horrible anciana, cubierta por una peluca, y enseñando los dientes con rabia, le atacó nuevamente.

Bond, sin atreverse a usar los puños contra las agujas, saltó de lado por encima del escritorio. Jadeante y hablando en ruso, Rosa Klebb rodeó el mueble sosteniendo en una mano la aguja como si fuera un florete. Bond retrocedió, forcejeando todavía con la pistola. La parte posterior de sus piernas tropezó con una silla. Dejó la pistola y asió la pequeña silla por el respaldo. Extendiéndola hacia adelante, rodeó también al escritorio para hacer frente a la mujer. Pero ésta se hallaba en aquel momento junto al *teléfono*. Lo cogió velozmente. Bond saltó hacia delante. Dejó caer la silla con terrible fuerza. Las balas fueron a parar al techo, del que cayeron unos cuantos trozos de yeso.

Bond avanzó una vez más. Las patas de la silla abarcaron la cintura y hombros de la mujer. ¡Dios, qué fuerte era! Rosa Klebb cedió, pero sólo para arrimarse a la pared. Allí aguantó, escupiéndole por encima de la silla mientras que la peligrosa aguja apuntaba hacia él como un terrible aguijón. Bond retrocedió un poco, sosteniendo la silla con toda la longitud del brazo. Se preparó y le propinó un puntapié a la muñeca de la mujer. La aguja saltó por los aires yendo a caer detrás de Bond.

Éste se acercó más. Examinó la posición. Sí, la mujer se hallaba firmemente sujeta a la pared por las cuatro patas de la silla. No había forma de que saliera de aquella especie de jaula excepto por la fuerza. Estaban libres sus brazos, piernas y cabeza, pero el cuerpo se hallaba ceñido contra el muro.

La mujer murmuró algunas palabras en ruso y le escupió otra vez. Bond inclinó la cabeza y se enjugó la cara con una manga. Luego miró hacia el morado rostro.

—Esto es todo, Rosa. Dentro de un minuto estará aquí el Deuxième Bureau. Y al cabo de una hora, aproximadamente, estarás en Londres. Nadie te verá abandonar el hotel. Ni nadie contemplará tu entrada en Inglaterra. En realidad, habrá muy pocas personas que te vean. De ahora en adelante, no eres más que un número en un archivo secreto. Cuando hayamos terminado contigo, estarás lista para ingresar en un manicomio.

El rostro de la mujer, a muy pocos centímetros de distancia, estaba cambiando. La sangre había abandonado sus facciones y la cara aparecía amarillenta. Bond pensó que no era por el pánico. Los ojos claros le miraban intensamente. No eran los de un ser derrotado.

La boca húmeda y sin forma esbozó una sonrisa.

—¿Y dónde estarás tú cuando yo me encuentre en el manicomio? Dime, señor Bond.

—¡Oh! Seguiré con mi vida de siempre.

—Creo que no, *angliski spion*.

Bond apenas hizo caso de las palabras de la mujer. Acababa de oír cómo se abría la puerta. Tras él sonó una carcajada.

—*Eh bien* —exclamó la voz alegre que él conocía tan bien—. ¡La posición número 70! ¡Vaya! Por fin lo he visto todo. ¡E inventado por un inglés! James, todo esto es realmente un insulto a mis compatriotas.

—¡No te lo recomiendo! —replicó Bond por encima del hombro—. Es demasiado agotador. De todos modos, ya puedes hacerte cargo de ella. Te la presentaré. Se llama Rosa. Te gustará. Es todo un personaje de la SMERSH. En realidad es la encargada de los asesinatos.

Mathis se acercó. Le acompañaban dos empleados de la lavandería. Los tres hombres se detuvieron y contemplaron atentamente el rostro de la mujer.

—Rosa —dijo Mathis—. Pero esta vez Rosa *Malheur*... ¡bien, bien! Estoy seguro de que la dama se encuentra muy incómoda en esa posición. Vosotros dos, traed el *panier de fleurs*... estará mucho más cómoda ahí dentro.

Los dos hombres se acercaron hasta la puerta. Bond oyó el crujido de la cesta de la lavandería.

Los ojos de la mujer todavía estaban clavados en Bond. Se movió un poco cargando el peso de su cuerpo sobre un pie. Sin que Bond se diese cuenta, y mucho menos Mathis, quien aún examinaba su rostro, la punta de uno de los pequeños pies abotinados presionó sobre el empeine del otro. De la punta del pie sobresalió un centímetro de un fino puñal. Lo mismo que las agujas de hacer punto, el acero mostraba un tinte azulado.

Se acercaron los dos hombres y dejaron la cesta en el suelo, junto a Mathis.

—Cogedla —ordenó éste. Luego, inclinándose irónicamente ante la mujer añadió—: Ha sido un honor.

—*Au revoir*, Rosa —dijo Bond.

Los amarillentos ojos brillaron brevemente.

—Hasta la vista, señor Bond.

La bota, con la minúscula lengua de acero, se desplazó con la velocidad del relámpago.

Bond sintió un dolor agudo en la pantorrilla derecha, parecido al que produciría un puntapié. Dio un respingo y retrocedió. Los dos hombres asieron a Rosa Klebb por los brazos.

Mathis se echó a reír.

—¡Pobre James! Como siempre, la SMERSH ha pronunciado la última palabra.

La lengua de oscuro acero se había retirado de nuevo a su extraña funda de cuero. En aquel instante, la mujer no era más que una inofensiva anciana a la que metían dentro de la cesta.

Mathis se encargó de que la tapa quedara bien segura. Se volvió hacia Bond.

—Has hecho un buen trabajo, amigo mío —dijo—. Pero pareces cansado. Regresa a la Embajada y descansa porque esta noche cenaremos juntos. La mejor cena que haya en París. Y nos acompañará la muchacha más bonita que se pueda soñar.

El sopor se apoderaba del cuerpo de Bond. Sentía frío. Alzó una mano para apartar de su frente el mechón de cabellos que caía sobre su ceja derecha. No había tacto en sus dedos. Dejó caer la mano pesadamente a lo largo del costado.

La respiración se hizo difícil. Bond inhaló aire hasta lo más profundo de los pulmones. Apretó las mandíbulas y entornó los ojos, al igual que las personas que tratan de ocultar su borrachera.

A través de las pestañas vio cómo la cesta en manos de los dos hombres partía hacia la puerta. Hizo un esfuerzo por abrir los ojos. Desesperadamente, miró a Mathis.

—No necesitaré ninguna muchacha, René —musitó con dificultad.

Tuvo que abrir la boca para respirar. Una vez más, alzó la mano hacia su frío rostro. Tuvo la impresión de que Mathis se acercaba a él rápidamente.

Bond sintió que flaqueaban sus rodillas.

Dijo, o creyó decir:

—Ya tengo la chica más encantadora...

Bond giró sobre los talones y cayó hacia delante sobre la alfombra color burdeos...

El lector interesado en conocer el desenlace de la crítica situación que atraviesa James Bond, debe remitirse a la obra *Dr. No* de esta misma colección.